JN088647

グリーン・ニューディールを勝ち取れ

気候危機、貧困、差別に立ち向かうサンライズ・ムーブメント

編著＝ヴァルシニ・プラカシュ
ギド・ジルジェンティ
訳＝朴 勝俊　山崎一郎
長谷川羽衣子　大石あきこ
cargo　青木 嵩　ヒル・ダリア・エイミー

WINNING THE
GREEN NEW DEAL
by
Edited by Guido Girgenti
and Varshini Prakash

Japanese translation published by arrangement with Sunrise Movement Education Fund
c/o Roam Agency through The English Agency (Japan) Ltd.

グリーン・ニューディールを勝ち取れ

編者による序文

本書は、過去十数年にわたって蒔かれてきた種子の結実である。サンライズ・ムーブメント（Sunrise Movement）の中核をなす学生運動家たちは、喫緊の気候危機を前にして、組織づくり、運動づくりの問題と格闘してきた。歴史のこの瞬間に人類が直面しているこの危機に対処するうえで、十分な規模で、十分な変革をもたらす解決策とは何か？　どうすればこの危機に打ち勝てるほど、大きくて力強い運動が構築できるのか？　これらは、ビジョンと戦略、そして理論と実践に関する問いである。

本書によって、私たちがこれまでの旅路で見つけてきた答えを、すなわち人類繁栄へのビジョンと、このビジョンを私たちの生涯のあいだに実現しうる戦略を、読者の皆さんに提供したい。私たちはこのような本に、5年前に出会っていたかったと思う。本書は、グリーン・ニューディールのための運動についての、全般的で確定的な説明ではない。むしろ、現在の危難と可能性の大海原で、船を前に進めようとする人たちのための羅針盤である。私たちが望むのは、これからの十年で勝利をおさめ、振り返ってみれば、次章以降で議論されているアイデアが、むしろ野心が足りなかったように見られることである。

本書は三部構成であるが、それぞれがグリーン・ニューディール（GND）についての3つの問いに対する答えとなっている：

① なぜ、私たちが直面する気候危機にはGNDが、それも大規模で、急速で、経済的・人種的な正義を約束するGNDが必要なのか？

② GNDの指導原則と政策は何か？

③ 今後十年でGNDを勝ち取るために、どのように運動を組織化すればよいのか？

各部・各章の順序は、時系列には沿っていない。私たちの運動の戦略は、上院議員や下院議員たちがグリーン・ニューディール関連の提案をするずっと以前から、構築されてきたものである。グリーン・ニューディール政策に反映される原則の多くは、環境的・人種的・経済的な正義のための闘争の中で、過去五十年以上の時間をかけて発展してきたものである。それは、かの国連気候変動に関する政府間パネル（IPCC［アイピーシーシー］）が、破滅的な地球温暖化を回避するために前例のない社会的・経済的な変革を呼びかけた時よりも、ずっと前からということである。

本書が刊行された現在では、グリーン・ニューディールを勝ち取ることは、必要なだけでなく、可能であると考えられる。過去数百年にわたって、米国人である全ての人々に対して自由と正義を保障する、多人種の民主主義を求める戦いが続いてきた。この戦いを指導してきた思想家や活動家たちの何人かが、本書に文章を寄せてくれている。彼らのような人々がトーチ〔たいまつ〕を受け継いで、グリーン・ニューディールを可能なものにしてくれたのである。

このトーチを私たちと共に、そして私たちの先へと運んでくれる人々に、この本がささやかな光明となることを祈りたい。

ヴァルシニ・プラカシュ、ギド・ジルジェンティ

CONTENTS

編者による序文
ヴァルシニ・プラカシュ、ギド・ジルジェンティ ………5

序章 部屋の中の大人たち ヴァルシニ・プラカシュ ………13

第一部 彼らは、この危機の打開を望まない ………27

第1章 今ここにある気候危機 デビッド・ウォラス=ウェルズ ………28

パラダイス──「その名のとおりの町でありますように」
ミケーラ・バトソン ………37

第2章 火をつけたのは、私たちではない ケイト・アロノフ ………39

第3章 最悪の時期における市場原理主義 ナオミ・クライン ………51

第4章 気候崩壊を避けるためには人種差別をなくす取り組みが必要だ
イアン・ヘイニー・ロペス ………61

第二部 グリーン・ニューディールのビジョンと政策 ………77

第5章 いかにして私たちはグリーン・ニューディールにたどり着いたのか ビル・マッキベン ………78

第6章 グリーン・ニューディールの方針と原則
リアナ・グン=ライト ……89

第7章 経済学からのグリーン・ニューディール推進論
ジョセフ・スティグリッツ ……113

第8章 南部湾岸地域のための
グリーン・ニューディール コレット・ピション・バトル ……124

おカネには、陽に照らされて腐ってゆく
牡蠣殻の山のようなにおいがした ジェナイ・ルイス ……134

第9章 グリーン・ニュー・ビンゴホール
ジュリアン・ブレイブ・ノイズキャット ……136

第10章 労働者にとってのグリーン・ニューディール
メアリー・ケイ・ヘンリー ……143

第三部 グリーン・ニューディールを勝ち取るために組織化（オーガナイズ）する ……151

第11章 人々の力と政治的な力 ヴァルシニ・プラカシュ ……152

一緒に海を分けて進む ジェレミー・オーンスタイン ……177

第12章 私たちは光り輝く──希望と歌による組織化──
サラ・ブラゼビッチ、ダイアナ・ジェイ、
ビクトリア・フェルナンデス、アルー・シニー=アジェイ ……179

アメリカの青空 サヤ・アメリ・ハジェビ ……209

第13章　**地球のための第三のリコンストラクション**
ウィリアム・J・バーバー二世牧師 ………212

第14章　**アメリカ政治の次の時代**
ギド・ジルジェンティ、ワリード・シャヒド ………224

第15章　**抵抗運動から予備選挙へ**
アレクサンドラ・ロハス、ワリード・シャヒド ………251

第16章　**ニューディールによる労働権の確立と、グリーン・ニューディールによる労働者の復権**
ロバート・マスター ………271

終章　**組織化しよう、投票しよう、ストライキしよう**
ヴァルシニ・プラカシュ ………284

謝辞 ………288

原注 ………293

訳者解説
グリーン・ニューディールを勝ち取れ　朴 勝俊 ………329

索引 ………340

執筆者一覧 ………348

編著者、訳者略歴 ………350

凡 例

一、本書は、*Winning the Green New Deal: why we must, how we can,* edited by Varshini Prakash & Guido Girgenti of the Sunrise Movement（First Simon & Schuster trade paperback edition, August 2020）の全訳である。

一、金額の円換算 は、2021年7月26日時点を基準として、1ドル＝110円として計算した。ただし1980年代（レーガン時代）は1ドル＝239円として計算した。なお、戦前のドル金額には円換算を記していない。

一、本文中の［　］は原著者による補足を、〔　〕は訳者による注を示している。

一、原注は巻末にまとめ、参照は上付きのアラビア数字で本文中に記した。

序章　部屋の中の大人たち

ヴァルシニ・プラカシュ

The Laura Flanders Show
CC BY 3.0
File：Varshini Prakash 2019.jpg

「若者は立ち上がろう」。ただこう言うほかに、私にはうまい言葉が見つかりません。そう、メッセージはこれです。この本から掴(つか)み取って欲しいのは、友人やクラスメート、そして隣人たちと一緒に立ち上がり、私たちみんなの安全な未来を要求する勇気と、一緒に立ち上がれば必ず勝てるという確信です。

2019年9月20日、朝早く目が覚めたときに、私はその「立ち上がろう」という感覚をおぼえました。

私がアメリカで寝ている間に、世界中で何百万もの若者たちが、これまでになく数多くの大都市や小さな町で、一斉に路上にあふれ出したのです。私は、ベッドの中でツイッターをスクロールしてみて、何かに打たれた気がしました。インドのデリーからは、生徒たちが一緒にスローガンを叫んでいる映像がありました。日本では数千人がデモをし、オーストラリアでは数十万人が街に繰り出していました。ドイツでは140万人以上がストライキを行っていました[1]。それぞれの国で、集まった何千人もの若者たちは、手作りのプラカードや地球の写真、それぞれの言葉を書いた紙を掲げていました。私が気に入ったのは、「あんたたちが大人にならないのなら、オレたちが大人になるさ」というものでした。

私はベッドから飛び起きました。ニューヨークで何万人ものリーダーたちと合流するのです。そこでは、あの不屈の16歳、グレタ・トゥンベリのようなリーダーたちがデモをする予定です。私はフォーリースクエアに向かいました。

行進が始まる何時間も前に、歩道はティーンエイジャーであふれかえっていました。

緑の芝生は、高校生や中学生たちに覆（おお）いつくされていました。プラカードを持った先生や保護者たちの横には、5、6歳以下にしか見えない子どもたちもいました。何千人ものティーンエイジャーが授業をストライキするのを、ニューヨーク市の教育局が許可しました。私は活動家たちに合流しました。14歳のアレクサンドリア・ビジャセニョールや、16歳のジェイミー・マーゴリンたちのことです。参加者の平均年齢は、私がこれまで参加したどんなデモと比べても30歳以上は若かったでしょう。そのエネルギーは、日差しが熱くなるにつれて激しく沸き立つように感じられました。

市内の各地区から色んな人種の若者たちが集まっていました。その人たちをかき分けて、私がステージ横にたどり着いたのは、最初のスピーカーがマイクに向かって叫び始めた時でした。

見渡す限りの向こうまで、夥（おびただ）しい数の人の波でした。そこに立ち並ぶ何千人もの人々は、より良い未来への希望で一つになっていました。これ以上に美しいものは他にありません。

でもそれを見ると涙があふれ出し、胸が締め付けられました。彼らは**子どもたちなの**です。金曜日の午後には、仲間と遊んだり、勉強したり、散歩をしたりして、夏の最後の瞬間を楽しく過ごすはずの子どもたちが、未来のために行進し、戦い、要求し、そして嘆願することを強いられているのです。自分達が投票したり、立候補したりできる年齢に達するまでに、取り返しのつかない損害が発生してしまうことを、彼らは知っています。上の世代は先に死んでしまって、いまの無責任で破滅的な行動の結末を見ることもないでしょうが、彼らは残されたおぞましい世界を、自分たちでどうにかしてゆかねばならないのです。

私たちがどんな人間なのかということは、置かれた状況ではなく、それにどう対処しようとするかで決まります。ここに集まった若者たちは明らかに、どれほど勝算がなくても、反撃することを選択し、希望を抱くことを選択し、自分たちの人生を選択していました。私たちは、環境災害を目撃した最初の世代ではありませんが、その激変を止める力を持つ最後の世代です。私たちがこの問題を引き起こしたわけではありません。未来がどうなるかも分かりません。それでも、私たちは仲間を信頼し、責任を引き受け、行動することを選択しました。孤立して、怖じ気づいて、引き下がることは選びませんでした。恐ろしくて困難なことですが、皆が一緒になればきっと実現できます。

こんなことが頭の中を駆け巡っていたとき、とつぜん私の名前が呼ばれました。照りつける陽射しのもと、25万人の大観衆の声援の中へと、私は足を踏み出しました[2]。力がふたたび、胸一杯にみなぎりました。ステージに飛び上がると、私はこう言いました。

> 子どもの頃、初めて気候変動の危機を知った時、私は心臓がドキドキして、夜遅くまで眠れませんでした。自分や、世界中の自分に似た人たちに何が起こるのかを想像していたのです。そのイメージが頭から離れませんでした。災害から外国へと逃れても、食べ物も水もなく、銃を突きつけられ、檻に入れられる。そんな時、人々は互いに対してどんなことをするのだろうか。その時、私は孤独で、ちっぽけで、無力でした。
> 今は、私たちの世代の番です。正義が果たされるのを、行動がなされるのを、話を聞いてもらえるのを、待つだけの日々はもう終わりです。そうなるまで、そうさせるまで、私たちはデモを続けるのです。子どもたちはもはや、小さくて、孤独で、無力だと思う必要はありません。今、この世界を根底から揺るがしている、いちばん重要な運動に参加しているからです。

その日、700万人がストライキを行いました[3]。

グリーン・ニューディールを勝ち取るための運動です。

「あなたたちのプランは？」

その「立ち上がろう」という感覚には、いろんな種類があります。私にとって、2019年9月のそれは、歓喜と楽観の場所から歩き出そうという高揚感でした。しかしその1年近く前においては、それは激しい怒りでした。

2018年11月7日、選挙日の翌朝、私が目を覚ますと、ひとつのニュースが目に飛び込んできました。中間選挙で勝利したばかりのナンシー・ペロシが、下院議長としての新しい権限を使って、「頻発する異常気象の影響について国民を教育する」ための委員会を設立するというのです。

これは私個人に関わるニュースでした。「サンライズ・ムーブメント」という名の若者の運動は、2017年半ばに設立され、この時の選挙にむけて発展してきました。私はその共同設立者であり、常務理事です。気候変動を〔2018年の〕中間選挙の重要な争点にすることが私たちの使命でした。それは、何百万もの良質な雇用を創出しつつ気候変動を阻止するための包括的な政策を実現させるという、最終的な目標に向けた重要なステップでした。

私たちは選挙戦略の焦点を二つに絞りました。一つは、民主党と共和党の両方の政治家たちと、気候変動で利益を得ている化石燃料企業の経営者たちとの金銭的なつながりを暴露することで、もう一つは、化石燃料関連の資金提供を断り、野心的な気候政策を支持してくれる民主党の政治家を応援することでした。他のいくつかの気候保護団体と違って、共和党候補者の教化や説得には力を入れませんでした。なぜなら気候変動を意識した数少ない共和党の政治家たちは、党に献金する化石燃料系の億万長者たちによって、とっくの昔に追放されていたからです。また、党全体としては、有色人種の人々や、民主主義、そして先の世代が大切にしていた超党派の協力を、あからさまに侮蔑するようになってきていたからです。要するに、共和党は限度を超えていたのです。

全国の「サンライザー」たちが6月から11月まで、民主党の候補者の宣伝や、有権者の登録のために奔走していたのは、そのためです。前回の中間選挙と比べて400万人も多くの若者が投票に訪れ、民主党が下院を取り戻すのに貢献しました[4]。私たちの世代は迷わず民主党を支持しました。何としてもドナルド・トランプを牽制する必要があったからです。しかし民主党もまだ、私たちの未来に影を落としている巨大な問題を解決するためのプランをひとつも出せていなかったので、それは熱狂的な支持ではありませんでした。サンライズの努力によって、いくつかの選挙区では気候変動問題の注目度を高めることができましたが、目指すべき到達点まではまだまだでした。

そこへきてペロシが、彼女の気候戦略が「国民を教育する」だけのものだと認めたわけです。個人的には、カリフォルニアで猛威を振るっている山火事がいろんなニュースで報じられていることで、すでに教育は十分だと思っていました。ぞっとして、ものすごく腹が立った、これがこの時の「立ち上がろう」という感覚でした。

6日後〔11月13日〕、私たちはペロシに会うために、およそ200人でワシントンDCのオフィスビルに入りましたペロシを直接たずねました。黄色と黒のプラカードでホールを埋め尽くし、切迫したメッセージを示しました。「12年しかないのですよ」「あなたのプランは？」もちろん答えはわかっていましたが、それについては後ほどお話します〔彼らのビデオによればペロシ議員はオフィスにおらず、デスクにはスタッフの男性が座っていた〕。

前にもこのようなイベントに参加したことがありました。私は、キーストーンのXLパイプラインに反対する行進にも参加しましたし、自分が通う大学の経営者の部屋に座り込んで、寄付金資産を化石燃料からダイベストさせたこともありました〔ダイベストとは資金の引き上げのこと〕。マサチューセッツ州南部の汚い石炭火力発電所を止めようとして、逮捕されたこともありました。

議会で座りこみをしても、その日のうちに勝利が得られなかったことは、手痛い教訓でした。気候危機を阻止し、すべてのアメリカ人のために雇用と正義を確保するために団結することは、困難でした。その理由のひとつは、出発点がゴールから遠すぎるので、すべてを一回で勝ち取ることなどあり得ないということです。

カリフォルニアの山火事で自分の家や隣人たちが燃えてゆくのを、私たちは見ています。世界中の親戚たちから電話がかかってきて、洪水から逃れようとしていることを知らされます。私たちは、なぜ火災や洪水が悪化し続けているのかという問いに答え、荒廃した未来を招き寄せる化石燃料依存型経済との対決を迫られています。この時にも政治家たちは、危機を大声で否定し、より多くの石炭や石油を採掘し燃やすことを後押ししています。

失敗する理由をあれこれ考えるのは活動家のすることではない、ということも分かりました。私たちがやるべきことは、大災害を防いで可能なかぎり多くの人々の生命（いのち）と生活を救う方法を、見いだすことです。真理と正義が私たちにそれを迫っているのだということを、忘れないことです。この緊急事態を真剣に受け止め、私たちの国がどんなふうに変わるかを想像することです。そして、それを現実にするために必要な力を蓄えることです。

11月13日の朝、目覚めた私は自分にそう言い聞かせていました。ペロシ議員がどう答えようとも私たちの座り込みは、天をまたぐ歴史の円弧を曲げるのに少しは役に立つはずです〔この箇所の原文は another small tug at the arc of history だが、この表現はキング牧師やオバマ大統領の演説で使われた表現を踏襲している〕。私たちの世代が一歩踏み出して、この危機は緊急事態なのだと自覚して行動できるならば、そして、大災害を防いで地域社会を守るために必要な政策に関する対話を迫ることが出来れば、それだけの価値があることです。

私はナンシー・ペロシの事務所のロビーに足を踏み入れて、話を始めました。

> 私たちの世代は、この地球上に生を受けていらいずっと、政治家たちの失敗を目撃してきました。私たちは、勇気が最も必要とされる時に、指導者たちが臆病なことに怒りを覚えています。
>
> カリフォルニア州では山火事が次々と都市を焼き尽くしています。最新の国連報告書によると、人類がいまのような文明を守るために、経済と社会を急いで変革させようとしても、時間の猶予は12年しかありません[5]。そういうことですから、そういう話がしたいのです。しかし、支配層の民主党員は化石燃料関連企業の経営者やロビイストたちから数十万ドル〔数千万円〕を受け取って、2021年までに本当の温暖化対策を打ち出すつもりなどないと言っています。これは私たちの世代にとっては、死刑宣告にひとしいものです。
>
> 私たちは生まれてこの方ずっと、大人たちが何とかするから黙って見ていなさいと言われてきました。でも、私たちは新たな議会の初日に、ここに来ました。なぜなら、指導者が何をするかを「黙って見ている」時間なんて無いからです。
>
> 前回、気候政策のための大きな試みがなされたのは、2009年のことでした[6]。私が14歳の時ですよ。その成功にあぐらをかいていても、カリフォルニアの火災で失われた31人の命は戻ってきませんし、インドで洪水に怯えている私の家族を助けることもできません。その時の栄光にひたっ

ていても、間違いなく民主党は救われませんよ。

　私たちの世代は、記録的な投票率を実現させて、下院での逆転に貢献しました。私たちはもう、民主党支配層からの、行動を伴わない空約束では我慢できません。ペロシさんや指導部が動かないなら、身を引くべきです。

　その時、アレクサンドリア・オカシオ＝コルテス下院議員（AOC）がオフィスに入ってきて、私たちの大義を支援すると言ってくれました。その日のうちに、彼女はグリーン・ニューディールの提案を発表してくれたのです。これこそが気候変動を止めるとともに、良質な仕事を創り、不平等を縮小させるための包括的な改革プログラムです。

　あの座り込みから数日の間に、天をまたぐ歴史の円弧をわずかに曲げたという実感が湧きました。AOC のグリーン・ニューディール提案と、ペロシに対する私たちの挑戦は、気候保護運動と政治の世界に衝撃波を及ぼしました。支配層の一部の政治家たちは、新人女性議員がかくも公然と自分の党に挑戦することに対して、落胆と怒りに満ちた反応を示しました。一方で、急いで支持を表明してくれる政治家たちもいました。自分のオフィスで座り込みをされたくなかったのでしょう。

　住みよい気候と良質な仕事を、肌の色を問わず全てのアメリカ人に提供するための包括的なプランを私たちが示し、それが議会で議論されている様子をみて、昔から気候変動防止運動をしてきた人たちは驚嘆しました。このビジョンは、環境正義や労働運動の提唱者たちによって、過去何十年もかけて練り上げられたものです。彼らは、人種的平等や経済的正義と無関係に気候変動に取り組むことは、無謀なことだと警告していました。今やこのことは、議会だけでなく、主流のメディアでも真剣に議論されています。部分的な解決策や、解決策でさえないものが試みられるだけの数十年を経て、政治的な議論はようやく、この問題の規模に見合った変革に焦点が移ったのです。

グリーン・ニューディール

　グリーン・ニューディールは、想像を絶するほど深刻な危機に対する合理的で現実的な対応です。

反対論者たちはこれを、過激だ、非現実的だ、などと評価しています。しかし過激で非現実的なのは、この提案よりも、そういう反対論者たちの方でしょう。グリーン・ニューディールが極端なものに見えるのは、無知か否定か忘却によって、この緊急事態が認識できていないからです。指導者になろうという人達（ひとたち）は、家が火事なのに、地下室でヘッドフォンをしているようなものです。天井が落ちてくる前に警報を聞くことが、はたして出来るのでしょうか。

気候を安定させ、将来の世代のために地球上の生命（いのち）を守るためには、二酸化炭素の排出を速やかに止めなければなりません。そのために私たちは、食料生産や交通、建設、暖房、照明など、経済のあらゆる側面を改革しなければなりません。

私たちの生活のうち、形のある部分は作り直しが必要です。アパートの窓からサムナー通りを見下ろすと、私には、東ボストンのグリーン・ニューディールが目に浮かびます。今は高速道路のトンネルや信号機などで迷路のようになっていますが、そこに私たちはバスシステムや路面電車網を構築し、人々を安い料金で、行きたいところに運びます。今のところ、空気は排気ガスや汚染のいやな臭いがしますが、やがておいしい空気が吸えるようになります。道路の向かいと建物の屋根にはソーラーパネルが設置され、港には風車がそびえるでしょう。私の大好きな街角の食料品店は、今は安物のスナックぐらいしか売っていませんが、まもなく地域の農場や菜園のネットワークから、新鮮な食品を運んできてくれるようになるでしょうでしょう。海面上昇への対策として新しい防潮堤が建設され、一部の地域は満潮時のバッファーとして湿地帯に戻されます。国内のすべての大都市や小さな町で、そういう変化が起こってゆくでしょう。

これらの変化は良いもので、必要なものですが、化石燃料に長く依存してきた経済に対しては、混乱を起こすこともあります。気候変動の脅威に対応すべく経済が変化するなかで、取り残される人々が出てくる危険性があるのです。人々が苦境に立たされ、その結果として政治的な反発が起こり、プロジェクト全体が台無しになる可能性があります。フランスでは、燃料税の増税が予定されると、経済的に苦しくなる労働者階級の人々が立ち上がり、黄色いベスト運動を全国に展開しました。これは、燃料税を撤回させただけでなく、政府そのものの安定性をも脅かしました。

だからこそグリーン・ニューディールは、気候危機に対処するどの側面においても、基本的人権を保障することが政府の義務だとしています。これこそが正解であり、気候政策を実行に移すための唯一の方法です。きれいな水を得る権利は、ミシガン州フリントのようなコミュニティではすでに侵害されていますが、こんご気候変動の影響で干魃が起こるようになると、それを守るのがさらに難しくなるでしょう。だからこそ、水道インフラは優先順位のトップでなければなりません。民間の雇用を通じて質の高い医療を受ける権利も、気候政策によって数百万人が転職するようになると、保障するのが難しくなるでしょう。だからこそ国民皆保険（Medicare for All）が必要です。経済的安全保障の権利は連邦の雇用保障制度（job guarantee）によって守られます。これは、求めるすべての人に政府が、尊厳のある仕事を提供するものです。さらには黒人や白人、褐色人種を問わず、全ての人々が平等に利益を得られるよう、プログラムのすべてにおいて制度的な人種差別を無くすことが必要です。

化石燃料部門やエネルギー集約型産業のすべての労働者たちのために、公平で公正な移行（fair and just transition）を保証します。公正な移行には、職を失った労働者に以前と同等の賃金の就職先を優先的に保障したり、早期退職の選択肢を与えたり、再訓練プログラムを提供したりといったことが含まれます。私たちの家庭にエネルギーを届けるために、危険な海底掘削施設や炭鉱で命をかけて働いてきた人々に対して、私たちの国は最低限それだけのことをすべきです。

グリーン・ニューディールは、優先的に行われるべきひとつの政策というよりも、公共的な政策決定のあらゆる側面の指針となるガバニング・アジェンダ〔指導的課題〕ととらえるとよいでしょう。構成要素は数多くあるので、議会で法律をひとつ通せばすべてが達成できるというものではありません。オリジナルのニューディール〔1930年代のローズヴェルト大統領の政策〕と同様に、10年かけて何十、何百もの法令を成立させ、それを実施してゆくことが必要となります。数千もの自治体や各州の追加的な政策と調和を図りながら、連邦政府はこのプロジェクトをリードしていかなければなりません。

ガバニング・アジェンダには持続的な統治力（ガバニング・パワー）が必要です。グリーン・ニューディールを成功させるためには、その支持者は一回の勝利で満足して、歩みを止めてはいけません。勝利ののち、10年以上は政権を掌握（しょうあく）し続けなければなりません。断固たる革新的（プログレッシブ）な統治が持続的に行われたのは、この国の歴史の中でも、南北戦争後の復興期（リコンストラクション）と[7]、1933年から1960年代末までのニューディール期の[8]、たった2回だけです。

超党派主義が死に瀕（ひん）し、政治的な抗争が始まる中で育ってきた私には、これら全てが想像さえできないことです。私が見てきたのは、気温だけでなく不平等や白人至上主義までもが沸点に達する傍（かたわ）らで、互いに言い争ったり石を投げたりする政治家たちの姿でした。私が生きている間に実現された、最も偉大な政治的業績とは何かと言えば、それは医療制度がほんのちょっと改善されたことだけです。それから、議会はブレーキを軋（きし）ませて停止し、今もそのままです。前向きなガバナンスなんて、夢物語のようです。

それでも、それを実現しなければなりません。そのためには、組織化された人々、組織化された機関、組織化された思想が必要です。この本には、なぜグリーン・ニューディールが必要なのか、グリーン・ニューディールとは何なのか、そして、いかにしてそれを実現するのかについて、いくつかの重要なアイデアが収録されています。

私たちは、共にグリーン・ニューディールを形にしてゆくにつれて、日常生活の中でその成果を実感してゆくことでしょう。私は想像します。将来、私が子どもたちを公立学校につれてゆくと、そこでは若い心を育む先生たちが、将来を大切に考える社会から適切な報酬をもらって働いています。子どもたちは、21世紀をよく生きてゆくためのスキルを教わります。例えば理科では生態系の修復方法を、国語では将来への不安や希望を表現する方法を、社会科では対立を解決し、違いを超えてお互いを理解するためのツールを学ぶのです。帰り道では、近所の人たちがソーラーパネルを設置していたり、大工さんたちが、海岸地域からの移住を迫られた人たちのために、家賃の安い新しい住宅を建設したりしています。近所には新しい壁画がいくつか描かれていますが、これはニューディール時代に芸術家たちに資金を提供していた雇用促進局（Works（ワークス） Progress（プログレス） Administration（アドミニストレーション）、WPA）が復活したおかげです。いたる所で、普通の人がみんなのために誠実に仕事をしているのを見ることができます。

私はグリーン・ニューディールのアメリカにおいて、みんながどんな生きがいを見出すかについて、考えるのが大好きです。ブルックリンには、大不況でデザイン会社を解雇されたお父さんがいます。彼は配送トラックの運転手として家族を養い続けているのですが、お気に入りの趣味は園芸で、いつもコミュニティ・ガーデンの手入れをしてくれています。シカゴ南部には喘息に苦しむ少女がいて、どうやって大学の学費を払おうかと途方に暮れています。アイオワ州には、トウモロコシに農薬を散布して、借金から逃れようとしている農家がいます。グリーン・ニューディールは、ブルックリンのお父さん、シカゴの少女、アイオワの農家のような人たちが、人の役に立つような好きな仕事をして、それで報われるチャンスなのです。

グリーン・ニューディールは、家族を養えるだけの十分な賃金が得られる良質な仕事を提供します。それによって人々が、ストレスの溜まる厄介な仕事をいくつもこなしてギリギリの生活をおくらなくても良いようにするのです。そして利己的な個人の進歩よりも、共通善にみんなの注意を向けることによって、私たちは良き人生の秘訣を再発見できるでしょう。ここサムナー通りのアパートでは、家族や友人や同僚が長いテーブルを囲んで、一緒にパンを切り、ワインを飲んで團欒をするでしょう。それも、特別な日のことはなく、日頃の習慣としてです。グリーン・ニューディールとは、良き人生のことなのです。

予想どおりに災害が発生した時にも、心の準備はできています。涙をこらえて対応に追われても、みんなが一緒だということが慰めになります。救援サービスへのアクセスは、個人の力や特権ではなく、社会的なニーズによって決定されるでしょう。

そんなことは全部不可能だと断定する声も聞こえてきます。企業系メディアの電波でも、死んだようなワシントンの記者会見でも、私たちが生き延びられるというのは「環境派の夢物語」に過ぎないという主張が聞かれます。その全てに答えて、私たちは謙虚に、そして再び静かに主張します。「それでもやらなければならないのです」と。

それを疑う理由は、探せばいくらでも出てきます。冷たい人間たちには、いくらでも証拠が見つけられるでしょう。私は、状況はそんなに悪くないとか、必要な変化が起こりそうだとかいうことを、納得してほしいわけではありません。不可能を可能にする仕事を、引き受けて下さいと言いたいのです。グレタ・トゥンベリは言いました。「行動を開始すれば、いたる所に希望が見いだせます。だから、希望を探すよりも、行動をしましょう。そうすれば希望が向こうからやってきます」[9]と。私は自分の人生を行動に捧げてきました。そして、奇妙なことに、希望と絶望で一杯の自分に出会いました。鈍感な無気力や、運命論的な諦(あきら)めよりも、私はそちらを選びます。生きている実感があるからです。

グリーン・ニューディールよりも、はるかに悪い選択肢があります。気候の破局だけではありません。私たちがどう対応するかということです。都市が水没したり、干ばつや山火事で景観が永久に失われたり、気候難民が流入したりした時に、人種差別や富の不平等によって歪められた、その場しのぎの対応をして、人々に自己責任を押しつけることです。何もしなければ、それが私たちのたどる道となります。

グリーン・ニューディールは、私たちが孤立の中で滅びてゆくことなく、共に生き延びるための選択肢です。それは、想像力のない臆病な人たちが私たちに押しつける、内向きの精神を拒絶するものです。それは、知らない誰かのために戦うと約束することです。そうです、それには信念の跳躍(ちょうやく)が必要です。お互いを信じ合うことが必要なのです。

他の若い仲間たちと一緒にいるとき、私は信じています。手痛い敗北を喫(きっ)しても、私たちが諦めることはないということを。お互いを治癒するすべを学ぶであろうことを。ともに良き人生を見いだせることを。そして、私たちがアメリカを再生し、私たちがかつてないアメリカになれることを。これが私たちの人生のプロジェクトです。今すぐ、それを開始するべきなのです。

一緒に立ち上がろう

ペロシのオフィスでのあの日から１年半は、私の短い人生の中でも、いちばん大荒れの時間でした。私は、成長を続ける私たちの運動のスポークスマンとして、また代表として、議会の指導者や、メディア関係者、それに企業や非営利団体の幹部たちとの会合に招かれて、私たちのメッセージを共有してきました。マホガニー材の立派な会議テーブルを囲み、コース料理を食べながら、この国で一番の権力を持った人たちと時間をともにして私は、「あなたたちのプランは？」という最初の質問の答えを、確信しました。

その答えとは？　彼らには何のプランもないということです。プランを立てるプランさえないのです。

より正確に言えば、彼らはいったい何が起こっているのか、それについて何をすべきかを、全く分かっていません。権力を持ったエリートたちは、居眠り運転をしているようなものです。

だからこそ、若者が立ち上がらなければならないのです。

スーツを着た人間たちとの残念な会議を終えるたびに、澄んだ目と開かれた心で未来を見すえる若者たちの運動に戻ることができて、私は恵まれていると思います。サンライザーたちと一緒にいると、より良い世界は実現可能なのだということが、信じられるのです。百万人もの人たちが、おまえたちの言うことは不可能だと言っています。自分たちも、十分に賢くないかもしれないと、十分に良い人間ではないかもしれないと、そして自分たちが愛しているものが全て崩れてしまうかもしれないと、不安を抱えています。しかし、この運動に参加している若者たちは、毎日目を覚まし、私たちみんなを解放するためのプロジェクトを実現するために、魂をこめて戦っているのです。

いまのサンライズがあるのは、もっと大きな運動のおかげです。サンライズの運動は、その一部に過ぎません。何世紀もかけて、大地と調和して生きるための知恵を、先祖代々まもり続けてきたのは、私たちではなく、先住民の方々です。新しい経済へと移行するなかで、エネルギー産業の労働者を支えようという「公正な移行」という考え方は、私たちではなく、労働組合運動を組織してきた方々によるものです。人種差別と経済体制、そして気候変動との間に、表裏一体の深いつながりがあることを見抜き、その理解を広めてきたのは、私たちではなく、環境正義運動に関わってきた方々です。近年、大勢の人々に街を練り歩くように促（うなが）したのも、私たちではありません。グレタ・トゥンベリや、金曜日の学校ストライキ運動がそれを成し遂げたのです。

サンライズが得意とする所で、特に貢献できたことがあるとすれば、それはこの戦いを政治の場に持ち込み、私たちのアイデアのいくつかを、政治の表舞台でも注目されるようにしたことでしょう。明確な目標を掲げ、統制がとれ、成長いちじるしいこの運動と、政治的な知識とを組み合わせることによって、私たちはこれを実現しました。これまで、私たちが特に寄与するところがあったとすれば、それは、このことでしょう。私たちが政治と運動に関わる上で、参考にさせていただいた数多くの専門家たちが、この本に文章を寄せてくれたことを光栄に思っています。

あなたがサンライズの仲間であれ、私たちの盟友であれ、いまだに参加しておられない方であれ、この本が共に立ち上がるためのツールになれば幸いです。

第一部

彼らは、この危機の打開を望まない

第1章　今ここにある気候危機

デビッド・ウォラス＝ウェルズ

©Beowulf Sheehan

現状は、どれほど悪いのだろうか？　きっと皆さんが考えているよりも、悪いことは確かだろう。気候危機は、もはや未来形で予言される物語ではなく、今でも、破滅的な形で展開している現実だ。もはやこの危機を打破することはできない。その悪化を抑えることしかできない。かつて警鐘を鳴らしていた人々にさえ、想像し得なかったほどの規模の災いが、すぐそこまで迫ってきている。それが私たちの目に、はっきりと見えていないだけだ。

我々はすでに前例のない時代に生きている。産業革命以降、地球の気温は約1.1℃上昇してきた[1]。これは大したことのない数字に聞こえるかもしれないが、実は、人類史において記録されてきた気温の範囲からも外れている[2]。人類という種が獲得してきた知識は全て、過去の気候条件に基づくものだ[3]。いわば我々は、まるで別の惑星に降(お)り立ったようなものなのだ。我々がこの地球に持ち込んだ文明のうち、何がこのままで良いのか、何を改革しなければならないのか、そして何を捨て去らなければいけないのか？　その決断がいま、迫られているのだ。

この惑星は、昔の地球とどれほど違うのだろうか？　1970年代以降、アメリカ西部において、森林火災で焼かれた土地の面積は2倍に増え[4]、大規模火災の数は5倍に増加した[5]。地球上の動物の個体数の60％近くが、生態系の破壊や汚染、温暖化により消失しており[6]、昆虫もおそらく70％ほどが消えてしまった[7]。すでに化石燃料の燃焼による損害として、南半球の国々では得られたはずのGDPの4分の1が失われ[8]、毎年900万人以上（ホロコーストに相当する人数）が大気汚染により亡くなっている。

今後、事態はさらに（それも遥(はる)かに）悪化していくだろう。しかし未来が恐ろしいからといって、現在の脅威から目をそらしてはいけない。グリーンランドの氷床は20～30年前と比べて7倍の速さで溶け出している[9]。ヨーロッパの熱波は、ひと夏の間に3回も記録的な高温をもたらした[10]、ヒューストンはこの5年間で5回も、「500年に一度の暴風雨」に見舞われた[11]。500年前と言えば、ちょうどエルナン・コルテスがメキシコに上陸した頃であり、北米にはヨーロッパ人の入植地さえ存在していなかった。つまり、この手の暴風雨は、その間の長い歴史（ヨーロッパの植民者の上陸から、アメリカ大陸の先住民に対する大量虐殺、英国からの独立と奴隷帝国の樹立、南北戦争、工業化、二度の世界大戦の勃発、アメリカの覇権と冷戦、冷戦終結と「歴史の終わり」、9.11を経て、大不況に至るまでの歴史）のうちに、ただ一度だけ訪れるはずのものだった。

この長い歴史の中でも、一回しか来ないとされたハリケーンが、5年間で5回もやってきた。これが今日(こんにち)、我々の住む世界である。しかもこの状況は、すでに人命に関わるほど激しい変化が起こっているにもかかわらず、〔気候変動の専門家が予測してきた様々なシナリオのうちの〕最善のシナリオよりも、まだマシなのだ。温暖化は、明日にでもすぐに止まるわけではない。そして、現在および今後十年間にわたって、現在と同じペースで温室効果ガスの排出が続くならば、状況はさらに深刻になるだろう。

今後十年間の我々の選択が、近い将来だけでなく、今後何世紀にもおよぶ未来の姿を決めることになると、科学者たちが述べているのはそのためだ。気候変動は信じられないほど急速なだけではない。計り知れないほど長きにわたって続いてゆくのだ。現在の我々の行為の影響は、こんご人類が存続し、目撃し、その記録を続けてゆく限りの長きにわたって、地球上の生命環境を決定づけるものとなろう。

2018年に国連の気候変動に関する政府間パネル（IPCC(アイピーシーシー)）は、警告的な報告書を発表した[12]。この報告書によれば、温暖化をプラス1.5℃以下に押さえるには、「前例のない規模の変革が（中略）、早急かつ長期にわたる変革が」が必要である。プラス1.5℃以下とは、世界の国々によるパリ協定での合意である〔プラス何度という値は、産業革命以前の気温を基準としている〕。IPCCによれば、この目標を達成するためには、2030年までに世界の排出量を（今も増え続けている排出量を）約半分に減らすことが求められる。これを達成するためには、アメリカで第二次世界大戦中に行われたような大規模な総動員を、地球規模で行う必要がある（当時の米国ではわずか数ヶ月で、戦闘可能な年齢の男性のほぼ全員が徴兵され、生産年齢の女性のほぼ全員が労働力とされ、工場の用途が変更され、産業部門全体が国有化された）。これが、世界中の科学者が携わった、この報告書の示唆するところだ。

2030年以降は話が簡単になるかというと、そうはいかない。IPCCは、2050年までに地球全体の炭素排出量を完全にゼロにする必要があるとしている。技術的には、地球の気温をプラス何度で安定させようとしても（地獄のような気温になる場合を含めても）、炭素排出をゼロにすることが必要だ。なぜなら、わずかでも炭素がいま排出されれば、そのぶんは将来の温暖化に追加的に寄与するためだ。今日のペースでは、温暖化をプラス1.5℃未満に抑えるためカーボン・バジェットが、10年以内に使い果たされてしまうだろう〔カーボン・バジェット（炭素予算）とは、温暖化目標（例えばプラス1.5℃）を達成する上で人類に許される排出量の総量のこと〕。

当時、国連環境計画（UNEP）の責任者だったエリック・ソルハイムは、報告書のメッセージを「キッチンで火災報知器が突然、けたたましい音を発したようなものだ」と表現した。実際に、世界の人々はこれを警告として受け止めた。報告書の公表後、気候変動に関連する政治的な運動が湧き起こった。運動家も、運動に参加していなかった市民たちも、「排出量を半減させるのに12年しかない」という、その時間の短さに脅威を感じたのだ。2030年は期限ではない。破滅の年が来て、それからは脱炭素の努力が無意味になるわけではない。しかし、この事実は慰めにはならない。私たちが温暖化をいま悪化させれば、あとになって何をしようとしても、より困難なものとなる。そして、今後10年のあいだに、脱炭素化のための社会全体の計画が実施されなければ、温暖化を1.5度や2度未満にとどめられる可能性もなくなる。

世界がこの目標を達成する方法は何か？　それはまさに答えのない問いであ

る。ただ、「公正」という言葉にふさわしい方法を私たちが追求したければ、地球を温暖化させることで最大の利益を受けてきた、裕福な国々がそれを先導すべきである。発展途上国に脱炭素化を促しつつ、2050年までに排出量をゼロにするためには、世界最強の経済力を有し、歴史的な炭素排出量に占める割合が最大の国であるアメリカが、直ちに、急速に、排出量を削減せねばならない[13]。他の国々（とくに中国やインド、ブラジルなどの急速に発展している国々）にとっては、米国が断固として炭素排出削減に踏み出さない限り、同じような行動を起こすインセンティブはほとんどない。数多くの論文によれば、米国が「責任に応じた公正な」行動を起こせば、今後10年間で〔米国の〕脱炭素化が実現でき、同時に他の国々の脱炭素化も促進できる[14]。

もし今後10年間で炭素排出量の増加を止め、減少に向かわせるのに失敗すれば、2040年から2050年の間に、気温上昇がプラス2℃に達する。1.5℃と2℃には大きな差がないように思われるかもしれない。しかし、気候変動においてはそのわずかな差が人類に対して、未経験の災いとは言わないが、巨大な災害をもたらす。気温が2℃上昇する世界では、1.5℃の気温上昇に留まる場合と比べて、大気汚染で亡くなる人の数が1億5300万人も多くなる[15]。国連の予想によれば、温暖化がそこまで進行した地球では、現在100年に一度とされる洪水が、毎年のように起きることになる[16]。そして南アジアや中東の大都市の多くでは、夏のあいだは人々が住めなくなる[17]。これらは現在、それぞれ1000～1500万人ほどの人口をかかえる都市であるが、2040～2050年になると、そこに住む人々は建物の外を歩くこともできなくなるかもしれない。そして、夏場に屋外で働く場合には、熱射病や死亡の危険に身をさらすことになるだろう。

国連が、今世紀半ばまでに気温が2℃上昇した場合には、世界で2億人以上の気候変動による難民が発生すると予想している理由のひとつが、これだ[18]。その頃までに、海面上昇の影響だけで、2億8000万人もの人々が移住を強いられるだろう[19]。アメリカ西部の山火事は、現在でも毎年何百万エーカー〔数千平方km〕もの面積を焼失させているが、それが4倍にも悪化する可能性がある。科学者たちは、2050年以降については、予想さえしたがらない。このような地域は、完全に燃え尽きてしまうため、灰の中からどのような植物が新たに育ってくるのかもわからないそうだ。また、その新しい植物がどれほどの速度で、どのような条件で燃えるのかを、知ることもできないという[20]。そして、気温上昇がプラス2℃を少しでも超えると、地球上のすべての氷床が永久的かつ不可逆的に失われることが、ほぼ確実になる[21]。これは、地球全体の海水面を何世紀にもわたって200フィート〔約61メートル〕以上も押し上げるのに十分だ[22]。そうなれば、世界の主要都市の3分の2が浸水してしまう。

世界中の科学者が、プラス2℃の温暖化を「壊滅的」と表現している。そして世界中の島嶼国は、それを「ジェノサイド（大量虐殺）」と呼び、気候変動に伴う国際交渉の場で「生存のための1.5℃」を訴えている。そうした壊滅的な未来は、グリーン・ニューディーラーたちが回避しようとする未来だ。グリーン・ニューディールは、アメリカをはじめとする先進国に対して、あらゆる資源を動員し、全ての力を注いで、今後10年以内に炭素排出量を限りなくゼロに近づけるよう要求するものだ。我々は、こうして1.5℃や2℃という値に焦点を充てることによって、我々が直面している温暖化が、これらの値の範囲内でしか起こらないという印象を、つまり我々が経験し得る最悪のケースがプラス2℃だという印象を、与えてしまっているかもしれない。しかしながら、気候変動対策に立ちはだかる障害や、この未来を避けるためにどれほど迅速な脱炭素化が必要かを考えれば、実際にはプラス2℃でさえ、むしろ最善の部類のシナリオと言わざるをえない。

我々はそのプラス2℃の経路にも沿っていない。それに近づいてさえいない。もし明日にでも世界中で炭素の排出を止めたとしても、すでに大気中に放（はな）たれた炭素だけで約0.5℃ぶんの温暖化が上乗せされる。これによって、気温はおよそ1.5℃上昇するのだ。今世紀末の気温上昇値について、様々なモデルが様々な予測値を出している。その最も大きな変動要因は、人類の行動（我々がいかに迅速に、いかなる対応をするか）である。しかしながら、よほど積極的に脱炭素化を推進していかなければ、今世紀末までにこの地球が少なくとも3℃は熱くなることが、ほぼ確実である。

国連が最近発表した報告書では、現在の傾向のままでいけば、4℃以上の温暖化が起こり得ることが予告されている。より洗練された最新の予測モデル群は、それ以上に温暖化が起こることを示唆している。気温が4℃上昇すると、世界のGDPは気候変動がなかった場合と比べて30%も減少すると推計された。これは世界大恐慌と比べても、2倍の深刻さであり[23]、しかもその影響は恒久的だ[24]。気候変動による被害は600兆ドル〔6京6000兆円〕にも達する可能性がある。これは現在の世界に存在するすべての富よりも、数百兆ドル〔数京円〕も多い。大規模な干ばつにより、「複数の穀倉地帯の同時不作」が定期的に起こり、広範囲に及ぶ飢饉（ききん）が生こりうる[25]。いくつかの試算によれば、アフリカやオーストラリア、アメリカのほぼ全域、それにパタゴニア以北の南アメリカ大陸や、シベリア以南のアジア地域で、気温上昇や砂漠化、洪水のせいで、人が住めなくなるという[26]。少なくともこれらの地域が住みにくくなるのは間違いない。

気候と紛争との関連性に基づけば、戦争が倍増する可能性がある[27]。また、気温が上昇すると農業生産量が減少するという関係に基づけば、食糧が半減する可能性もある[28]。一部の地域では、一度に6つもの自然災害に見舞われる可能性もある。こうした事態に対処できるかどうかは、とりわけ経済的に裕福であり、政府の運営が滞りなく行われている国においても、疑わしいものだ。気候学者のケビン・アンダーソンは、プラス4℃の温暖化は「組織化された地球コミュニティーとは相容れない」世界であり、「『適応』などできそうにないものだ」と述べている。厳密に言えば、このような予測は科学の範疇（はんちゅう）を超えている。だがそれは、我々の未来だって同じことだ。4℃もの気温上昇は、人類の経験からあまりにかけ離れたものであるため、どのような変化が起こるのかを、詳細に知ることはできない。

とはいえ、全ての人々の生活が、こうした変化に強く影響される。それは、誰にとっても、どこに住んでいても同じことだ。気候危機と無関係に生きている人間は一人もおらず、その影響を受けないものも存在しない。この危機は、全てを網羅し、全てに関係し、全てをすでに変容させている。今日（こんにち）の世界において既に破壊されたもの、あるいは過酷な状況におかれているものは、そのほぼ全てが、気候変動を止めるための行動がなされない限り、さらなる悪化を免れない。不吉な予言のようだが、これは確実な見通しだ。だが我々が脱炭素化を追求するならば、魅力的で活力があり生命力に満ちているものを、そのほぼ全てを、より良く、より輝かしいものにすることができるはずだ。

ひょっとすると皆さんは、18世紀のイギリスで初めて石炭が燃やされてから、だんだんと、ゆっくりと、何世紀もかけて、現在のような気候危機に至ったと思われるかもしれない。しかし実際には、これまでに化石燃料の燃焼によって大気中に放出された炭素の半分以上が、過去30年の間に排出されたものだ[29]。つまり人類がこの地球の運命に対して、そして人類の命と文明を支えるこの地球の能力に対して与えてきたダメージは、アル・ゴアが彼の最初の気候関連本を出版したあと〔の約30年間〕と、それ以前の数百年（あるいは一千年）で、ほとんど同じなのだ〔参考：アル・ゴア『地球の掟』ダイヤモンド社、1992〕。また、これまでに燃焼された全ての化石燃料のうち、85％は第二次世界大戦後に消費されたものだ。つまり、工業化された世界の無謀なふるまいは、一人の人間の寿命に収まってしまうような出来事なのだ。

国連は1992年に気候変動政策の枠組みを確立し、科学的なコンセンサスを世界に向けてはっきりと発信してきた。これが意味するのは人類が、ながらく地球温暖化など知らなかった頃と同じぐらいのダメージを、知ってしまった後になっても、地球に対して加え続けているということだ。その加害は急速であり、毎年、その前の年よりも多くの炭素を排出している。つまり、脱炭素化に向けた動きが十分に速くないどころか、言い換えれば、人類は今でもひたすら間違った方向に向かって進んでおり、不可逆的な大災害への歩みを加速させ続けているのだ。地球史上最悪の大量絶滅期には、温室効果ガスが大気中に充満していったことが知られている。今日、人類はその10倍の速さで、大気中に炭素を加えていっている。

これは悪いニュースだ。だが、政治的な可能性という意味では、若干の光明が含まれている。最悪のシナリオ（すなわち紛争の倍増や、食糧の半減、恒久的な経済停滞、「適応などできそうにない」危機の到来）を考えれば、その影響があまりに巨大なため、何も出来ないような気にさえなるだろう。しかし逆に言えばこれらは、私たち人類が全体として、気候に対してどれだけの影響力を持っているかを示している。このような破滅的なシナリオが引き起こされうるのは、これからの人類の行為のせいだ。ならば我々は、全く異なる行動をとって、同じくらい劇的な影響を正反対の方向へと、すなわち緑ゆたかで充足した、公正で繁栄した世界を実現する方向へと、発揮することだってできるはずだ。

これは甘い考えのように聞こえるだろう。実際のところ、立ちはだかる障害は巨大なものだ。だが温暖化の主因が人類の行為だということは、つまり我々の経済が大気中に排出する大量の炭素だということは、単純な事実にすぎない。我々は進路を変えないかぎり、結局のところはフィードバック・ループの引き金を引くことになる。そうなると、気候システムはおのずから、おそらく急速かつ劇的に、温暖化を進めてゆくこととなろう。だが現時点では（そして今後の決定的な10年間は）人類が、そのレバーを握っている。我々は社会全体で、自分自身や子孫のために、望ましい未来を決めてゆくことになるのだ。

これら全ては、「我々」とは誰かという問いにつながる。地域規模でみても、国内規模でみても、そして地球規模でみても、温暖化の悪影響はすでに不公平なものだが、今後はその不公平さがもっと大きくなってゆくだろう。たいていは、意味のある変化を起こせるだけの権力を持った人たちは、現時点で温暖化の影響を最も受けにくい人々である。多くの場合、彼らは何もしないことで巨額の利益が得られる立場にある。しかし、彼らの不作為や、その結果としての災害によって被害を受ける人々の数は、その何倍にものぼる。そうは言っても今では、このまま進むことのコストよりも、進路を変えるコストの方が遥かに小さいことは、すでに理解されている。異常気象や自然災害、気候変動による様々な被害という形で、いま全人類が直面している生存の危機に対して、政治家たちの関心が低い理由は、現在の政治経済における機能不全であろう。

これまでと異なる選択をすることが、簡単だとは言っていない。現在、我々は2000年時点と比べて1.6倍以上の石炭を、一年間で燃やしている[30]。しかも実際には、エネルギー供給による炭素排出が全てではない。森林破壊や農業、畜産、インフラ建設、そして廃棄物処分場など、他のすべての排出源からの炭素排出をゼロにする必要があるのだ。さらには、来るべき自然災害や異常気象の猛威から、すべての人類を守るためのシステムを守らなくてはならない。そのようなプロジェクトを調整する為には、国際協力のための制度構築も必要となる。

気候危機は急速で大規模すぎるため、いっぺんにそれを把握するのが難しい。一方で我々は、人間の一生涯にあたる時間のうちに世界を破滅の瀬戸際まで追いやっており、今後の十年間で、快適に住める地球を残せるかどうかが試されることになる。他方で、我々が今いる惑星はすでに、人類が築いてきた文明に適したものではなくなりつつあり、今後何十年にもわたって混乱と荒廃が続くことは確定済みである。地球上に、この変化を免(まぬが)れる場所は存在しない。要するに、人類は新たな均衡になど達していない。いうなれば我々は、海賊船を降りて、一枚の木の板へと乗り換えたばかりなのだ。

気候変動が「事実」かどうかという厄介なニセ論争のせいで、気候変動の影響は「あるかないかの二つに一つだ」という誤った印象を抱いている人々があまりに多い。だが地球温暖化は「イエス」か「ノー」かの問題ではなく、「現在の気候が永遠に続く」か「明日にも破滅が来る」かという問題でもない。我々が温室効果ガスを出し続ける限り、混乱や災害、そして崩壊が、次から次へと発生し、その程度もひどくなってゆくということだ。ゆえに、人類の活動のせいで変化した気候の中で生きてゆくということは、一つの安定した生態系から、もう一つの安定した（いくぶん悪化した）生態系に移行する、というだけの話ではない。地球が温暖化を続けるにつれて、悪影響はより大きく、より頻繁に現れるようになってゆく。この世界の出来事とは信じられないようなことが、すでにあちこちで頻繁に起こるようになっている。だが、さらに想像を絶するような出来事が起こらないようにするためにも、我々は早急に迅速に行動せねばならない。我々の未来は、まさに文字通り、我々次第なのだ。

「パラダイス―その名のとおりの町でありますように」

ミケーラ・バトソン

©Mikala Butson

かつて、カリフォルニア州パラダイスには、「パラダイス－その名のとおりの町でありますように」と書かれた看板があった。私はトレーラーパーク〔キャンピングカー等のための駐車場〕や、おんぼろの移動式住居、そのほか手入れされていない庭に囲まれて育った。現実には、必ずしもここが名前のとおりの町だとはいえなかった。それでもパラダイスは私の町だった。現在、この町は歴史上もっとも激しく、破壊力のある山火事が起こった場所のひとつとして知られている。

2018年11月8日、母が火災の写真を送ってきた。早朝の仕事をしていたとき、パラダイスの方角にある山の上から、奇妙な姿の朝日が顔をのぞかせているのを見つけたのだ。私の弟は家で眠っていた。母は大急ぎで家に戻り、弟を連れ出した。車を走らせながら、炎が山腹（さんぷく）を覆い、黒煙（こくえん）が木々を飲み込むのを見た。

思い出すのは、母が私に電話をかけてきて、私の部屋から何か持ち出してほしいものはないかと聞いてきたことだ。

私は自分の家のことを、記憶のあるかぎり思い返した。前庭（まえにわ）に一本の木があって、初めて飼った犬をそこに埋葬したこと、プロム〔高校のダンスパーティ〕の準備をしたこと、バレエのレッスンのあと自分の部屋で踊り回ったりしたこと。ごっこ遊びを弟とした記憶もよみがえった。これらの思い出を、車で持ち出すことはできなかった。

母には、必要なものは何もないと伝えた。望んだのはただ家族の無事だけだった。

次の瞬間、何も聞こえなくなった。母との連絡が途絶えた。

私は半狂乱になって、自分が知っている全てのフェイスブックのグループを探して、家族の安否を確かめようとした。人々が炎の中で車を走らせたり、焼死体が車の中に閉じ込められたりしている動画を見た。駐車場で立ち往生している人や薬局に避難している人の話も読んだ。自分の家族がどこにいるかはわからなかった。私が知っていたのは、彼らがパラダイスを車で突き抜けようとしたことだけだった。そこでは、1秒ごとにサッカーコートひとつ分の大きさの火の手が広がっていた。

絶え間なく電話をかけたが、返事はなかった。

数時間後、弟から電話があった。母と弟は避難ができたそうだ。ふたりが言うには、一人の男性が自分たちに向かって死に物狂いで手を振り、反対方向に走れと叫んでくれていなかったら、炎に巻き込まれていたかもしれない。自分の車をもたないお年寄りたちが、スーツケースを引きずって歩くのを見た、とも言った。

私たちの家は甚(はなは)だしい火煙(ひけむり)にやられた。思い出の町は今、火災の残骸や、汚染された飲料水、そして危険な瓦礫(がれき)で埋め尽くされている。私たちは保険会社と何ヶ月も争った。最終的には、家をその状態で売ることになった。移動用のトラックを手配する余裕がなかったので、ほとんど全てのものを置いていくことにしたのだ。

私は何かしたいと思いながらも、戦って守るべきものや勝ち取るべきものは、もう何もないと感じていた。そんなとき、サンライズに出会った。

私がサンライズに招かれたのは、パラダイスの話を伝えるためだ。それ以降、私は戦い続けている。私は毎日、焼けてしまったあの場所に思いをはせている。その理由は、私が楽しく過ごした思い出の場所だから、というだけではない。そこに人々が住んでいたからだ。あの人たちの行方は、今もわからないままだ。私は考える。どうすれば私自身の話を、他のたくさんの人々の話にしてゆけるだろうか。今後、気候変動の影響で燃え尽き、水浸しになり、崩れ去るたくさんの町に住む人々の話にしてゆけるだろうか。すべての町に、公正で持続可能な未来が保証されるまで、彼らのために、私は戦い続ける。

第2章　火をつけたのは、私たちではない

ケイト・アロノフ

絶望するのは簡単なことだ。気候危機が迫り、500年に一度の大洪水や、古代にあったような疫病が蔓延し、そのほか旧約聖書に書かれていたような災害が、今、押し寄せているのだから。この災害の全容を把握することは、ほぼ不可能だ。私たちは、10月に妙に暑い日が何日かあったとか、都市に台風が直撃したとかいう、把握可能な部品に分けて事態を理解する。そしてこれらの事象を、政治・経済に関するありきたりの知識のフィルターを通して見てしまうのだ。

少なくとも「世界の北側（裕福な国々）」に住んでいる多くの人々にとっては、こうした知識は、問題を理解する上でも、ましてや何をすべきかを考える上でも、ほとんど役に立たない。半世紀近くも前から、右派のシンクタンクやマスコミ、それに政治家たちの広範なネットワークは、あらゆる公共政策上の議論に、「問題を抱えた人々は、自業自得であり、自分で解決するしかない」という歪（ゆが）んだ道徳哲学を吹き込んできた。イギリス元首相のマーガレット・サッチャーは、こう言った。「あまりにも多くの人々が、なにか問題を抱えたときに、それは政府が解決すべき問題だと考えるようになっています。（中略）彼らは、自分の問題を社会に押しつけているのです。いいですか、社会などというものはないのです。個人と家族があるだけです。いかなる政府も、人々の行いを通じなければ、何もできません。だから、人々はまず自分の面倒は自分で見る必要があるのです」[1]。

彼女には大西洋の向こうに、ロナルド・レーガンという名の同志がいた。彼は、彼女の考えに同調して、（九つの単語からなる）英語で最も恐ろしい言葉は、「私は政府の人間です、あなたを助けに来ました（I'm from the government and I'm here to help）」という言葉だと言った[2]。半世紀近く経った現在でも、これらの呪文は、気候危機に対する私たちの見方に大きな影響を与えている。彼らの言葉が意味するのは、かつてない脅威に世界が直面したとしても、社会全体の組織的な対応などというものはあり得ないし、政府が重要な役割を果たすこともない、ということだ。存在するのは個人だけであり、一人一人に等しく責任があるのだから、一人一人がそれぞれ別々に小さな役割を果たし、より意識の高い消費者になり、公共善のために犠牲を払うべきだ、という話になるわけだ。

何十年にもわたって、地球上で最も権力のある人々が、気候変動を否定し、対応を遅らせてきた。そのせいもあって、サッチャーの言葉は今も強い影響力を発揮している。石油会社の重役たちが新発見の油田を確保しようと自家用ジェットを飛ばす一方で、アースデーの記事はカーボン・フットプリントを減らす方法として、子どもの数を減らし、肉を食べる量を減らすことを説いているのだ〔カーボン・フットプリントは直訳すれば「炭素の足跡」であるが、一人の人間が消費活動や生活によって直接・間接に排出する炭素の総量を意味する〕。サッチャーらの言葉は、気候変動は人間が自ら引き起こした問題だ、というだけの話ではない。人間の思考回路はこの問題を解決できるようにはできていない、自らが招いた破滅を受け入れるしかない、と言っているようなものだ。

作家のジョナサン・フランゼンの言葉を検討してみよう。彼は、パリ協定に示された気温上昇幅の制限目標値〔プラス2℃目標〕に関して、次のように嘆いて見せたのだ。「悲観主義者と呼ばれようが、ヒューマニストと呼ばれようが、私は人間の本質がすぐに根本的に変わるとは思わない。私のモデルで1万のシナリオが実行できたとしても、そのうちのただ1つも、プラス2℃目標の達成を示すものはないだろう」[3]。小説家のナサニエル・リッチも同じように、初期の気候交渉の様子を詳述した記事をニューヨーク・タイムズ・マガジンに寄せ、人間の本性について悲観的な見解を述べた。「私たちは文化的にも進化的にも、現在に執着するように訓練されてきた、（中略）近い将来のことは心配するが、遠い将来のことは、毒を吐き出すのと同じように、意識の外へと押し出すのだ」と[4]。

だが、ここで言う「私たち」とは誰なのか？　気候危機のことを、全人類の責任にしたり、破滅が運命づけられた自然を恨んだりしても、ほとんど意味がない。歴史上の化石燃料消費量が世界最大の米国をはじめとする豊かな国々と、すでに甚大な被害を受けている貧しい国々との間には、信じ難いほどの不平等が存在する。ひとつの国の中にも大きな格差が存在する。チャールズ・コーク〔『大富豪の実業家』p.70〕のカーボン・フットプリントは、平均的なアメリカ人よりも遥かに大きい。もちろん気候危機は、ある意味で私たちみんなに影響を与えるものだ。しかし、化石燃料を大量に消費して気温上昇を加速させ、温暖化対策を妨害できるような、一般的な「私たち」など存在しない。

端的に言えば、気候危機を引き起こすレバーは、私たちみんなが等しく握っているわけではない。ごく小数の巨大企業と寡頭支配層（オリガルヒ）たちが巨額の資金を投じて、破滅に向けて、化石燃料の採掘と燃焼を続けているのだ。何十年にもわたって、彼らは嘘をつき、気候危機などないと言ってきた。そのウソがばれた今も、彼らは同じように巨額の資金を投じて、「個人の責任」というレーガンの教義を利用しつつ、この危機はみんなの責任だということを人々に納得させようとしているのだ。実のところ、個人のカーボン・フットプリントという概念を広めたのは、世界で6番目に大きな汚染主体であるBP社〔英国の巨大石油会社〕に他ならない[5]。

個人の責任を強調する、鼻につくレトリックはすべて、規制を撤廃し、民主主義や徴税の脅威から企業の利益を守るための、表向きの仮面に過ぎなかった。これは、多くの人々から資金を奪い、少数の人間で再分配するためのものだ。所得や財産の面で最上位に位置する階級の人間たちのあいだには、信じられないほどの連帯感が見られるが、そこから目を逸（そ）らさせるためのものだ。働く人々が、ボスに挑戦するようなことのないよう、お互いに競争することを強いるものだ。そしてこれは不思議なことにうまく機能してきた。アメリカでは、富裕層への富の集中度は1920年代の水準に戻っている。しかも現在では、上位0.01％の400世帯の富裕層の税率は、下位50％の世帯よりも低い[6]。こうした非対称性が、温室効果ガスの排出量と密接に関係している。事実、世界の人口のなかで最も裕福な10%の人々が、温室効果ガスの排出量の約半分を排出しているのに対し、貧しいほうの50%の人々は、全体の排出量の約10%しか排出していない[7]。そして残酷なことに、貧しい方の人々は、気候変動の影響と同じように「世界の南側」に集中しているのだ。

しかし、本当にカーボン・フットプリントの不平等さを理解するためには、企業に着目する必要がある。工業化の時代が始まって以来、わずか90社の企業（そのほとんどが化石燃料企業）が、温室効果ガスの3分の2を排出してきた[8]。1965年以降、世界のエネルギー関連の二酸化炭素とメタンの排出量の35%を排出してきたのは、わずか20社の民営・国営の化石燃料企業だ[9]。研究者のダリオ・ケナーが明らかにしたところによれば、レックス・ティラーソン〔エクソンモービル社の元CEOで、米国トランプ政権期の国務長官〕は、2015年頃にエクソンモービル社の株式を1億4500万ドル〔約160億円〕ぶん保有していた。このことと、エクソンモービル社の排出量を合わせて考えれば、彼はその年に5万2000トン以上のCO_2排出に加担していたことになる[10]。これは、平均的なアメリカ人の3200倍以上、平均的な中国人の6400倍、平均的なインド人の3万8400倍に相当するものだ。

これらの企業はただ単に、私たちの需要を満たすために、商品を生産しているだけだと主張する人もいるだろう。ティラーソンもそう言った[11]。しかし、こうした主張は、化石燃料の需要を高止まりさせ、さらに増加させるために、これらの企業が中心的な役割を果たしてきたことを無視している。しかも、化石燃料をできる限り採掘し、できる限り燃焼させるという彼らのビジネスモデルが、気候の破滅の道へと世界を駆り立てているという証拠が数多く集まっていたにもかかわらずだ。何十年にもわたって、エクソンモービルとシェルは、人々を欺（あざむ）いて、彼らの製品が地球温暖化に大いに加担しているという事実を否定してきた[12]。彼ら自身が雇った研究者たちが社内で出していた結論を、公（おおやけ）の場で否定してきたわけだ。アメリカではエクソンモービルが、ニセ科学に基づく白書で各州議会に影響を与えるために、ハートランド研究所のような気候懐疑論者のグループに資金を提供してきた[13]。また彼らは、主流のメディアを利用して、気候科学そのものをめぐる論争を煽（あお）った[14]。彼らの働きかけがなかったら、このような論争など起こりえなかったはずだ。

また彼らは、共和党を化石燃料産業の政治部隊へと変え、多くの民主党政治家をも買収してきた[15]。1989年から2002年まで、エクソンモービルやシェルをはじめとする企業（および汚染産業の業界団体）が40社以上集まって、「地球気候連合（Global Climate Coalition）」というまともそうな名前の組織つくり、気候変動に関する政府間パネル（IPCC）を弱体化させ、京都議定書に米国が参加しないように、ロビー活動を行ってきた[16]。京都議定書とは、〔1997年に締結された〕国連の気候変動協定のことで、これは法的拘束力を有するものだ。それから約20年後に締結されたパリ協定は、それに比べればいくぶん骨抜きにされたものと言える。ちなみに京都議定書が締結された当時は、サンライズ・ムーブメントのリーダーたちや、世界中で気候ストライキに参加する若者たちは、まだ生まれていなかった。また、これらの化石燃料関連企業が、まともな規制に反対する政治家たちに数十億ドル〔数千億円〕規模の資金提供を行い、連邦法を駆使して新規の油田や新たな市場の開拓を続けている。彼らは温暖化の原因となる製品を販売しながら、世界中で、推定5.1兆ドル〔約561兆円〕にものぼる直接・間接の補助金を巻き上げることに成功しているのだ[17]。

何十年にもわたって間違った情報が流され続けてきたが、今こそ責任の所在を明らかにし、適切な政策を設計すべき時だ。火をつけたのは私たちではない。大火災が起こったのは、想像を絶する資金力を有する少数の企業が、石炭・石油・ガスを掘り出し続けるために、あらゆる策を講じてきたからだ。今、私たちに問われていることは、もっと早く電気を消して寝られるかとか、「人間の本性」を変えることができるかとか、そういうことではない。私たちの社会が、政府が、経済が、化石燃料に依存した形態からの大規模な転換に成功するか、より環境にやさしく、より公平な世界が構築できるかどうか、ということだ。

私たちが真剣に、生き残りをかけた変革に取り組むとしたら、必要なことは何だろうか？

IPCCによる2018年の報告書は、温暖化をプラス1.5℃に抑えるためには「エネルギーや土地、都市、（交通手段や建物を含む）インフラ、産業システムにおいて、広範囲にわたる変革を急速に実現することが必要だ」とし、その変化は「前例のない規模となり、（中略）すべてのセクターにおいて大幅な排出削減が求められる」と述べている[18]。2019年に国連環境計画は、同様の目標を達成するために、2020年から2030年の間に地球全体の排出量を毎年7.6%減らすよう呼びかけた[19]。なお、これまでの排出削減率の最高記録は〔1991年頃の〕年間5%であるが、これはソ連崩壊の際に、この世界トップクラスの経済大国かつ汚染大国の経済活動が事実上停止したことによって、引き起こされたものだ[20]。広大な農地が放棄され、間もなく膨大な量の二酸化炭素を吸収し始めたのだ。

IPCCによると、化石燃料を消費するプラントや大気中から二酸化炭素を回収して貯蔵する技術（実現可能かどうかも分からない技術）を大規模に普及させられないケースでは、温暖化を1.5℃に抑えるためには、2050年までに世界の石炭・石油・天然ガスの使用量をそれぞれ97%、87%、74%減少させなければならない[21]。アメリカのような、化石燃料消費に基づく経済成長を何世紀も続けてきて、貧しい国々よりも迅速かつ大量に再生可能エネルギーを導入できる態勢ができている所で、排出削減が最も急速に行われるべきだ。経済成長と温室効果ガスの排出量増加との関連性は、確実かつ十分に裏付けられているため[22]、経済成長とエネルギー消費量の増加が著しい「地球の南側」では今後も、温室効果ガスの排出量が増加する可能性が高い。そうした状況を受け入れられるだけの余地を確保するために（つまり、世界の最貧国での新たな消費の増加を厳しく制限しないために）、富裕国は自国の排出量を2030年頃までにネット・ゼロにしなければならない。またそれと並行して、低炭素型の経済発展を可能とするために、財政的・技術的支援を行うべきだ。

言い換えれば、大災害を避けるためには、人類史上だれも見たことがなかったような排出削減を達成すべく、前例のない規模と迅速さで、エネルギーや食料、交通のシステムを全面修理（オーバーホール）する必要がある。こうした改革が成功する保証はない。成功するには、これまで人類が成し遂げたどんな仕事と比べても、何十倍も、何百倍も大きな社会的努力が必要となろう。一人の個人が急に目覚めて、一人の力で大量輸送システムを構築し、経済の電化を推し進め、化石燃料の採掘をやめるというようなことは、そもそも不可能だというのが、厳しい現実なのだ。私たちが化石燃料漬けのエネルギー・経済システムの中で暮らし続けている限り、いくら自発的なライフスタイルの選択を積み重ねても、この非常に厳しい目標の達成はありえない。この変革を成し遂げるためには、行動的で巨大な政府が、ゼロ炭素経済の構築をできる限り速く実現するという課題に、真っ正面から取り組むしかない。グリーン・ニューディールは政府が始めるものであり、それを私たちが支援すべきなのだ。

必要とされる変革をセクターごとに検討すると、その規模の大きさがわかる。第一に、現状では各家庭に電気冷暖房が普及しておらず電気自動車も少ないが、今後は電力供給網に関連する経済活動を3倍に増やす必要がある[23]。これはすなわち、何百万人もの人々を何千マイルにも及ぶ送電線の建設に従事させ、現状の電力供給セクターを全面的に改革することを意味する。これはまさに、電力会社が一方的に家庭やコミュニティに電気を送るだけではなく、逆に電気を受け入れることができるように、この国の電力網を再編することを意味する。

郊外へと拡大した都市空間は、充実した交通網と、密集型の安価な住宅で満たしてゆく必要がある。こうして、内燃機関の自動車エンジンを過去の遺物にしてゆくのだ。食糧の多くは、消費地の近くで栽培されることが望ましい。また今後は、より強い暴風雨と海面上昇によって、低地の都市が飲み込まれ、何百万人もの人々が移住を余儀なくされるだろう。私たちは、大量の二酸化炭素を大気中から除去する方法を見つけ出さねばならない。その最も確実な方法は、数十億本から数兆本もの木を植えることだ[24]。航空業界や建設業界のように脱炭素化が難しい部門では、何兆ドル〔何百兆円〕もの研究開発（R&D）の資金がすぐにでも必要だ。これらは、氷山の一角に過ぎない。

エネルギー分野においては、地球規模の大惨事を回避する対策として、クリーンエネルギーに基づく大規模な電力インフラを構築し、石炭や石油、ガスによるエネルギー産業のビジネスモデルに正面から挑み、化石燃料そのものを掘り起こさないで済むようにすることが求められる。また、エネルギー需要側の対策として、グリーン・ニューディールは消費生活をエネルギー消費の少ないものへと変革し、すべての人々が低炭素型の生活を送れるようにしなければならない。エネルギー効率の良い安価な住宅や、公共交通機関に対して大規模な投資を行うことで、私たちの都市や町のカーボン・フットプリントを小さくし、より住みやすい地域を実現するまでには、ずいぶん長い道のりとなるだろう。

週４日の勤務が実現すれば、友人と低炭素型のディナーを楽しむための時間や、ビーチに出かけたりする時間も増えるだろう。カリフォルニア州で導入されているような自動車燃費基準（CAFE）や再生可能エネルギー基準（RPS）[25]を、全国に拡張すれば、電力会社や自動車会社にクリーンエネルギーの使用を求めることや、その基準を満たさなければ厳しい罰則を与えることができるだろう。それに加えて、エコカー買い替え補助金制度（Cash for Clunkers program）によって、今後も自動車が必要な人も、大気中に温室効果ガスを排出することはなくなるだろう。

こうした改革は全て、クリーンエネルギー関連企業や、変革に不可欠ないくつかの産業にとって、恩恵となるだろう。しかしながら、この大規模かつ迅速な社会構造の変革にとって必要な仕事の多くは、（教育や消防と同様に）十分な利益を生まないものだ。リスクを嫌う民間の投資家に対して、投資するよう説得するのは困難だ。だからこそ、やはり、公共の利益のために行動する強力な公共部門が必要となるのだ。

他方で、再生可能エネルギーの電力供給量を増やすだけでは、化石燃料の使用量を十分に削減することはできない。石炭や石油などの採掘に固執する企業を抑えることによって、化石燃料による大気汚染を根本から断ち切らねばならない。ここ数年で太陽光発電や風力発電が安価になり、普及してきたにもかかわらず、国内の発電量に占める割合はほとんど横ばいだ[26]。そして化石燃料の採掘ペースは上昇し続けており、減速の兆しも見られない[27]。今や米国は、化石燃料の純輸出国となっているのだ[28]。言い換えれば、良いものが悪いものを凌駕できないでいる。石炭・石油・ガスに関連する企業に真の制約を課すことが、気候変動に対する目標を確実に達成するための、唯一の方法だ。

手始めとして、連邦や各州が化石燃料産業に毎年与えている約200億ドル〔約2.2兆円〕の補助金を打ち切ることが挙げられる[29]（化石燃料産業に対する恒久的な税制優遇の金額は、自然エネルギー産業に与えられる金額の７倍に相当する[30]）。ニュージーランドが既に実践している例に倣えば[31]、アメリカは新たな海洋掘削探査を禁止することもできる。そしてグリーン・ニューディールにより、次のような慣行を止めることが出来る。すなわち、①連邦政府の土地と水を掘削業者にリースすること、②企業が石油やガスを外国に輸出するための新規インフラに許可を与えること、③2015年に解除された原油の輸出禁止措置を復活させること[32]、である。ストックホルム環境研究所は、化石燃料産業への優遇措置があまりにも広範囲に及んでいるので、これがなくなれば新規の石油・ガス開発案件の半分も、採算が取れなくなると見積もっている[33]。化石燃料産業を浮揚させている歪なインセンティブを取り除くことには、何の問題もないはずだ。

だが、もっと劇的な行動が必要だろう。これまで化石燃料産業は、潤沢な資金を投じてニセ情報を流し、ロビイストの大群を動員して、ごく軽い規制でさえも攻撃する姿勢を、幾度となく示してきた。エクソンやシェブロンなどの企業が何千億ドルもの価値のある地中の化石燃料を、おとなしく手放すことはないだろう。右派はこれまで「アメリカ株式会社」と一体となって、ニューディールの公共プログラムを解体しようとしてきた〔米国において右派は、新自由主義的で政府に反対し、均衡財政を求め、キリスト教的価値観に忠実で白人至上主義的で、宗教的な傾向が強い〕。政府が権力を行使して、公共の利益のための経済を制御すべきだと言う者に対して、「スターリニズムだ！」という罵声を浴びせてきた。さらに、彼らは政府に対してロビー活動を行い、これらの企業に大幅な減税措置を与えるようにさせ、さらには公有地や公共プログラムを搾取的なカネ儲けマシーンに変えるよう、法律を作らせてきたのである。また、今世紀最大の政府からの資金援助の受益者が、ウォール街だということも忘れてはならない。

ネクスト・システム・プロジェクトの研究者は、ネット・ゼロ・エミッション〔差し引きの排出量ゼロ〕への移行を促進させるために、アメリカに拠点を置く化石燃料企業の株式の51%をアメリカ政府が買い取り、公的管理下に置くことを提案している（投資家はこれらの企業の株式を自主的に売却するか、強制的に売却させられるかを選ばされる）[34]。その後は速やかに生産を削減し、これらの企業が政治に介入する余地を与えないよう、楔を打ち込むことが必要だとしている。当然ながら新規の採掘をただちに停止すると、関連産業で雇用されている労働者や、彼らのコミュニティを窮地に追い込むことになる。彼らにとっての代替案が用意されていなければ、アメリカの経済全体に壊滅的な波及効果が及ぶことにもなりかねない。いかなる主体がこれらの化石燃料企業を所有したとしても、グリーン・ニューディールにより具体化された価値観に沿って生きていく為には、化石燃料産業をうまく管理して、縮小させていかねばならない。ただし、あくまで優先されるべきはこれらの産業に従事する従業員と、彼らが暮らすコミュニティの生活を尊厳ある水準に保つことであって、決して企業経営者たちにゴールデン・パラシュート〔高額の退職金〕を与えることではない[35]。

来るべき変革のための政策論争が行われる中で、化石燃料企業の経営陣が、グリーン・ニューディールへの代案として、低率の炭素税を支持することも予想される。彼らは、ちょっとした価格シグナルでは、残された時間内に経済を完全に脱炭素化することは無理だということを、よく知っているからだ。彼らの算段は単純だ。控えめな炭素税によって石炭はゼロになるかもしれないが、石油やガスの使用を阻止するほど高い炭素税でなければ、それらの生産を増やすことができる。そこで低炭素燃料への投資を少しばかり行えば、批判者をなだめ、より厳しい規制を回避ができるだろう、というわけだ。

より現実的なシナリオは、十分に強力な炭素税が全く導入されず、これまで通りのビジネスが継続されることである。産業界が支持するひとつの計画では、炭素税は1トンあたり40ドル〔4400円〕から始まるが[36]、上述のIPCC報告書では、壊滅的な気温上昇を回避するためには、1トンあたり135ドルから5500ドル〔14850円から60万5000円〕のグローバル炭素税が必要になる[37]。参考までに、スウェーデンの炭素税は世界で最も高く、1トンあたり123ドル〔13530円〕だが[38]、既存の炭素価格は世界平均でも1トンあたり約8ドル〔880円〕である[39]。フランスが1トンあたり0.25セント〔0.275円〕のガス税を課そうとしたとき、黄色いベスト運動の抗議が爆発したが、それはもっともなことだった[40]。

公共部門が衰退している現状において、全般的な課税は働く人々に大きな打撃を与えることになる。ましてや、ガソリン税による税収は、富裕層減税による税収の穴を塞ぐのに使われているのが実情だ。住んでいる都市や町に公共交通機関がなければ、通勤や通学のために、ガソリンを大量消費する車を使わざるを得ない。そして、アメリカでは何十年にもわたって賃金が低迷しているため、いま乗っているオンボロ車を売り払ってプリウスやテスラに買い換えることなど、多くの人々にとって現実的な話ではない。経済モデルからしか世界を見ていないと、この事実に気づくのは難しいかもしれないが、実際に何らかの政策を実現させたければ、こういうことを無視してはいけない。

炭素に何らかの価格付けをすることを、否定する人はほとんどいないだろう。より幅広い気候変動政策のなかに、カーボン・プライシングを含めるべきだとする議論には説得力がある。だが、市場の微調整は、低炭素で公正な社会を建設するための厳しい規制や公共投資に代わるものではない。政府が積極的な役割を果たし、経済が向かうべき目標を定めるべきなのだ。

フランクリン・デラノ・ローズヴェルトの言葉を借りるならば、グリーン・ニューディールは、汚染者の反感を歓迎すべきだ。炭素価格だけを導入しても、気候変動を全否定する場合と比べて、問題が解決に向かう可能性はほとんど高まらない。大惨事回避に不可欠な経済的変革のためには、グリーン・ニューディーラーたちはまさに、全く別の戦略に目を向けるべきだ。すなわち、アメリカにおいても大規模な経済計画が、それほど急進的なものと見なされなかった頃の戦略だ。第二次世界大戦期やニューディール期の国家総動員など、アメリカの歴史は、政府が大胆な目標を設定して、それを達成した事例に事欠かない。すなわち、費用を見積もることさえできないような大問題に、アメリカ政府が全力で取り組んだ事例のことだ。選挙で選ばれた指導者たちは、〔世界恐慌のせいで〕何百万人もの人々が路上で飢えている状況で、おカネに糸目を付けずに人々の命を救おうとした。また第三帝国の脅威が生じたときには、無作為でいることの費用は計り知れなかった。世界の指導者たちは、ファシズムに対抗する資金を出し惜しんだら、ヒトラーや枢軸国を絶対に倒せないことを理解していた。こうした 1930 ～ 1940 年代の諸問題に劣らず、気候危機は生存に関わる深刻な脅威なのだ。

あらゆるものを電化することから、公共交通を拡大させ、化石燃料の支配者たちを屈服させることまで、大きな政府を通じてしか、クリーンエネルギーの未来を実現するしか道はない。しかしまた、一国だけのグリーン・ニューディールでは不十分だ。炭素に国境はない。急新的で意欲的なグリーン・ニューディールであっても、一国内にとどまっていてはその価値は限られる。アメリカはその模範を示し、21 世紀にふさわしい世界秩序を構築すべく、多国間機関や世界貿易において、そのすべての力を発揮すべきだ。私たちの故郷であるこの病んだ地球を守ることに関心をもつ、すべての国々と連帯すべきだ。

　では、人間の本質については、どう考えるべきだろうか？　人類があまりに自己中心的で貪欲で、未曾有の経済的変革など実現できないとしたら？　目先のことに囚われてその先にある大義を見据えることができないとしたら？　また、そのために必要な犠牲を払う気がなかったとしたら？　ローズヴェルト大統領の専門委員会のメンバーだった、経済学者のレックスフォード・タグウェルは、こうした問いに、最もうまい答えを出したと言えるだろう[41]。

> 　人は、本質的には協調的だ。確かに競争的な性質もあるが、ふつうはこれは劣位の性質だ。自由放任主義は、その競争的な性質を高揚させ、協調的な本質を傷つけた。それは、多くの些細な闘争の総和が全体的な協力だという誤った考え方で、人を欺いたのだ。人は逆説的にも、自分たちが協力を拒んでいる時に、じつは協力を進めているのだと信じるよう教えられた。これは、悪意に満ちた誤ったパラドクスだった。現在、多くの人々がこのように信じているが、その結果、協調的な本質は力強く公然と、密かに間接的に自分の目的を果たすことには我慢できない主張している。私たちは堂々と大胆に、協調への道を進んでゆくのだ。

第３章　最悪の時期における市場原理主義

ナオミ・クライン

Moizsyed - Own work
CC BY-SA 4.0
File：Naomi Klein at Berkeley, California, in 2014 (cropped).jpg

気候危機の警鐘は長年私たちの耳の中で鳴り続け、絶え間なくその音量を増してきた。しかし人類は進路を変えられていない。私たちはどうしてしまったのだろうか？

この問いに対して多くの答えが与えられている。まず世界中の政府が何かに合意すること自体が困難の極みだ。それに真の技術的な解決策は存在していない。また私たちは何らかの脅威に直面しても、それが遠い将来のことに思えるならば、人間の本性の奥底にある何かのせいで行動を起こすことができなくなる。さらには最近になっても、「いずれにせよ私たちはしくじってしまったのだし、衰退する風景を味わう以上のことをしても、何の意味もない」という説が唱えられている。

これらの説明の中には妥当なものもあるが、根本的にはどれも不十分だ。大多数の国々が行動方針に合意することなど、ほとんど無理なことだ、という主張を例にとろう。これは確かに難しいことだ。しかし、オゾン層破壊から核拡散に至るまで、国連は過去に何度も、国境を越えた困難な課題に取り組むために、各国政府が一丸となるのをサポートしてきた。これまでに得られた取り決めは完璧なものではなかったが、真の進歩を象徴するものだった。さらに、排出削減を求めるための、拘束力のある厳しい法的枠組みを成立させることに（おそらく協調が困難だったせいで）各国政府が失敗したのと同じ時期に、世界貿易機関（ＷＴＯ）の設立が成し遂げられた。これは、地球上のモノやサービスの流れを規制する、明確なルールと違反行為に対する厳しい罰則を備えた複雑な国際的システムだ。

技術的な解決策が無いから私たちは行動できないのだという主張は、もはや説得力がない。風力や水力などの再生可能エネルギー源からの動力は化石燃料が用いられる前から利用されてきたが、今では非常に安価で効率的になっており、貯蔵することもますます容易になっている[1]。過去20年間で、持続可能な都市計画だけでなく、工夫に富んだ廃棄物ゼロ設計も爆発的に増えてきた。私たちは化石燃料から脱却するための技術的な手段を持っているだけでない。低炭素の生活様式の小規模な成功例には事欠かないのだ。それでもなお、社会全体が大惨事を回避するために必要な大規模な変革を、私たちは実現できないでいる。

それでは、私たちの足を引っ張っているのは、単に人間の本性なのだろうか？　実際には、私たち人間は脅威に直面した際に、すすんで集団として犠牲を払うことを、何度も示してきた。最も有名な例は第一次世界大戦と第二次世界大戦中に、配給や戦時農園それに戦時国債を喜んで受け入れたことだ〔戦時農園とは戦時下において市民が庭や公園を利用して野菜や果物などを栽培した農園のこと〕。実際、第二次世界大戦中の燃料節約を支えるために、イギリスでは娯楽目的の自動車運転が事実上禁止された。1938年から1944年の間には公共交通機関の利用が、アメリカで87%、カナダで95%増加した。1943年には、アメリカの人口の5分の3にのぼる2000万世帯が戦時農園を営み[2]、その収穫量はその年に消費された生鮮野菜の42%を占めた。興味深いことに、このような活動をぜんぶ合わせると、二酸化炭素排出を劇的に減らすことができるのだ。

確かに、戦争の脅威ははっきりと目前に迫っていた。だがそれは気候危機が引き起こす脅威も同じことだ。気候危機はすでに、世界の主要都市の一部で、甚大な災害を引き起こす原因となっている。ならば、戦時中のような犠牲の日々が過ぎ去って、私たちの判断は鈍くなっているのではないか？　現代の人々は、あまりにも自己中心的かつ依存症的で、自由にあらゆる欲望を満たし続けなければ生きていけないのではないか？　いつもそのようなことを耳にする。しかし実際のところ私たちは常に、より抽象的でより大きな公益の名のもとに、甘んじて集団的な犠牲を払っている。年金や、苦労して勝ち取った労働者の権利、芸術、放課後の講習などを、犠牲にしているのだ。また私たちは、交通手段や生活のための破壊的なエネルギー源のために高い代金を支払っている。バスや地下鉄のサービスが改善せず、むしろ退化しているのに、その料金が上がり続けるのを我慢している。そして一世代前には考えられなかったことだが、公立大学の学費のせいで、人生の半分をかけて返すほどの借金を抱えることになっても仕方がないと思っているのだ。

過去30年間は公共部門が着実に縮小されてゆく過程であった。これはすべて緊縮政策の名のもとに擁護(ようご)されてきた。緊縮政策は、前述の集団的犠牲を強いる終わりなき要求を今も正当化しているものだ。過去には、均衡財政や効率性の向上、経済成長の加速などを求める声がこれと同じ役割を果たしてきた。

人々は日常生活を格段に不安定で高くつくものにしている経済システムを、安定させるためだと言われて、これほどまでに集団的利益を犠牲にしているのだ。ならば、すべての生命を支える物理的なシステムを安定させるために、生活様式を大きく変化させることが人間にできないはずはないと、私には思える。しかも排出量を劇的に削減するために必要な変化の多くは、地球上の大多数の人々の生活の質をも大いに向上させるものだ。例えば北京やデリーの子どもたちが大気汚染対策マスクをつけずに外で遊べるようになったり、クリーンエネルギー部門で何千万もの良質な雇用が生まれたりするだろう。

確かに時間の余裕はない。しかし、化石燃料からの排出を徹底的に減らし、再生可能エネルギー技術に基づくゼロカーボンのエネルギー源への移行を始め、この10年以内に本格的な移行を開始することを、私たちは明日にでも決断できるはずだ。私たちにはこれを実現するための手段がある。たとえそれが実現できても海面は上昇し暴風雨は訪れるかもしれないが、真に壊滅的な温暖化を防ぐことが出来る可能性は、遥かに大きくなるだろう。実のところ、全ての国々を水害から救うことは可能かもしれないのだ。

こうして、私の心はつねに冒頭の質問に立ち戻る。私たちはどうしてしまったのだろうか？　私が思うにその答えは、今まで私たちが信じ込んで来た多くの答えよりも、はるかに単純なものだ。排出量を減らすために必要なことが、規制緩和型資本主義と根本的に矛盾しているがゆえに、私たちはやるべきことをやってこなかったのだ。規制緩和型資本主義は、人類が気候危機を打開する方法を模索してきた全期間にわたって君臨し続けてきたイデオロギーだ。私たちが行き詰まっているのは、大惨事を回避する最善のチャンスを与え、大多数の人々に利益をもたらすはずの行動が、経済や政治のプロセスだけでなく、主要メディアのほとんどを掌握（しょうあく）している少数の支配層にとって、極度の脅威となっているからだ。

私たちの歴史の中で、もっと別の時点でこの問題が現れていたならば、それは克服できていたかもしれない。しかし、科学界が気候の脅威について決定的な診断を下したタイミングが、1920年代以降のどの時代と比べても、これらの支配層が無制限に政治的・文化的・知的な権力を行使していたまさにその時だったということは、私たちの社会にとっては大きな不幸だった。実のところ各国の政府や科学者たちが真剣に、温室効果ガスの排出を急激に削減すべきだと言い始めたのは1988年のことだった[3]。まさにその年は、世界最大の二国間貿易関係を象徴する協定が、すなわち後にメキシコを加えて北米自由貿易協定（NAFTA（ナフタ））へと拡大する元になった協定が、カナダとアメリカの間で調印され、「グローバル化」と呼ばれる時代の幕開けとなった年でもあった。

この新時代の中心的な政策は3つあるが、それは私たちみんなが良く知っているものだ。すなわち公共部門の私有化（民営化）、企業部門の規制緩和、そして法人税率の引き下げだ（これは公的支出の削減でまかなわれる）。これらの政策の現実の代価については、公共インフラや公共サービスが惨（みじ）めな状態にあることや、不安定な金融市場、行き過ぎた超富裕層の実態、貧困層がますます使い捨ての存在となり絶望的な状況にあることなど、すでに多くのことが伝えられてきた。しかし、気候変動に対する私たちの集団的な対応を、市場原理主義が最初から全面的に妨害してきたことについては、ほとんど語られていない。

問題の核心は、この時期にマーケットの論理が政界・財界を完全に支配したことによって、全く当たり前の直接的な気候変動政策が政治的に異端なものに見えたことだ。公共部門が全面的に解体され競売にかけられていた時代に、社会が例えばゼロ・カーボンの公共サービスやインフラに対して、大規模な社会的投資を行うことなどできただろうか？　化石燃料企業に対して厳しい規制をかけ、課税をし、罰則を科すようなことが、全て「指令統制型」の共産主義の遺物として退けられていた時に、政府はそんな手段を講ずることができただろうか？　そして「保護主義」という言葉が汚らわしいものとされていた時に、再生可能エネルギー部門に対して、化石燃料に取って代われるように関連産業に必要な支援と保護を与えることなどできただろうか？

さらに直接的には、多国籍企業を事実上すべての制約からまんまと解放した政策は、地球温暖化の根本的な原因である温室効果ガス排出量の増加にも、明らかに寄与している。その数字は特筆すべきものだ。1990年代は旧共産圏をグローバル市場に統合するプロジェクトが立ち上がった頃だが、この頃は世界の排出量が年平均1％増加していた。それが2000年代に入ると、中国のような「新興市場」が世界経済に完全に統合され、排出量の増加が破壊的なまでに加速した。この10年間のほとんどの年で、増加率は年率3.4％にも達したのだ[4]。この急激な伸びは今日まで続いており、2009年の世界金融危機によって一時停止しただけだ。しかも2010年の排出量は激しいリバウンドを見せた。その排出増加分の絶対量は、産業革命以来で最大だったのだ[5]。

これを後知恵で、他のどんな結果になり得たのかと考えることは難しい。この時代特有の二つの特徴は、（炭素を大量に燃焼して）製品を遠方に大量に輸出することと[6]、（これも化石燃料の浪費を基礎とするものだが）無駄の多い生産・消費・農業のモデルを[7]世界の隅々にまで伝播させることだ。別の言い方をすれば、世界市場の解放は、かつてないほどの量の化石燃料を地球から解き放つことによって促進されたプロセスだが、これがまさに北極の氷の消滅をもたらしているプロセスを劇的に加速させているわけだ。

その結果、私たちは今、非常に厄介で、若干皮肉な立場に置かれている。人類は何十年間も堂々と排出を続けてきたわけだが、本当はこの時期には排出を減らしているはずだったのだ。その結果として、壊滅的な温暖化を避けるために私たちがすべきことは、もはや1980年代に凱歌を上げた規制緩和型資本主義の、特定の特徴と対立しているだけではない。それは今や、「成長を、さもなくば死を」という、私たちの経済モデルの中心にある絶対的命令とも対立しているのだ。

二酸化炭素は、いったん放出されると何百年も（場合によってはそれ以上も）大気中に留まり、熱を閉じ込める。その影響は累積的で、時間が経つにつれて深刻さを増していく[8]。そして、ティンダル・センターのケビン・アンダーソンのような（数多くの）温室効果ガスの専門家が言うには、過去20年間にわたってあまりにも多くの二酸化炭素が大気中に蓄積されてきたせいで、温暖化を国際的に合意された2℃目標以下に抑えるためには、富裕国が毎年およそ8%から10%ずつ排出量を削減[9]するしかない。「自由」な市場では断じてこの課題を達成できない。実のところ、このレベルの排出量削減は、経済崩壊や大不況のもとでしか起こっていないのだ。

これらの数字が意味するのは、私たちの経済システムと地球のシステムが戦争状態にあるということだ。より正確には、私たちの経済は、人間を含めた地球上の様々な生物と戦争をしているのだ。気候の崩壊を避けるためには人類の資源利用を制限せねばならない。他方で私たちの経済モデルは、崩壊を避けるためには無制限に拡大せねばならない。この二つのルールのうち変えられるのは一つだけだ。そしてそれは自然の法則のほうではない。

幸いなことに、経済をより資源集約度の低いものへと変革することは、全くもって可能なことだ。しかもそれは、最も脆弱(ぜいじゃく)な人々が守られ、最も責任のある人々が大部分を負担するような公正な方法で実現できる。経済において、低炭素の分野の拡大と雇用創出を奨励(しょうれい)し、二酸化炭素を多く排出する分野の縮小を促(うなが)すのだ。ただし問題は、このような規模で経済を計画し管理することなど、現在支配的なイデオロギーでは全くあり得ないことだということだ。現在の経済システムで縮小が起こるのは唯一、恐慌の場合だけだが、その際には人々が最大の被害をこうむることになる。

私たちに残されたのは、厳しい選択だ。気候の崩壊が世界の全てを変えるのを許すか、その運命を避けるために経済のほとんど全てを変えるか、という選択だ。だが、はっきりさせておく必要がある。私たちの社会が何十年も変化を拒否し続けてきたせいで、追加的で漸進的(ぜんしんてき)な選択肢というものは存在しなくなった。1990年代に入って私たちが、アメリカン・ドリームを巨大化させ、グローバル化させてしまったことによって、気候変動対策として現状を微調整(びちょうせい)してゆくという選択肢はなくなってしまったのだ。急進的な変化が必要だと考えているのは、もはや急進派だけではない。2012年には、NASAゴダード宇宙科学研究所の元所長ジェームズ・ハンセンや、ノルウェー元首相のグロ・ハルレム・ブルントラントを含む、名高いブループラネット賞の受賞者21名が、画期的な報告書を著した[10]。この報告書は次のようにはっきりと述べている。「全く前例のない非常事態に直面した今、文明の崩壊を避けるために、社会には劇的な行動をとる以外に選択肢はない。私たちはやり方を変えてまったく新たなグローバル社会を構築すべきだ。さもないと、世界はやがて変わり果てたものとなってしまうだろう」。ケビン・アンダーソンも同様に、以下のような結論に達した。「かつての（より大きな）プラス2℃の炭素予算の場合には、「進化的な変化」の余地もあったのだが、私たちの社会が化石燃料の浪費を続けたせいで[11]、その可能性はゼロになってしまった〔炭素予算とは、地球の気温上昇を一定の水準に抑えるための、温室効果ガスの累積排出量の上限値のこと〕。ハッタリと嘘にまみれた20年を経て今日では、残されたプラス2℃の炭素予算が、政治的・経済的な覇権（はけん）の革命的変化を迫っている」。

重要な地位にある人々にとって、これは容易なことではない。なぜなら資本主義よりもおそらく強力な、中道主義の物神崇拝（フェティシズム）に挑戦することになるからだ。それは理性を保ち、極端なことを言わず、必要に応じて妥協し、何事に対しても興奮しすぎないということだ。このように考える習慣は、危機の存在を全く否定している保守派よりも、気候変動政策に取り組むリベラル派の間で共有されており、まさにこの時代を支配している〔米国では、リベラル派は左派とほぼ同義〕。気候変動は、この臆病な中道主義に対して、重大な挑戦を突きつけるものだ。なぜなら生半可（なまはんか）なやり方でこれを切り抜けることは不可能だからだ。たとえば「ありとあらゆるエネルギー（all of the above energy（オールオブジアバブエナジー））」と題されたプログラムは、オバマ大統領が2期の任期中に自分の取り組みとして説明したものだが[12]、これは好きな物を好きなだけ食べてもよいというダイエット法と同じぐらい成功の見込みが小さいものだった〔「ありとあらゆるエネルギー」とは、化石燃料と再生可能エネルギーを含む、ありとあらゆるエネルギー源を組み合わせて活用すること〕。それに、科学が私たちに課した厳しい締め切りのことを思えば、興奮するなというほうがおかしいのだ。

だとしても、ただ単に多額の資金を使い、政策の多くを変更すればよいというものではない。私たちの挑戦が少しでも実を結ぶようにするために、これまでとは根本的に違った考え方をする必要があるということだ。大自然や諸外国、そして近所に住む人々を、敵としてではなく、むしろ互いに変化を実現するための壮大なプロジェクトのパートナーとして捉えるような世界観が、前面に出て来なければならない。

これは大きな課題だ。しかも、この課題はどんどん大きくなってゆく。これまでずっとこの課題を先延ばししてきたために、私たちはすぐにこの大きな変化をなし遂げなければならなくなったのだ。国際エネルギー機関（IEA）は温暖化を、気候変動に脆弱な国々が求めてきたようなプラス1.5℃未満に抑えるためにはもちろん、プラス2℃未満にとどめようという場合でも、〔これ以上〕「CO_2を排出するものを建設する余地はない[13]」と警告している。IEAの常任理事であるファティ・ビロルは、炭素予算（温暖化を2℃未満に維持しながら消費できる化石燃料の総量）は、既存の化石燃料インフラによって使い果たされてしまうだろうと警告している[14]。主な新規のインフラ・プロジェクトは全て低炭素でなければならない。また発電所や建物、自動車を含む既存の化石燃料インフラは、予定よりも早く廃止してゆかなければならない。

自由市場の信奉者たちは、次のように断言してきた。「ただちに解決をもたらす技術が、間もなく登場するはずだ！　環境汚染を伴う経済発展は、クリーンな環境への移行段階に過ぎない。19世紀のロンドンを見よ！」と。しかし、そんなことはあり得ない。中国やインドがディケンズの小説で描かれたような悲惨な段階を乗り越えるには、まる1世紀の時間がかかった。だが私たちには、そんな時間の余裕はない。数十年が浪費されたため、今すぐ全てを改めなければならないのだ。それは可能なのかといえば、もちろん可能だ。だが、規制緩和型資本主義の基本的な論理に挑戦しなくてもそれが可能なのかと言えば、絶対に不可能だ。

この研究を続けていたとき、サイエンティフィック・アメリカン誌の編集主幹のゲイリー・スティックスが書いた一種の謝罪文に、私は感銘を受けた。2006年に彼は気候変動政策に関する特集号を編集した[15]。ここに掲載された記事は、同様の試みによく見られるように、刺激的な低炭素技術を紹介するものばかりだった。

ところがスティックスは2012年に、もっと大きな、もっと大事なことを見落としていたと述べた[16]。これらの新技術が、あまりに儲かる既存技術に取ってかわるためには、そのための社会的・政治的状況が作り出されなければならないということだ。いわく、「何らかの形で根本的に気候変動に対処するためには、社会的側面における抜本的な解決策に注目すべきだ。それに比べれば次世代の太陽電池の効率改善など、ごく些細（ささい）な問題だ」。

言い換えれば私たちの問題は、太陽光発電（ソーラー・パワー）の技術論よりも、人間の権力（ヒューマン・パワー）をめぐる政治学に大きく関わっている。具体的には、権力を行使する人物を交替させられるかどうか、企業からコミュニティへの権力の移行が可能かどうかによって決まる。すなわちこれは、現在のシステムのもとで冷遇されているきわめて多くの人々が、権力の分配（パワーバランス）を変えるために、多様性のある断固とした社会的勢力を形成できるかどうかにかかっている。そのような変化を起こすには、人類の力の本質について考え直す必要があるだろう。それは、責任をとることなく自然をさらに搾取（さくしゅ）し続ける権利や、複雑な自然のシステムを自分たちの意思に従わせる能力のことだ。この変化は、資本主義に挑戦するだけのものではない。近代資本主義の成立以前から存在している、物質主義の基本構成要素（「資源略奪主義」とも呼ばれる思考様式）にも挑戦するものである。

これら全ての背後には、私たちが目を背（そむ）けてきた真実がある。気候変動は心配事のリストの中に、医療や税金の次に書き込むべき「問題」などではない。これは文明的な警告なのだ。火災や洪水、干魃（かんばつ）、絶滅といった言葉で語られる強力なメッセージは、全く新しい経済モデルと、この地球を共有する新しい方法が必要だということを、私たちに知らせている。私たちは進化すべきだということを教えてくれているのだ。

この変化を成し遂げるにはもう時間がないと言う人もいる。危機はあまりにも切迫しており、時間は刻々と過ぎていっていると言うのだ。私も、この危機に対する唯一の解決策は、経済を大改革し、世界観をボトムアップで刷新することであり、そうでない解決策は実施する意味さえないと言うのは、言いすぎだと思う。排出量を大幅に削減するために、今すぐ実行可能で、今すぐ実行すべき手段はたくさんあるからだ。しかし、私たちはそのような手段を実施していないのではなかろうか？　それが出来なかった理由は、気候変動への対処法として有効なものが、全て政治的に不可能に思えるような状況が、ゆっくりと作られてきたからだ。そしてそれは、イデオロギーの方向性を変え、社会の中の権力バランスを変えるための闘争が、なされてこなかったためだ。

言い換えれば、文化的環境を少しでも変えることができれば、少なくとも大気中のCO_2濃度を正しい方向に向かわせるような、意味のある改善策を実施する余地が生まれるだろう。そして勝利には伝染性があるものだ。どうなるかは誰にも分かりはしない。

四半世紀の間、私たちは漸進（ぜんしん）的な政策アプローチをとってきた。地球の物理的な必然性（ニーズ）を曲げて、恒久的な成長と新たな利潤機会を求める経済モデルの要求（ニーズ）に従わせようとしてきたのだ。その結果は破壊的なものであり、この実験が開始された時よりも危険な状況に私たちは置かれている。

気候変動はすでに起こっている。私たちが何をしようとも目の前の災害はますます残酷さを増してゆくだろう。しかし最悪の事態を避けるのに遅すぎるということはない。災害に襲われたときにもお互いに対して優しくなれるように、私たち自身を変化させるための時間はまだある。そしてそれはとても価値があることだと私には思える。これほど巨大ですべてに関わる危機の本質は、すべてを変えてしまうということだ。私たちに出来ることや、私たちが希望できること、それに私たち自身や指導者に求められることが、すべて変わってしまうのだ。それは私たちがこれまで当然のことだと思っていたことが当然でなくなるということだ。そして、これまで不可能だと言われてきたあらゆる事柄を、今すぐに開始しなければならないということだ。

私たちはこの事態に対処できるのだろうか？　私が知っているのは、気候変動がすべてを変化させるということ以外には、必然的なことなど何もない、ということだけだ。そして当面は、その変化がどんな形で現れるかは、私たちが何をするのかにかかっている。

第４章　気候崩壊を避けるためには人種差別をなくす取り組みが必要だ

イアン・ヘイニー・ロペス

©Jim Block

グリーン・ニューディールは、気候崩壊を防ぐための「攻めの政策」であるが、それだけではなく、経済的不平等や人種差別をなくすための抜本的な対策でもある。サンライズ・ムーブメントは、グリーン・ニューディールを「気候崩壊と経済的不平等、それに人種差別という複雑にからみあった危機を、科学と正義が要求するスケールで解決できる唯一の計画[1]」と位置付けている。しかし革新派（プログレッシブ）の人々の多くも〔グリーン・ニューディールの〕政策案の中で環境危機と、経済的・人種的正義を求める戦いとを結びつけていることは行き過ぎだと考えている。環境危機・資本主義・人種差別という３つの問題に同時に対処しようとすることは、確かに活動家をワクワクさせるが、結局は地球環境を守るために何もプラスにならないのではないかという懸念だ。だがそれは逆だ。むしろグリーン・ニューディールを実現するためには、人種・階級・気候の問題解決を一体のものとして取り組む**必要があるのだ**

その理由を知るために、まずはグリーン・ニューディールの背後にある啓蒙的な考えを知ってほしい。地球温暖化を遅らせるためには、米国政府が大規模な介入をしなければならない。政府の力なくして解決はありえないのだ。だが今、問題の解決を妨（さまた）げているものは何か？　最大の障害は、「自由市場イデオロギー」が社会に浸透しきっていることだろう。このイデオロギーは、政府の役割を否定して手下（てした）のように扱い、規制緩和型資本主義こそが自由への確かな道だと主張する。大多数のアメリカ人のために政府が力強く行動するのを妨げ、それによって大多数の人々を経済上、健康上、環境上の慢性的な危機に陥れ、企業や支配層の一族へと社会の富を集中させている。にもかかわらず、このイデオロギーは権力の中枢だけでなく、幅広い有権者の間でも影響力を持ち続けている。

そこでもう一度、問題に立ち戻ってみよう。気候変動の崩壊を防ぐためには、政府が力強く行動することが不可欠である。そして、政府が行動するためには、自由市場イデオロギーを打ち破ることが必要である。そこでもう一度尋ねよう。それを妨げているものは何なのか？

それは人種差別、とりわけ右派によって意図的に作り出された人種的な反感だ〔米国において右派は、新自由主義的で政府に反対し、均衡財政を求め、キリスト教的価値観に忠実で白人至上主義的な傾向が強い〕。社会の富の集中は、様々な悲劇を生み出しているのに、超富裕層には今なお巨額の富が与えられ、圧倒的多数の人々にはわずかな取り分しかない。なぜこんなことが正当化されるのだろうか？　「自由市場」のおとぎ話だけでは抽象的すぎて役に立たない。その隙間を埋めるように右派の人間たちが、ある物語を拡散しているのだ。それは、「私たち」とは誰なのか、その私たちを脅かしているのは誰なのか、私たちを守っているのは誰なのか、についての物語だ。その物語には暗号化された言葉が使われていて、人種差別がひそかに埋め込まれている。そしてそれこそが人種的な憎悪を引き起こし、公共の利益のために政府が存在するのだという人々の信頼感をも破壊しているのだ。

この、有色人種と、政府への敵意と、階級闘争とを結び付けた右派のこの物語は、何十年にもわたって拡散され、人種的憎悪と気候変動否定論とを強く結びつけることとなった。シエラクラブの2018年の報告によると、米国内では「民主党支持者の中で、気候変動は科学的な事実だと考える人の割合は、共和党支持者の２倍近い」。この党派間の差異には、人種的な反感が反映されている。「人種的反感の度合いを測定するテストで最高レベルの得点だった白人の共和党支持者は、同じテストで最低レベルの得点だった白人の共和党支持者よりも、気候変動は事実ではないと答える割合が３倍以上だった」というのだ。また、人種的な反感が最高レベルの共和党支持者のうち、５人中４人以上（実に84％）が、気候変動が人間によって引き起こされたという説を否定していた[2]。

広い意味で左派に属する人々は、右派の政治的レトリックに、人種的な用語が浸透していることを見抜いている〔米国における左派および革新派は、市場懐疑的で政府を信頼し、積極財政を求め、人種融和的で世俗的な傾向が強い〕。いくつか、暗号化されたフレーズを見てみよう。「都市の無秩序」や「凶悪犯」や「福祉の女王」、あるいは「サイレント・マジョリティー」や「本物のアメリカ人」や「核心地域（heartland）」、そのほかには「不法侵入者」や「アメリカを再び偉大に」、などといったフレーズだ。これはいわゆる犬笛（dog whistling）であり、表面上は人種のことに触れずに、人種差別的な物語を強力に拡散するものである〔犬笛とは人間に聞こえない音を出して犬を訓練する道具であるが、それが転じて、特定層の人々の攻撃的・差別的感情を刺激するメッセージの意味で使われる〕。

だが革新派にとっても、こういった用語が政府に対する人々の態度を変えたり、富裕層による支配を容易にしたりするということまでは、明らかではなかった。しかしながら、1960年代の公民権運動以来ずっと、犬笛政治は共和党が権力を握るための常套手段だったのだ。かつては大企業の政党とみなされていた共和党は、（白人の）労働者階級と（白人の）福音派キリスト教徒の擁護者であるかのように、自分たちのイメージを一新した（もちろん、闇の巨額献金者の利益のための政治は続けている）。ドナルド・トランプがこうした政治の象徴だ。暗号化された人種差別を戦略的に利用して、億万長者による、億万長者のための政府への支持を取り付けている。もちろんそれはトランプに限ったことではなく、共和党全体（と民主党の一部）が、庶民のためではなく、大富豪のために働いている。この手の政治家にとっては、気候変動対策とは、世界最大の汚染者であるアメリカの億万長者の利益を減らすものであり、それを阻止することは富裕層の方々へのご奉仕の一環なのだ[3]。

そこで、ここからが本題だ。政府の力を最大限発揮して気候崩壊を防ぐためには、この数十年ずっと滞ってきた政治の流れを一新するような、選挙の風を起こすことが必要だ。すなわち大統領の座を獲得するだけでなく、革新派の議員が下院と上院で多数派を取らねばならない。だが、ここに人種的な反感の問題がつきまとう。人種的な反感が今なお共和党に権力を与えており、そして人種差別が気候崩壊を防ぐ政府の取り組みに対する反感を煽（あお）っているのだ。したがって、気候変動の崩壊を起こさないためには政府の大規模な取り組みが必要なのだが、それができるかどうかは、選挙で風を起こして共和党を政治権力から引きはがせるかどうかにかかっている。そこで鍵を握るのは、富裕層を勝たせる階級戦争の武器として共和党が利用している人種差別に、真っ向から立ち向かうということなのだ。

おさき真っ暗のように思われるかもしれない。「今日のやることリスト」が、「地球温暖化を終わらせる」、「人種差別に立ち向かう」、「資本主義を作り直す」という3つで始まっているのだから（お買い物リストはその後だ）。しかし大丈夫だ。革新派（プログレッシブズ）は地球温暖化、資本主義、人種差別という「黙示録（もくじろく）の三騎士」をいっぺんに倒すための計画をすでに持っているのだから。そう、それが「グリーン・ニューディール」だ。階級・人種・政府の問題に同時に取り組むことは、たんに可能なだけではなく、多民族共生の新しい流れを作るための最善の方法だとする優れた研究もある。本章の締めくくりもこのような明るい結論とした。しかしその結論に向かう前に、この章の大部分は、米国における金権政治と人種差別の深い結びつきを暴露（ばくろ）することに費（つい）やしたい。

人種、階級、政府

グリーン・ニューディールは気候変動に取り組む次世代のニューディールだが、その前提条件を知るには人種差別が米国の政治でどのように使われてきたかを理解する必要がある。犬笛政治が元祖ニューディールを破壊するためにきわめて大きな役割を果たしたからだ[4]。歴史学者は1930年代から1960年代までの数十年間を「長いニューディール」と呼んでいる。その約40年の「長いニューディール」の間には、アフリカ系アメリカ人〔黒人〕と白人労働者階級と、そしてアメリカ西海岸のリベラル層との連合が形成されており、しばしば民主党の政治家を選出していた。これらの政治家は（そして結局はほとんどの共和党議員）も、政府は市場を規制し、セーフティネットを構築し、労働組合を支援し、インフラに投資し、累進課税によって富を上から下へと再分配すべきだと考えていた。

確かに「長いニューディール」の頃にも、政府のプログラムには非白人と女性に対する差別構造が存在していた。それでも当時の民主党は、アフリカ系アメリカ人や女性をニューディール連合の不可欠なメンバーと位置付け、経済的・社会的地位を向上させる行動をとっていた。経済的リベラリズムと公民権の両方を追求し、選挙に勝つためには両方が必要不可欠だと認識していたのだ。

だがその数十年の間に、まさにそのニューディールの成功が、それに対する大反発の条件を作り出していた。ニューディールによって何百万人もの白人が、大恐慌で深刻化した貧困から救い出された。その結果、中産階級の新しい層が生まれたが、その多くが自分自身を、政府の配慮や恩恵を受ける必要のない、自らの運命の主人公と見なすようになったのだ。また、公民権運動が勝利して白人至上の人種秩序をくつがえした結果、少なからぬ白人層が職場や学校、近隣地域での人種統合に、ますます反感を覚えることにもなった。

このような公民権運動の反作用として、白人の人種的な反感が高まったことをチャンスと捉(とら)えて、共和党内の反動的な派閥がニューディール連合をつぶす計画を策定した。その計画がまとまったのは、1963年にデンバーで開かれた共和党全国委員会の会議でのことだ。保守派ジャーナリストのロバート・ノバックは、ひそかにその様子を記録に残した。「おそらく［共和党］指導者の多くが（ひょっとすると大多数が）、この人種的危機の中で〔共和党が〕、名前はさておき事実上は白人の党に変わることによって、政治的な金鉱脈を掘り当てられるとふんでいる」と、ノバックは新計画についてあからさまに伝えている。「人種的危機」とは何かと言えば、それは我々が公民権運動と呼んでいるものだ。

「名前はさておき事実上は」というのは、公民権運動のおかげで、あからさまに白人至上主義を唱えることは、もはや政治的な自殺行為になったことを意味する。だから共和党は暗号を使うというわけだ。

では、「白人の党」というのは本当か？　そのとおりだ。ただし、単なる差別感情ではなく戦略としてだ。その頃まで、白人の党としてふるまってきたのは南部の民主党だった。彼らが、黒人がほとんど誰も投票できないように詐欺(さぎ)行為と暴力を行使していたのだ。だが、それまで人種問題については比較的穏健だった共和党が、ついに変身するときが来た。共和党のリチャード・ニクソン〔第37代アメリカ大統領、1969～1974年〕は、これを「南部戦略」と呼んだ。そして早くも1972年にはこの、暗号を用いた白人向けの人種的アピールは、全国的な効果を発揮した。

しかし、この人種戦略は、ただ人種だけに関わるものではなかった。共和党工作員のリー・アトウォーターの話を聞いてみよう。彼は共和党内をトントン拍子に出世して、1984年にはロナルド・レーガンの再選キャンペーンの政治部長となり、1988年にはジョージ・ブッシュの大統領キャンペーンの選対本部長に、そして最終的には共和党全国委員会の委員長にのぼりつめた人物だ。サウスカロライナ州の政治にルーツを持つアトウォーターは、ニクソンを英雄として崇め、その人種攻撃を「私が南部でやってきたこと全ての手本となった」と述べたことがある[5]。1981年にアトウォーターは匿名のインタビューに答えている。おそらく匿名性が約束されていてリラックスしていたのだろう、彼は、右派が選挙に勝つために暗号化された人種差別を利用してきたことを、次のようにあけすけに語った。

> 1954年には、「ニガー、ニガー、ニガー」と好きなだけ言えたわけですが[6]、1968年になると「ニガー」とは言えなくなりました〔ニガーは黒人の蔑称〕。墓穴を掘ることになりますからね。だから「強制バス通学」とか「州の権限」だとか、そういう言葉を使うようになりました〔「強制バス通学（forced busing）」は、学校における人種隔離問題への対策として導入された人種統合バス通学（Desegregation busing）を批判する用語として、「州の権限（states' rights）」は南部諸州などで人種隔離政策を正当化する隠語として用いられる〕。今ではもっと抽象的な言葉になっていますよ。たとえば減税なんかの話をしていますが、こんなのはぜんぶ経済の話ですよね。でも、その副産物として、白人より黒人にダメージが行くんです。落ち着いた感じで「減税して、これをカットしよう」と言えば、「強制バス通学」なんかより抽象的で、「ニガー、ニガー」よりも遥かに抽象的です。どうみても、人種のことなど「後回し」みたいでしょう。

「ニガー、ニガー、ニガー」から「州の権限」や「強制バス通学」へ[7]、さらにそこから「減税」へ。いつだって人種のことなど「後回し」というわけだ。

この「州の権限」という言葉は、州の主権を連邦政府は尊重せよという見た目を装って、実は1950年代と1960年代には犬笛として機能した。つまり南部の州が、法律や暴力を使ってアフリカ系アメリカ人を弾圧し、辱(はずかし)める権利を意味するのが一般的であった。また「強制バス通学」の主張は、表面的には人種差別ではないように聞こえるが、本来バス通学が実現しようとしていた公立学校での人種統合プログラムを批判するために使われた。そして「減税」の意味は、「黒人は白人よりもひどい目に遭う」とアトウォーターが説明したとおりだ。

アトウォーターが黒人差別と減税とを直結させたことによって、犬笛政治に新たな展望が開けた。労働者階級の白人とアフリカ系アメリカ人、そして西海岸のリベラル層との間の政治的同盟であるニューディール連合を分断するために、右派は人種差別を利用する。そしてそれ以上に、政府は社会の富を独占する富裕層のためではなく一般の人々のために積極的に働くべきだという、ニューディールの根幹にある理念を、人種差別を使ってつぶそうとしている。その手口は、積極的な政府とは何より黒人を助けることばかり考える政府だ、などという考えを広めることだ。そうすれば、大きな政府に反対することは、黒人に対する政府の支援を制限する手段だということになる。もちろん現実には、あらゆる人種の勤労者家族のために働く政府の力が、これによって削られることになる。

過去半世紀にわたって右派が使用してきた「人種・階級・政府の物語」の、本性を暴くことは可能だ。これによって微妙なニュアンスは損(そこ)なわれるが、超富裕層に有利になるように人々が政府に対して抱くイメージを変えるために、右派がどのように人種差別を悪用してきたかが明らかになる。右派が階級闘争に利用した物語の骨格は、「1. 有色人種を恐れよ、そして憎め」、「2. 政府を信用するな」、そして「3. 市場を信頼せよ」の3つだ[8]。確かに、右派は他の物語も用いる。男権主義者(パトリアーキー)（patriarchy）や同性愛嫌悪者(ホモフォビア)（homophobia）に届くような物語もあれば、自由市場の賛美のような〔必ずしも人種差別を意図しない〕純粋に経済に関する物語もある。しかし右派の**人種的な**物語の骨格部分を取り出せば、人種差別と民主主義と、そして金権政治との深いつながりを明確にすることができるのだ。

1 「有色人種を恐れよ」という理由は、有色人種の本性が暴力的だからだ。「憎め」というのは、有色人種は怠け者であり、まじめに働くよりも政府にたかろうとするからだ。

物語のこの骨格部分は非常に人種差別的であり、白人が有色人種に脅かされているという基本的なストーリーだ。しかし、このような露骨な差別用語で語られることはなく、犬笛に変換され、どこにでもあるような対立に置き換えられる。例えば、何の罪もない被害者と犯罪者との対立や、「福祉の女王」と勤勉な人たちとの対立などだ。こうした脚色は、白人による人種差別を隠蔽（いんぺい）する上で重要であり、有色人種の人々にも右派の考えを売り込めるという点でも重要だ。白人の美徳と少数人種の悪徳といった露骨な話のままでは、さすがに有色人種の人々にも白人にも受け入れられない。犬笛は本質的な人種差別を隠して、この物語の核心を、人種差別を否定する様々な人たちにも「常識」として受け入れられるようにするのだ。

2 「政府を信用するな」とする理由は、政府は白人に無関心だからだ。それだけでなく、救うに値しない少数派（マイノリティ）を社会保障費で甘やかし、法律もまともに機能させず、国境も開けっ放しにすることで、暴力的な少数派をあえて野放しにしているのだ。

政府に対する不信感の原因は、人種の問題以外にもたくさんある。たとえば、政府は一部の利権者や腐敗した政治家が私腹を肥やす温床になっているといったものだ。また有色人種のコミュニティにとっては、政府の過剰な取り締まりや虐待もまた不信感の種となる。しかしながら右派は、特に人種的な反感を利用して政府に対する敵意を煽（あお）る。右派のコミュニティではいわゆるエコーチェンバー現象が起き、リベラルな政府が白人を守るどころか、怠け者の有色人種を甘やかすために白人を犠牲にしているという警告のメッセージで盛り上がっている〔エコーチェンバー現象は、閉鎖的なコミュニティで、特定の信念が増幅・強化される状況の比喩（ひゆ）〕。つまり、政府は（白人の）労働者の敵だというわけだ。

3　頑張って働けば報われるから市場を信頼せよ！　超富裕層や大企業は雇用を創出してくれるから彼らを支持せよ！

多くの有権者にとっては、これが一番納得できない要素だろう。右寄りの有権者は、がんばって働く人は報われると強く信じているが、富裕層に対しては複雑な感情を持っており、富裕層がルールを不正に操作していると見ている人は多い。市場に対する信頼は、集団行動や政府に対する信頼を失った人々が、唯一の代案としてとる基本的態度として、真実性をもつようになるものだ。右派が広める思想の中心には、誰もが自己責任で自分や家族を守るべきだという考え方がある。それは、経済的な自衛というレベルでは市場を信頼するという意味になるし、肉体的な自衛というレベルでは銃を買うという意味になる。ただし多くの人々にとって、政府は自分たち以外の人間を守るだけだと信じ込むことは、きわめて自滅的なことと言わざるをえない。

革新派（プログレッシブ）の人々がいま、どう捉えてよいものかと困惑していることがある。それは、大多数の白人労働者が政府を憎んで金持ちを信頼していることだったり、庶民の多くが市場を信頼して新自由主義を受け入れていることだ。ニューディールまで歴史を遡れば、この状況が驚くべきものだということが分かる。あの時代には、アメリカ人の大多数は、自分たちを救うのは政府だけでなく、労働組合を通じた集団行動も重要だと理解していた。あれから一体何が起こったのか？　市場を信頼し小さな政府を求めるイデオロギーの台頭という分かりやすい側面だけを見ていても、この問いには答えられない。右派がいかにして人種的な反感を操作してきたかを認識してこそ、アメリカの幅広い中流階級にいったい何が起こったのかを理解できるのだ。その圧倒的多数が人種的な恐怖心を表明し、それによって人種的な正義だけでなく、自分たちの経済的な未来をも損（そこ）なっているのだ。同じような力学が今も働いており、気候変動を遅らせる可能性までもが危険にさらされている。

レイシズム、政府、そして地球温暖化

チャールズ・コークの莫大な財産は、巨大な石油化学・産業複合企業によるものだ〔チャールズ・コークは、非上場の多国籍複合企業として米国第二位の規模をもつコーク・インダストリーズの最高経営責任者。フォーブスが2018年に発表した世界長者番付の8位〕。何十年もの間、チャールズと弟のデイビッドは環境保護の取り組みをなんとか阻止しようと、莫大なカネを投じていた。当初は、コーク兄弟は気候科学への疑念をまき散らし、彼らの言いなりになる政治家たちの協力を取り付けることに注力した。それは壊滅的なほど有効だった[9]。2019年に気候調査センター所長のカート・デイビーズは、ジャーナリストのジェーン・メイヤーにこう説明した。「もしコーク兄弟がいなければ炭素税か、あるいは何かもっと良い政策が導入されていたでしょう。コーク兄弟はまだ時間があった頃から、一切の取り組みを阻止するために動いてきたのです[10]」。

しかし2009年までには、コーク兄弟が気候変動を否定するために資金を提供し、忠実な同盟者として働いてくれる議員を買収(ばいしゅう)するだけでは、さすがに不十分になってきた。当時、新たに選出されたバラク・オバマ大統領が、地球温暖化の原因物質である温室効果ガスの排出に対して費用を支払わせる規制など、環境保護の取り組みを政策に掲げたためだ。コーク兄弟は金持ちによる支配を守るために、富裕層の献金サークルを作っていた[11]。上述のメイヤーがそのことを注意深く取材し、『ダーク・マネー』という著書の中で暴露している。メイヤーの要約によれば、オバマ政権の発足当初におけるコーク兄弟の方針は、「コーク・インダストリーズは、化石燃料の消費量を減らすような妥協をいっさい認めない。化石燃料からの利益を守ることは、今もなお、同社にとって政治上の最優先事項だ」というものだ。メイヤーはこうも付け加えている。「コーク兄弟はこの目的を達成すべく、まずティーパーティー運動を乗っ取るために、そして最終的には共和党自体を乗っ取るために動いた」。

「ティーパーティー」とは何か？　それは、オバマ政権発足後の数年で爆発的に盛り上がった〔大きな政府に反対する右派の〕運動である。当初は、深刻

な不況によって引き起こされた純粋に経済的な不満が、この運動のエネルギーの一部だった。しかし右派は非常に早い時期に、この沸騰する怒りをうまく操（あやつ）って、経済的な困窮に対する非難を大富豪ではなく有色人種に向かわせた。ある評論家はティーパーティーを次のように評した。「政府が積極的に公的扶助を行うという考え方そのものに対する反乱だ。ラテンアメリカの移民に対する反乱だ。イスラム系アメリカ人に対する反乱だ。そして黒人大統領に対する反乱だ[12]」。行き過ぎた政府や移民、イスラム教徒、そして黒人大統領、これらは全てが見事な犬笛だ。

ティーパーティーを通じて人種的な反感が高まったのは、コーク兄弟をはじめとする大口献金者からの資金によって、この草の根の怒りが巨大な政治的潮流へと成長したからだ。とある共和党の選挙コンサルタントが言うには、コーク兄弟が「〔ティーパーティーを設立するための〕資金を提供した。いわば、彼らが土の上に卵を産ませだのだ。そして雨が降ってきて、カエルが泥の中から出てきた。そのカエルたちが私達の候補者になったのだ！[13]」。メイヤーは当時、次のように述べた。「2010年の選挙を盛り上げた反政府的な熱狂は、コーク兄弟の政治的勝利を意味する。コーク兄弟は、ティーパーティーの抗議活動家の『教育』や支援、そして組織化のためにカネを出し、個人的な取り組みだったものを大衆運動へと変化させた」[14]。オバマの上級顧問だったデビッド・アクセルロッドは、「これは、石油億万長者たちがよってたかって作った草の根市民運動だ[15]」と皮肉った。結論として言えるのは、コーク兄弟が石油化学帝国を守るために、気候変動対策の法案を阻止しようとしたとき、彼らの主な戦術は、人種の分断のための資金提供だったということだ[16]。

社会学者のアーリー・ホックシールドは、オバマ政権時代の数年間にわたり、ルイジアナ州のティーパーティー活動家に対するインタビューを行った。ホックシールドは、ルイジアナ州の白人がなぜこれほどまでに環境規制を毛嫌いするのかを明らかにしようとした。実際には彼らにも家族の生活を支える土地や水を守るために、環境規制が必要だったはずなのだ。結局、彼女は人々が行列に並んでいるという比喩を用いて、次のようにこの難問を説明した。

あなたは地平線に向かって伸びてゆく長い行列の真ん中に、辛抱強く立っている。その向こうには、アメリカンドリームが待っている。しかし、待っていると、前の列に横入(よこはい)りする人間たちの姿が見える。そうした人間たちのほとんどは、アファーマティブ・アクション〔差別是正のための優遇措置〕や社会福祉の受益者である黒人だ。中には、これまでやったこともないような仕事に就こうとするキャリア志向の女たちもいる。その他は、メキシコやソマリアからの移民とか、シリアからの難民だ。あなたは、まったく動かない行列の中で待たされた上、あんな人間たちに同情するよう求められている。もちろん暖かい心はあなたにもある。しかしこの状況で誰に同情すべきかを誰が決めているのか？　よくみるとバラク・フセイン・オバマ大統領が手招きして、横入りを促しているではないか。あいつは奴らの味方なのだ。実のところあいつも横入りしてきた人間じゃないか？　親父のいない黒人野郎がハーバードの学費をどうやって払ったというんだ。あなたが順番を待っていると、横入りした奴らを助けるために、オバマはあなたのポケットからカネを取ろうとするではないか。オバマと、あいつのリベラル派の支持者たちは、カネを取ることへの恥を捨ててしまったのだ。政府はあなたのカネを取って、もらう資格のない奴らに再分配している。これはもうあなたの政府ではない、奴らのための政府なのだ[17]。

むろんホックシールドがこんなふうに世論誘導を行っているわけではないが、彼女の物語は、犬笛政治の本質的なところをよく記録している[18]。人種的な反感と政府の裏切り、そして自由市場への信頼は、右派の教えの根幹にあるものだ。

これらはドナルド・トランプの選挙運動の中心的なテーマでもある。トランプが大統領に当選したことは、コーク兄弟の企業を含む採掘産業にとっては、大油田を掘り当てたようなものだ。ジャーナリストのジェーン・メイヤーは、次のように報じた。「気候変動防止のためのパリ協定からの離脱を表明する。連邦のエネルギー環境局のトップに石油・石炭産業の宣伝マンを据える。企業や超富裕層の税金を軽減する。これら、トランプがやったことはすべて、コーク兄弟のためだった[19]」。チャールズ・コーク自身もこの時期が、彼の取り組みにとっての黄金期だと自慢した。彼は2018年に仲間の政治献金者たちに対して、「この5年間で私は、それまでの過去50年間よりも大きな進歩を遂げた[20]」と語ったのだ。気候崩壊対策に対する敵愾心の広がりは、小さな世界における犬笛の話だが、それが今、大きな世界全体の命運をゆさぶっている。

結論：グリーン・ニューディール

コーク・インダストリーズのような巨大な環境汚染主体をはじめとする右派の基本戦略は、政府に対する国民の信頼を破壊する手段として、人種差別的な犬笛のために資金を提供することだ。

逆に革新派が風を起こすためには、人種による分断を拒否し多民族の連帯を求める幅広い運動にしていくことが重要だ。もっとはっきりと言えば、運動が人種差別の問題に取り組まなければならない。経済や環境のような懸念事項に焦点を当てるだけでは成功しない。2016年の大統領選挙後に私は、犬笛政治をどうやってなくしていくかを研究する一大プロジェクトを共同で立ち上げた。そしてフォーカスグループ・インタビュー〔座談会形式による聞き取り調査〕や世論調査を幅広くおこなって、さまざまな革新派のメッセージが、どんな力を持つかをテストした。ここから得られた強烈な、心強い発見を基にして、私は *Merge Left: Fusing Race and Class, Wininning Elections, and Saving America*（左派がまとまれば、人種と階級の問題を解決し、選挙に勝利し、アメリカを救える）と題した本を出版した。ある調査は経済的ポピュリズムを検証した。2000人の全国の有権者を対象とした調査では、〔例えば次のように〕規制緩和型資本主義を推進するメッセージ（a）と、革新的な経済政策を推進するメッセージ（b）のうち、どちらが自分の意見に近いかを質問した。

(a)「働く人たちの生活をより良くするためには、税金を安くし、規制を減らし、政府が邪魔をしないようにすることが必要だ」

(b)「働く人たちの生活をより良くするためには、教育に投資し、より給料が高い雇用を創出し、生活困窮者への医療を拡充することが必要だ」[21]

すると革新的なメッセージは規制緩和型資本主義のメッセージに32ポイントもの差をつけて勝った。この結果は有権者が一般に企業寄りの経済政策よりも革新的な経済政策を好むことを裏付けている。

それでも右派がいまだに勝ち続けているのはなぜだろう？　実は彼らは、経済的なメッセージだけで選挙運動をしないし、経済を最重要テーマにすることもない。むしろ「テロリスト国家」や「不法移民」や「犯罪組織」が、「勤勉なアメリカ人」や「私たちのコミュニティ」や「わが国の人々」を脅かしているといった、暗号化された人種差別物語を駆使しているのだ。

調査では人種的恐怖を煽(あお)るメッセージの力も調べた。これに対しては、革新的な経済政策案は優位ではなくなった。総じて有権者は、経済に関する革新派の主張は、右派の人種差別的な主張に比べて説得力に劣ると評価したのだ。言い換えれば、左派陣営が人種的分断に関する難しい議論を避けたとしたら、いくつかの選挙に勝てたとしても、この国の政治的な行き詰まりを打破することはできない。そして地球を救うための政府の大きな仕事は、ただの一つも法制化されないままになるだろう。

そこで私たちは犬笛の「核心的な物語」による分断に対抗するために、私たちの「核心的な物語」を開発した。この物語は人びとに、(1) 分断の種を蒔(ま)いている貪欲(どんよく)なエリートを信じないこと、(2) 人種の壁を越えて団結すること、(3) 白人を含む全人種のために政府が働くことの３点を求めるものである。この３点を構成要素として、私たちは９種類のメッセージを構築した。そして、この人種と階級の物語は、驚くほど強力なものであることが証明された。

実際には、有権者の５人に１人は反動的な思考が根強く、人種と階級の問題に関するメッセージを嫌っていた。しかしプログレッシブな人々はそのメッセージを受け入れた。さらに重要なことに、説得可能な有権者たちは、つまり政治的に中道な浮動層は、10人のうち６人近くが、人種的な反感を助長する右派の物語よりも人種を超えた団結のメッセージのほうを強く好んだ。説得可能な有権者たちは、私たちの９つのメッセージのいずれもが、人種的恐怖を煽(あお)る犬笛メッセージよりも説得力があるとしたのだ。しかも彼らは、経済的ポピュリズムのメッセージよりも人種的恐怖のメッセージを好んだ有権者たちだった。結論的には、人種・階級・政府を一緒に語ることは可能であるばかりではなく、そうすることによって、右派のものであれ左派のものであれ現在流布している政治的メッセージの中でも、最も力強いものにできるのだ。

グリーン・ニューディーラーたちが「化石燃料企業の億万長者たちが地球環境を破壊するスキームは、私たちをまんまと分断させることによって成り立っている」と言うとき、この若者たちの運動はまさに富裕層の武器である世論誘導型レイシズムの力を明らかにしている。グリーン・ニューディールは革新的な多人種共生の流れをつくる手段となりうるのだ。

グリーン・ニューディールは単なる政策提案として見るのではなく、政治権力を構築するための手段としても位置づけた方が有意義だ。気候崩壊を防ぐという課題は確かに緊急のものであり刺激的でさえある。しかし、人種差別的な物語によって歪曲（わいきょく）された政治の世界では、緊急の課題だというだけでは十分ではない。地球環境を守るための戦いは、私たちが誰なのか、私たちを脅（おびや）かしているのは誰なのか、そして私たちがどうすれば前に進めるのか、という説得力のある物語によって肉付けされなければならない。言い換えれば、人種を超えた連帯の物語を語らねばならない。私たちは団結できてはじめて、意図的に人々の分断を煽（あお）る経済の巨人たちを倒し、すべての家族のためのより良い世界を創出できる。グリーン・ニューディールには、これを可能にする特別な力がある。グリーン・ニューディールは、人種的・経済的正義のための闘いと環境保護運動とを結びつけるための拠（よ）り所となるのだ。

現在、社会的影響力が極めて大きい存在が私たちを分断し、そして気候崩壊の危機を作り出している。団結して人々を組織して、この恐ろしい存在に立ち向かうことこそが、気候崩壊を防ぐために不可欠な巨大な社会的対応を実現するための唯一の道だ。この運動が成功するためには人種的階級秩序と金権政治の両方に挑戦せねばならない。気候崩壊を防ぐという具体的な政策目標は、階級意識を持った多人種の連合体を形成するのに役立つ〔ここでいう階級意識は、自分たち圧倒的多数の庶民は経済的に虐（しいた）げられた同じ階級なのだという仲間意識のこと〕。これによって、あまりに大勢の人々が刑務所に入れられたり強制送還されたりしている現状を終わらせることや、優れた教育と医療を誰もが受けられるようにすることなど、革新派のさまざまな理想も実現できるようになる。全ての人々に権利を保障し、力を授けることは、すべての人々が活き活きと暮らせる社会を実現するための前提条件だ。地球を救うための闘いは、緊急の課題であるからこそ、私たちに民主主義と社会を守れと迫っているのだ。

第二部

グリーン・ニューディールのビジョンと政策

第5章　いかにして私たちはグリーン・ニューディールにたどり着いたのか？

ビル・マッキベン

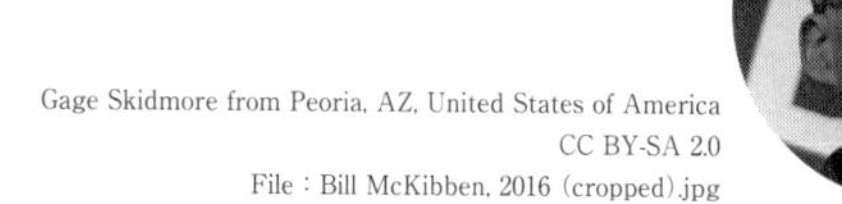

Gage Skidmore from Peoria, AZ, United States of America
CC BY-SA 2.0
File：Bill McKibben, 2016 (cropped).jpg

グリーン・ニューディールに関して最もよくある質問は、「なぜそんなに大規模なのか？　なぜそんなに急進的なのか？」というものであろう。グリーン・ニューディールは、アメリカの国内政策の大部分を大規模かつ広範囲に作りかえるものであり、ある意味では1929年に始まった世界恐慌のあとに打ち出されたニューディール以来、最大の政策提言だ。

さて、なぜこのような状況に陥（おちい）ってしまったのかを説明するために、簡単に歴史を紹介しよう。私は1988年以降の気候変動対策をめぐる戦いのほとんどを現場で経験してきたので、この歴史を語る上ではおそらく他の人たちよりも適任だろう。1988年にNASAの科学者ジェームズ・ハンセンが議会で歴史的な証言を行い[1]、公（おおやけ）の場においても気候変動をめぐる戦いの幕が切って落とされた（当時この問題は温室効果と呼ばれていた）。翌1989年に、私は気候変動に関する最初の一般書とされる『自然の終焉（しゅうえん）』を出版した[2]。当時の私たちの理解は、二つの点で疑いの余地がなかった。第一に、石炭やガス、石油を燃やすと二酸化炭素が大気中に放出されること、そして第二に、二酸化炭素が熱を閉じ込めるような分子構造をしていることだ。

最初の反応は期待通りだった。世界がこれまで直面した中でも最大の危機を警告された政治指導者たちは、適切に対応した。危険の大きさを理解し、行動を起こすことを約束し、研究に資金を投じた。当時、大統領だった共和党のジョージ・H・W・ブッシュは、「ホワイトハウス効果で温室（グリーンハウス）効果と戦う」と約束した[3]。これはなかなか気の利(き)いた言い回しだった。

その時に行動を起こしていたら、小さな一歩を積み重ねて、大きな結果を出せただろう。この点を認識することが重要だ。例えば経済学者たちは地球温暖化の原因となる温室効果ガス（主にCO_2とメタン）の排出に課税するよう求めていた[4]。この課税のポイントは「化石燃料は危険だから、経済から取り除いていこう」というシグナルを送ることだった。その時点でゆるやかにでも課税を始めていたら時間の経過とともにその成果が現れていただろう。世界経済という超巨大タンカーは、重々しくゆっくりと、向きを変え始めたことだろう。最初はごく小さな角度だったとしても、左に舵(かじ)を取り始めれば、時間の経過とともに航路が大きく変わり、全く別の海を航海することになる。行動を起こしていれば30年後の現在、地球温暖化が解決していたかどうかは分からないが、その道を順調に進んでいたことだろう。

ところが私たちはそうしなかった。逆に化石燃料をさらに急速に燃やし始めた。私たちはタンカーの向きを全く変えなかっただけではなく、石炭の投入量を増やしたのだ（これは単なる比喩にとどまらない）。ジム・ハンセンが証言してから30年間で、人類はそれまでの歴史のなかで排出してきた総量よりもたくさんの温室効果ガスを排出した[5]。

つまり、気候変動はこの数十年の間に、危険を秘めつつも対処可能な問題から、希望をつなぐためには劇的な介入が求められる真の危機へと変わってしまったのだ。1980年代末ならば、炭素排出量を年に1%か2%ずつ削減すれば十分だったかもしれない。しかし崖っぷちに立たされた今、私たちはもっと早急に、毎年5%、6%、7%の削減に取り組まなければならない。そのためには、まさにグリーン・ニューディールが構想しているような、社会全体の努力が必要となる。

なぜこうなったのか？

何かが気候変動への対策を遅らせている、という漠然とした感覚しかなかった当時よりも、私たちにはその理由がよく分かっている。インサイド・クライメットニュース（*Inside Climate News*）[6]やロサンゼルス・タイムズ（*Los Angeles Times*）[7]、それにコロンビア大学ジャーナリズム大学院[8]などによる勇敢な報道のおかげで、なぜこうなったのかを、よりはっきりと理解できるようになった。まず明らかになったのは、化石燃料会社はハンセンよりも先に、何が起きているのかを知っていたということだ。彼らは、スーパーコンピューターが気候をモデル化するのに十分な速さを持つようになった1970年代には、地球温暖化の研究を本格的に始めていた。例えばエクソン社は、そのころ地球上で最大の企業であり、複数の優秀な科学者を社員として抱え、「炭素」を商品として売っていた。他ならぬ彼らが真相を突き止めることになったのだ。同社はタンカーにCO_2測定器を搭載し、科学者たちはCO_2濃度や気温がどれくらいの速さで上昇するかを正確にグラフ化した（彼らの予測は、後に驚くほど正確だったことが証明されており、現在の炭素濃度は基本的に彼らのグラフと一致している）。そしてエクソン社の幹部もこの結果を信じた。海面上昇が予測されるので、それに対応するために海上の掘削装置をより高く建設し始めたのだ[9]。

しかし、彼らは私たちには情報を一切提供しなかった。それどころか石油会社や石炭会社、電力会社は、ほかの化石燃料集約型産業の助けを借りて、偽りと否定とニセ情報の構造を巧妙に構築し始めた。これが、地球温暖化は「真実」かどうかという全く無駄な議論を、今まで続けるはめになった理由だ。覚えておいて欲しいのは、この議論は最初から双方が正解を知っていたということであり、あえて嘘をついたのはその一方だったということだ。

この嘘は1990年代に入ってから、地球気候連合（Global Climate Coalition）のような業界団体がニセ情報を発信し始めたことで、明確な形を取りはじめた[10]。彼らはタバコ戦争のベテランを大勢雇い、その戦略の多くを採用した[11]。彼らは、科学界には〔温暖化をめぐって〕深刻な疑念があるという主張をした（そしてタバコを吸った人間たちが悪いのと同じように、ガソリンを燃やした人間たちが悪いとも言った）。しかし人々は初期の警告を深刻に受け止めており、この問題に取り組もうとする機運は強かった。世界は日本の京都で開催される気候変動枠組条約第3回締約国会議（京都会議COP3）に向けて動き始めた。そして1990年代末には新たなルールを定める最初の試みが実施に移されたのだ。

ここに至るまでに、石油業界は猛攻撃を仕掛けた。最も良く知られているのは、当時エクソン社のトップだったリー・レイモンドのスピーチだ。彼は京都に先立って北京で行われた会議で、心配はない、地球は寒冷化している、と述べた[12]。さらには、気候変動対策は発展途上国の経済成長を阻害する、「いま政策を実施しても、20年後に実施しても、来世紀半ばの気温に大きな差が出るとは考えられない」などとデマを重ねた。これは真実とは正反対である。早期に行動を起こせば大きな効果が見込めることは、当時からすでに知られていた。しかし、〔石油業界の攻撃とレイモンドのスピーチには〕充分な効果があった。京都会議に参加していた私には、忘れられないことがある。世界は土壇場で合意に達したが、皆が拍手と歓声を送る中、私の隣にいたのは反対派の調整役を務めていたロビイスト（故人）だった。彼は「ワシントンに戻るのが楽しみです。あっちはぜんぶ押さえてありますからね」と言った。私は、彼が負け惜しみを言っているのかと思った。だが彼の言うことは正しかった。

それから10年間（すなわち若い方のジョージ・ブッシュが大統領だった、2000年代の大部分）は、化石燃料産業が無敵の力を見せつけた。化石燃料産業は利益の新記録を毎年更新し[13]、気候変動対策を阻止することに成功したのだ（リー・レイモンドが旧友ディック・チェイニーとの面会のためにホワイトハウスを訪れたのは、ブッシュ大統領就任のわずか数日後だった[14]。その直後、ブッシュ政権はCO_2を汚染物質として扱うという約束を取り下げた）。一方で、世間の関心は高まり、アル・ゴアの『不都合な真実』がヒットした[15]〔アル・ゴアは元副大統領でブッシュと大統領の座を争った人物でもあり、『不都合な真実』は映画も著書も大きな反響を呼んだ〕。それにもかかわらず、2000年代末のコペンハーゲン会議（COP15）では、国際的な気候変動対策条約を締結しようという試みは、惨憺たる失敗に終わった。前評判を裏切って、基本的には何の成果も得られなかったのだ[16]。その直後に、炭素排出量にキャップを定めるワックスマン・マーキー法案が連邦議会で議論されたが、これも大失敗に終わった。結果が目に見えていたから、上院では採決すら行われなかったのだ[17]。業界の勝利だ。気候変動対策が実施される見込みはなくなった。

次のオバマ政権時代には、私たちは力を合わせて反撃を開始した。そして、充分とは言えないまでも、わずかに陣地を回復した。私たちはトランスカナダ社のキーストーンXLパイプラインに対する反対運動を組織し、10年近く粘り強く闘った。そしてついに、ホワイトハウスはパイプラインの建設許可を撤回した[18]。私たちは化石燃料産業から何百兆円もの資金をダイベスト〔投資撤退〕させた。世界中の人々を巻き込んで、全ての資金を、地球を破壊して利益を得る企業から引き上げるよう、大学や市役所に圧力をかけた。ダコタ・アクセス・パイプラインをめぐる闘いは、アメリカの人々の良心に衝撃を与えた。冬の厳しい寒さの中、パイプラインの建設に抗議し、「水は命だ」と静かに訴えるアメリカ先住民に向けて、警察官が放水する様子が鮮明な映像で伝えられたのだ[19]。これらの闘いを通じて、私たちの運動はもうひとつの「不都合な真実」を提起し、国民的な議論を喚起した。化石燃料産業の事業計画は、人がまっとうに生きられる未来とは相容れないものであり、彼らの事業は、抵抗する力の弱い人々の水や空気、そして土地を汚染することで成り立っているということだ。

これらの闘いは全て、大きな意味があった。アレキサンドリア・オカシオ＝コルテス下院議員は、今でこそ気候危機との闘いにとって有望なリーダーであるが、彼女も、ダコタ・パイプラインの建設反対を巡る一連の運動と事件が、自分の闘争心に火を付けたと語っている[20]。このような闘いが、オバマ政権に、公有地における石炭採掘禁止令とクリーン電力計画（Clean Power Plan）とを策定させる圧力となった。しかし私たちは、より大きな戦争には敗北しつつあった。ホワイトハウスが活動家たちに向かって、１本のパイプラインを巡って争うことには意味がないなど言っている間にも、気温は上昇を続けていたのだ。

ここで重要なのは、上昇していたのは気温だけではなかったということだ。他にも何かが急上昇していた。それは、アメリカ経済における不平等だった。最初のニューディール政策が行われた後には、長年にわたって、わが国の不平等は低下していたことを思い出してほしい。人口の下位 90％の人々の所得は着実に増加する一方で、（所得税等の）限界税率が高かったため、上位 1％の人々の富の増加は抑えられた[21]。私が高校を卒業した 1978 年には、アメリカ人の上位 1％の富のシェアは 23％に落ち込み、過去最低となった[22]。私たちは、より公正な社会への軌道に乗っているように思えた。

しかしその後、レーガン革命が起こり、状況は一変した。レーガン内閣のメンバーの多くは、過激なリバタリアンのアイン・ランドを、大好きな哲学者だと公言していた。彼女を信奉するアラン・グリーンスパンは、連邦準備制度理事会（FRB）のトップとして世界規模の支配力を持つようになった[23]。そして、自由放任主義のカルトが、すなわち「市場が全ての問題を解決する」という経済学が、私たちのシステムを完全に支配した。税率は下がり、富の格差は広がり始めた。それから35年後、新自由主義の支配が2018年のトランプ大統領の富裕層減税で締めくくられたとき、私たちの社会がゾッとするほど不平等なものとなっていたことは、全く不思議なことではなかった。世界で最も裕福な8人の男性は、下位の36億人を合わせたよりも多くの財産を持っている[24]。ウォルマートを所有する〔ウォルトン家の〕6人は、アメリカの人口の下位40%よりも多くのカネを持っている[25]。アメリカ人の半数は、緊急事態を乗り切るための数百ドルの貯金すら持っていない[26]。全国に医療破産がはびこり、学生の借金は増加し続けている。人々は、もし仕事を失ったら残りの人生が崩壊するのではないかという、きわめて現実的な恐怖の中で生活している。なぜなら、社会的セーフティネットには非常に大きな穴が空いていて、人生の試練が恐ろしい綱渡りのようになっているためだ。

格差の拡大は気温の上昇と無関係ではなかった。気候科学と社会倫理の両方を否定しようとして、忙しく立ち回ったのは同じ人間たちだった。アメリカ最大の石油・ガス貴族であり、最も影響力のある政治家でもあったコーク兄弟ほどの実例はないだろう。彼らはその資金を使って偽装団体を全国各地に展開し、再生可能エネルギーの阻止や[27]、公共交通機関に対する資金の打ち切り[28]、そして環境保護主義者にたいする誹謗中傷のために働かせた[29]。同時に彼らは、金持ちの税率を下げ、社会的支出を抑制し、経済の底辺にいる人々の生活をさらに厳しいものにするために、せっせと働いた。

繰り返しになるが、気候変動と格差拡大を切り離すことはできない。同じ人間たちが、両方の危機を推進したから、というだけではない。一握りの少数者による、飽くなき富と権力の追求こそが、過去数十年の間に働く人々の生活が苦しくなった原因であり、気候システムが崩壊の危機に追い込まれた原因なのだ。また、格差が拡大した結果、生活が不安定になり、人々は変化を恐れるようになった。

つまり、現代における2つの大きな危機の1つである、気温の急上昇に対処したければ、もう1つの危機である不平等の急上昇にも対処せねばならない、ということだ。この２つともが、あまりに巨大な問題であるため、別個に対処しても無駄なのだ。気候危機に対処するためには、劇的な変化が必要だという議論を受け入れるのなら、経済的不安によって人々が変化を想像することさえ難しくなっているということにも同時に対処しなければ、大きな変化を引き起こすことはできない。言い換えれば、コーク兄弟がやったのと同じことを、その逆向きにやる必要があるのだ。

一方をやらずにもう一方をやろうとしても、必ず政治的に行き詰まる。エマニュエル・マクロン大統領が二酸化炭素の排出目標を達成するために燃料税を引き上げようとしたとき、フランスで何が起こったかを思い出してほしい。突如として、燃料税が耐え難い負担となる（とくに郊外の貧しい）人々が、黄色いベスト運動を巻き起こしたのだ[30]〔トラック運転手や労働者たちがフランス全土でストライキを起こし、長期にわたって道路を封鎖するなどの抗議活動をした〕。これは、化石燃料産業がアメリカに全力で広めようとしているメッセージそのものだ。例えば、ワシントン州でカーボン・プライシングに関する住民投票が行われた時にも[31]、コロラド州で住宅の裏庭やスクール・ゾーンからフラッキング井戸を排除する提案がなされた時にも[32]、それに対して膨大なカネが注ぎ込まれた〔フラッキング（fracking）とは深い地中からシェールガスを採掘するための水圧破砕法のこと〕。メッセージはいつも同じで、「あなたの負担が増えますよ」というものだ。そしてそれは、カネがない人たちに響くメッセージなのだ。

不安な状態にしておくことは、変化を怖れさせる最適な方法だ。なぜなら、事態が少しでも悪くなったら、生活が立ち行かなくなるからだ。厳粛な事実として、状況は常に悪化する可能性があるものだ。特に、すでに苦しい状況にいる人たちは、誰よりもよくそのことを知っている。

グリーン・ニューディールが政治的に秀逸だという理由はここにある。気候変動と格差という２つの問題に同時に対処しなければ、何もしないのと同じだという見識に立っているのだ。物理学が絶対的な要求として私たちに実行を迫るエネルギー変革には、第二次世界大戦いらい私たちが経験したことがないほどの規模で、社会全体を総動員する必要がある（あの戦争の頃に格差が縮小しはじめたのは驚くべきことではない）。だからこそ、例えば連邦政府の雇用保障は優れた公共政策なのだ。これは人々に、太陽光パネルを設置したり、壁を断熱したりするための力を与えるだけでなく、基礎的な保険も提供してくれる。このような保障は、人々が大きな挑戦をするためにはどうしても必要なものだ。そして人類はまさに、そのような挑戦を迫られているのだ。

これらの危機に対して、ひとつの運動が台頭してきたことは素晴らしいニュースだ。しかも科学と正義の懸念（けねん）に根ざした運動だ。この運動が得てきた教訓が、全てグリーン・ニューディールに盛り込まれている。それは第一に、化石燃料産業は常に攻撃してくるということであり、第二に、それに対する最善策は大規模で幅広い運動だということだ。気候危機の解決に最も情熱を燃やし、石炭プラントやパイプラインを閉鎖に追い込もうとしている人々は、この問題にほとんど加担しなかっただけでなく、同時に他の不正義とも闘っていることが多い。故郷で気候変動の被害に直面し、ここでは非人道的な移民政策に直面している人々がいる。汚染を出す石炭火力発電所に反対するアフリカ系アメリカ人は、経済的支援の削減とも闘っている。若者たちの前には学生ローンの山と、人が住めない未来の地球が突きつけられている。つまり、彼らは普通の人々なのだ。そして普通の人々にとって、気候は経済や、国民的アイデンティティや、正義と切り離して考えるべき問題ではない。ワシントンの政治家たちは長年、問題を単純化することが重要だと考えて来たのだが、実際にはすでに、危機が交差するところに、我々の運動の基盤となる活動が息づいていた。不平等・不公平・気候破壊の危機に立ち向かうビジョンを打ち出すことが、優れた運動であり、優れた政治なのだ。

気候運動の優れたリーダーの多くは、科学者や大学教授、ハリウッド俳優などの著名人ではない（もちろん、サンドラ・スタイングレーバーやナオミ・オレスケス、マーク・ラファロなど、尊敬されるべき著名人も数え切れないほどいるのだが）。彼らの多くは、化石燃料産業や気温上昇の悪影響を最も強く受けている地域のコミュニティ・リーダーたちだ。外国の、最も深刻な被害を受けている地域出身の場合もある。私はバングラデシュで、多くの人がデング熱で亡くなるのを見た。マーシャル諸島の詩人と一緒にグリーンランドの棚氷（たなごおり）の上に立ったこともある。彼女は足もとで溶けてゆく氷が、やがて故郷を呑み込んでしまうという事実に憤（いきどお）っていた。そうした場所が、私たちの住んでいる場所の近くであることも多い。私は、カリフォルニア州リッチモンドにあるシェブロン社の製油所の門前で逮捕されたことがある。ここは非常に悪名高い工場で、有毒ガスが放出された場合に備えて、地元住民全員が会社からのメールを常にチェックしていなければならない。南北のダコタ州のスタンディングロック〔先住民保護区〕では、彼らの水源を脅かすパイプラインの建設に対して非暴力で立ち向かう人々の、驚くべき勇敢さを目の当たりにした。

これら全てが、気候変動と化石燃料の問題が他の危機と交差する構造について、理解を深めるべきだということを教えてくれた。人々が貧困に陥っている一因は、収入のかなりの部分を「汚い」燃料に支払っているからだ（私の住むバーモント州では、隙間風の入る粗末な家に住む最も貧しい人々は、非効率な暖房で冬の大半を過ごさねばならない。断熱材とヒートポンプ（エアコン）は、長い目で見れば出費と炭素排出を大幅に減らせるが、相当の初期投資が必要なためだ)。人々がアメリカに移住する理由の大部分は、(彼らには何の責任もない）気候変動によって、何世代、何千年にもわたって家族を支えてきた農場で、作物を育てることが不可能になったことだ。人々が病気になるのは、フラッキングによって空気や水が汚染されたからだ。そして病気になっても、必要な医療を受けるためのカネがないのだ。もちろん、気候変動を解決するために最も必要な対策でさえ、人間の生活と密接に関連している。もはや石炭を燃やすことができなくなったからといって、石炭を生産していた地域を非難し、困窮させて忘れ去ることは、公正なことではない。不正義は、いちばん脆弱な人々に集中する（気候変動の原因となるような暮らしをしていない人ほど、最も早く被害を受けるというのが、気候変動の鉄則だ)。そしてそれは、有色人種や移民たちのコミュニティが打撃を受けることを意味する（リッチモンドの抗議行動で、私が乗せられた護送車に乗り合わせた人々の言葉は六種類もあった)。

私たちはまた、最も若い世代に最も深刻な不正義が降りかかることを、改めて認識することになった。気候変動が破滅的なピークに達する前に、私は死んでいるだろう。しかし、いまの高校生や大学生にとっては、そこが人生のピークのはずだ。だからこそ彼らは闘いを先導しているのだ。最年少の下院議員であるオカシオ＝コルテスや、ミレニアル世代の政策立案者であるリアナ・グン＝ライト、そしてサンライズ運動を主導する若者たちが、グリーン・ニューディール運動を牽引しているのは素晴らしいことだ〔ミレニアル世代とは、1980年代から2000年代初頭までに生まれた人々をいう〕。

そして、多くの人々が彼らの後に続いているのも素晴らしい。20年前であれば、グリーン・ニューディールは「過激な」提案のように見えただろうし、当然フォックス・ニュースやドナルド・トランプは全力でそのようなレッテルを貼っている。しかし、それは全く「過激」ではない（実際のところ、ある意味ではものすごく保守的だ。私の世代が生まれた頃の、不平等度や炭素濃度に戻そうと言っているだけだからだ。むしろ気温を上昇させ、富を集中させ続けることの方が、過激で危険なことだ)。私は、キング牧師のお気に入りの賛美歌の一つ、ジェームズ・ラッセル・ローウェルの詩を歌詞にした「Once to Every Man and Nation（光と闇とが)」をよく思い出す。「New occasions teach new duties, time makes ancient good uncouth（新たな機運が試練を与え、古えの善はさびれゆく)」という文句だ[33]。ここから私は、私たちが何をすべきかを、現実が決定付けるという考えにたどり着いた。新しいデータを得たときには、古い分析方法や運動にしがみつくのではなく、それを変える必要があるということだ。

私たちには新しい情報がたっぷりある。グレート・バリアリーフのサンゴは死滅しつつあり[34]、アマゾンは焼かれている[35]。そして、ハワイのマウナロア観測所で測定されたCO_2濃度は400 ppmを超えて410 ppmに達し[36]、アメリカでは史上最大の降雨量が記録された[37]。パラダイスと言う名のカリフォルニアの都市は、文字通り30分で地獄と化した[38]。そして、不平等についても深刻なデータがある。例えば、〔薬物依存や自殺など〕絶望による病気が原因で、アメリカ人の平均寿命は短くなっている[39]。この新しいデータを考慮すると、私たちは迅速に行動する必要がある。気候変動は時間制限のある試験のようなものだからだ。この点においては、キング牧師の知恵にそのまま従うわけにはいかない。マサチューセッツ州の奴隷制度廃止論者セオドア・パーカーの言葉を引用して、キング博士は演説をしばしば、「道徳の宇宙をまたぐ円弧は長大だが、それは正義に向かって曲がっている（The arc of the moral universe is long, but it bends toward justice)」と締めくくった[40]。「時間はかかるかもしれないが、我々は必ず勝つ」という意味だ。

だが、物理的な宇宙の円弧は短く、灼熱に向かって曲がっている。すぐに勝てなければ、永遠に勝つことはできない。なぜなら、北極圏の氷が溶けてしまったら、誰も元に戻すことはできないからだ。勝利への道は、グリーン・ニューディールだ。それは、若者たちがカッコいいと言っているからではない。流行りだからでもない。それは（変化を受け入れられるくらいに人々を安心させる必要があるという）政治的な事実と、（物理学や化学に基づく）科学的な事実から導きだされる、現実的な政策だからだ。現状をありのままに見つめ、ここに至るまでの旅路で学んだことに基づくならば、グリーン・ニューディールこそが、私たちが成すべき仕事だということだ。

第６章　グリーン・ニューディールの方針と原則

リアナ・グン＝ライト

グリーン・ニューディールの策定を手伝うことに決めたのはなぜかと、尋(たず)ねられることがしばしばある。20代の黒人女性である私が、なぜ気候変動のような大きな問題に対処するための政策提案を手伝えると思ったのかと。並外れた勇気や強い野心だとか、あるいは革命のための計画だとか、何か壮大な物語が期待されているように思う。しかしその理由は、本当に恐怖を覚えたからだし、本当に仕事が必要だったからだ。

私は、シカゴ南部近郊のエングルウッドという町の、母が育った家で、母と祖母に育てられた。祖父母が３人の赤ちゃんを連れて引っ越して来てから私が生まれるまでの30年の間に、エングルウッドは地域のつながりが強く（ほとんどみんなが）中間所得層の静閑(せいかん)なコミュニティから、市内でも最も貧しく荒れた地域の一つになっていた。地域には貧困や失業、学校の資金不足、警察の横暴、公害、暴力など、たくさんの問題があった。ただし、ここに挙げたのは特に大きな問題だけだ。

エングルウッドの問題を解決しようとする政治家など、ほとんど見たこともなかった。解決しようとしたとしても、事態を悪化させるだけだった。

母や祖母になぜエングルウッドがこんなふうになったのかと聞くと、銃やドラッグやギャングのことではなく、政府について話してくれた。黒人地区を通る高速道路の建設が、いかに地域社会を破壊し再建不可能にしたか、そして公営住宅局がいかに公営住宅を荒らし、「都市開発」の名の下に家族をバラバラにしたか、という話だ。役人たちは土地の用途を変えて安い値段でデベロッパーに売り払った。今ではこのプロジェクトは、高級不動産が売れずに行き詰まっている。市は黒人の学校にほとんど資金を提供せず、やがて「業績不振」を理由に閉鎖した、という話も聞いた。これは私の家族に起きたことではないけれど、私のすぐ近くで起きたことだった。

この文章を書いていて、最近はじめて知ったことがある。

●ローズヴェルト大統領が行ったニューディール政策では、農業や家事労働者は（当時はほぼ全員が黒人だったが）社会保障から除外されていた。大統領は南部の〔白人の〕民主党支持者たちの票を必要とし、そしてこうした支持者たちは経済的に苦しい黒人たちの低賃金労働を求めていたからだ。それで、曾祖母（そうそぼ）が洗濯婦だったために、私の祖母の家族は少なくとも15年間は社会保障を受ける資格がなかった。

●祖父は朝鮮戦争の退役軍人であるにもかかわらず、復員軍人援護法（GI Bill）の援助なしで家を購入した。母は「プライドが高すぎて申請できなかった」と言っていた。だが、プライドがあろうがなかろうが、政府は黒人退役軍人への住宅ローン支援を拒否していたし、シカゴには悪名高い「赤い線引き」〔金融機関による差別〕もあったから、どちらにしても祖父が低利融資を受けることはできなかっただろう。

●そして私は「最前線」のコミュニティで育った。つまり汚染源に近く、大気汚染のレベルが高い地域に住んでいたのだ。私も近所の多くの友人たちと同じように喘息（ぜんそく）になった。10代後半になるまでほとんど走れず、定期的に学校を休んでいたので、自営業の母も仕事を休まなければならなかった。母も私も喘息が、住んでいる場所のせいだとは知らなかった。私の肺は今でも弱いままだ。

進歩には代償がつきものだというが、その代償とは私たちのことだった。グリーン・ニューディールに出会わなければ、私の人生は、支払いに窮して破滅していただろう。

政策とは何か？

私は権力のシステムを書き換えることに、これまでの人生を費やしてきた。政策というものは、権力の創出と分配のためのシステムに他ならない。もちろん、これは公共政策についての一般的な考え方ではない。実際、政策の「公式」な定義はだいたい次のようなものだ。

> 「政策」とは、どのようなレベルであれ、どのような形であれ、公共の問題について何をしようとしているのかという政府の声明である[1]。このような声明は、憲法や法令、規則、判例法（つまり裁判所の決定）、機関や指導者による決定の中に、あるいは、あらゆるレベルの政府職員の行動の変化の中にさえ、見出すことができる。例えば、飲酒運転で捕まった者には一年以下の収監という法律は、飲酒運転者を罰するための政府の方針の表明だ。国家環境政策法（NEPA（ニーパ））は、環境に関する政府の方針を示すものだ。

そして、「政策とは［公共の問題について］政府が何をするか、しないかを選択すること」だという。

これらの定義は全て正しい。しかしこのような定義をすると、政策設計が整然としていて中身があるもののように聞こえてしまう。まるであなたが病院に行き、あなたの病気を医師が診断し、そして２人で最善の治療法を見つける、というようなものだ。だが政策形成というものは、むしろ次のようなものだ。あなたが病気で病院に行ったら、〔医師とは限らない〕15人の人間たちがまず、医師の治療を必要とする「本当」の病気なのかと言って、議論を延々と続ける。やがて、そのうちの５人が（さらに見知らぬ数人も加えて！）病気の原因について議論を始める。議論を続けていると、医師の上司がやってきて、病院が赤字になると困るから、５種類の治療法のうち２つしか選べないぞと言う。そしてついに治療が始まると、ふたたび周りの人間たちが、治療が成功かどうかをどうやって判断するのか、おカネや時間を節約するために治療をやめるべきではないか、などと言って議論をする。そのようなものなのだ。

政策形成は科学ではない。誰の問題に対処するか、その問題にどのように対処するか、公権力と資源をどのように分配するかをめぐる闘いなのだ。私たちの価値観を反映し、その価値観を共有する政治家を選ぶための闘いを「政治」と呼ぶならば、その価値観を実際に形にするための闘いが「政策」だ。すなわち、政府の仕事を通して、私たちにとってのあるべき世界を形作るための闘いなのだ。

だからこそ、一般的な理解とは違って、少なくとも最初の段階では、政策提案の細部は最重要の部分ではない。最も重要なのは、政策が提示するビジョンだ。政策とは、政府が行おうとしていることの声明なのだから、何が間違っていたのか、政府はどうやってそれを修正するのか、そして誰が社会を形づくる権力を持っているのか（政府なのか、国民なのか、あるいは企業なのか）についての物語を語ることが、その本質である。優れた政策は、説得力のある物語を語り、議員や市民を奮起させて政策のために闘うよう促し、詳細を実行に移す時には公務員たちに明確な目標を提示する。反対派が新たな闘いを仕掛けてきて、物語が変化することもありうる。予想外の問題が発生して、細部については修正や見直しが必要となることもありうる。いずれにせよ、首尾一貫した政策ビジョンが、物語と細部の両方を支える基礎となる。問題・原則・権力という３本の柱がその基礎をなし、構想から実施に至るまで、政策というものを支えるのだ。

問題はあらゆる公共政策の中心だ。政策とは問題に対する政府の対応なのだから、ある問題が単なる問題ではなく公共の問題だということに、すなわち政府なしでは解決できず人々に影響を与える問題だということに同意して初めて、政策が作られるのである。問題の範囲と発生源をどのように定義するかによって、解決策をどのように作るかが決まる。だから化石燃料会社は気候危機の緊急性に疑問を投げかけ、その責任を隠蔽するために数百万ドルを費やしているのだ。それは単にメンツを保つためではなく、問題に対する私たちの理解を変え、政府の行動を阻止することが目的なのだ。

次に原則だ。政策立案者には、無限に近いほど多様な政策設計をナビゲートするための羅針盤が必要だ。その羅針盤となるものが、（私たちの道徳的価値観と統治理論の両方を含む）原則だ。先に述べたように、政策形成は集団的な問題解決方法であり、客観的な「科学」ではない。政策立案は、すべての意思決定と同様に、事実だけでなく価値観によって導かれる。価値観とは、自由や正義のほかに、自分たちは何を求めてよいか、「他の人々」は何を求めてよいか、そしておそらく最も重要な内容として、政府は何をすべきで何をすべきではないか、ということだ。原則とは、簡単に言えば、政策の道徳的・知的な中核を成すもののことだ。原則は、私たちがどのように問題に取り組むかということだけでなく、そもそもどんな解決策を検討するのかに対しても、強い影響を与える。

私たちの社会における問題は権力に根ざしている。なぜ問題が解決されないままなのかを問うことは権力を問うことにつながる。誰が、どのような目的のために権力を行使しているのか、権力者には過失や悪意があるのか、という問いのことだ。政策は、政府の資源や配慮の流れを決め、これを定着させることによって、権力分布をつねに形づくっている。政策の変更が効果的で恒久的であるためには、もともとの問題を引き起こした権力分布を変えなければならない。さもないと、旧来の原因者があらゆる試みの成功を阻止することだろう。政策において使用するメカニズム（融資や、新たな法的保護、直接の公共投資、新たな連邦機関など）を選択するとき、政策立案者はパワーバランスを維持ないしは変更する方法を決めているのである。その効果が及ぶのは、公共部門の権力に留まらない。政府は法律を書き、契約を執行し、人々が社会活動と経済活動を営むことを可能にするインフラを構築する。したがって政策の変更は公共部門の枠を超えて、私たちの生活のあらゆる領域に反映されるのだ。

問題・原則・権力は、あらゆる政策ビジョンの柱である。この3つの柱が、政策決定プロセスを活性化させ、政策立案者が語る物語だけでなく、提案に何を含めるべきか（または含めるべきでないか）についての決定をも、導き出すことになるのだ。

グリーン・ニューディールは政策なのか？

グリーン・ニューディールは、アメリカを急速にゼロ炭素経済に移行させるための、経済的総動員の10カ年計画だ。その過程で、格差を大幅に是正し、迫害や抑圧の負の遺産を処理することによって米国経済を再生・再編するものなのだ。アメリカ連邦議会のグリーン・ニューディール（GND）決議には、以下の5つの目標がある。

1　全てのコミュニティと労働者のための公平で公正な移行（a fair and just transition）を通じて、温室効果ガスの差し引きゼロ排出（ネットゼロ）を達成する。

2　何百万もの良質で高賃金の雇用を創出し、米国のすべての人々のための繁栄と経済的安全保障を確保する。

3　米国のインフラと産業に投資し、21世紀の課題に持続可能な形で対応する。

4　きれいな空気や水と、気候とコミュニティの回復力、健康的な食糧、自然へのアクセス、そして持続可能な環境を、全ての人々に保障する。

5　最前線の脆弱なコミュニティに対する現在の抑圧を止め、未来の抑圧を防ぎ、歴史的な抑圧を補償して、正義と公平性を促進する。そこには、先住民や有色人種、移民、脱工業化地域、過疎地域、貧困層、低所得労働者、女性、高齢者、家を失った人々、障害者、若者たちのコミュニティが含まれる[2]。

GND決議は、2つの方法でこれらの目標を達成することを提案している。1つは、米国内の炭素排出量をほぼゼロにするための一連の「プロジェクト」を通じてだ。そしてもう1つは、化石燃料からの脱却がもたらす混乱や不安定から人々を守り、不公平感を減らすことを目的とした、一連の政策を通じてだ。前者の一連のプロジェクトをGNDの「グリーン」な部分と呼び、後者の一連のプロジェクトを「ニューディール」な部分と呼びたがる人たちもいる。だが、これは言葉を飾るには有用かもしれないが、GNDを概念化する上では危険な方法だ。そもそもGNDのすべての部分が（普遍的医療制度や教育、職業訓練などの「気候と無関係」そうな政策さえもが）脱炭素化を促進するものだ。そして「グリーン」なプロジェクトは、何百万もの高賃金の雇用を創出し、労働者の力を強化し、地域社会に投資し、社会的セーフティネットを強化するものだ。これら全部をグリーン・ニューディールは提案しているのだ。

脱炭素化と脱不平等に同時に取り組むGNDに対して、反対論者たちは反射的に、これは政策ではない、「革新派の願い事リスト」だ、などと批判している。このような批判は、政策に関する彼らの見識が浅薄であることを示している。つまり、大気中の炭素だけの問題のはずだ、「政策担当医」は科学に基づいて正しい解決策を処方してくれるはずだ、権力の不均衡なんかはほとんど無関係なはずだが、緊急事態の解決が迫られたときにはこの権力構造を変えることなど不可能なはずだ、などという浅い考えなのだ。

この考えにも一理あるかもしれない。しかし、本書に寄稿した多くの著者が述べたように、破滅的な温暖化の回避を任務として与えられた政策立案者には、こんなストーリーでは導きの糸にはならないのだ。

グリーン・ニューディールは新しい政策ビジョンであり、それは今後10年から20年以内に私たちのグローバル経済を脱炭素化させるという、現代史上最大の使命を通じて、政府と社会を導くものだ。GND政策のストーリーや詳細は、今後数年間で間違いなく変化するだろう。しかしこれらは、GNDが提供するビジョン（問題の認識、一連の原則、および権力の分析）によってしっかりと裏付けられることになる。ただし、ビジョンだけでは十分ではない。GNDはそのほかに、国家的・経済的総動員のためのフレームワークを打ち立て、このビジョンとフレームワークに適合するよう常に進化し続ける、具体的な政策の組み合わせを確立させるものだ。

グリーン・ニューディールの政策ビジョン：気候政策の新時代

問題

グリーン・ニューディールは、まず第一に、壊滅的なレベルの温暖化を防ぐために、十分な速さと大きさと広範さで、気候危機に対処するよう設計されている。2018年のIPCC報告書は、世界の排出量を2030年までに半減させなければならないとしたが、最近の報告書では、特に米国のような排出量の多い国は、より早い削減が求められる可能性が高いと指摘している[3]。

連邦政府だけが、経済の脱炭素化を早急に実現するための国家的総動員を、主導する力を持っている。しかし、ナオミ・クラインやイアン・ヘイニー・ロペスが書いているように、市場原理主義（歴史家や経済学者、政治学者たちが「新自由主義」と呼ぶもの）の支配と、右派の戦略的人種差別が、政治的な可能性を制限し続けるならば、政府主導の経済変革を10年も続けてゆくことはできない。

化石燃料を、罰を受けることなく無制限に燃やすための権力には、① この危機を止めたいと願う人々の意志を産業界の巨人が覆すことが可能で、② 一部の地域や人々を汚染させ、災害に遭わせ、そして死に追いやっても構わないような、政治・経済システムが必要だ。このようなシステムが、平均寿命の低下と経済的・人種的不平等の拡大をもたらし、何百万人もの人々が適切な医療・住宅・教育を受けられないまま放置してきたのだ。

これらが、政策立案者が取り組まなければならない「問題」だ。脱炭素化だけの問題ではない。思想や体制や不平等にかかわる問題のせいで、気候危機が引き起こされ、脱炭素化の取り組みが年を追うごとに困難になっているのだ。だからこそグリーン・ニューディールは、医療や住宅、雇用の安定、労働組合の結成、そして清潔な水と健康的な食品へのアクセスといった課題にも対応している。不安定と分断と欠乏は、しばしば私たちを未知の大きな変化に抵抗するように駆り立てる。これらの脅威に対抗しなければ、気候変動に関しても、他の問題に関しても、私たちが前に進むことはできないのだ。

グリーン・ニューディールがこれらの「気候と無関係そうな」問題に取り組むもう一つの理由は、排出量をゼロにするための大規模な国家的努力が、多くの人々の生計や生活を撹乱し、恒久的に変化させてしまうからだ。

現在の経済は化石燃料に依存している。それは私たちの主要なエネルギー源だ。想像してみてほしい。もし、私たち人類がこれまでのような食糧を取ることをやめて、代わりに赤い海藻しか食べてはいけなくなったら、私たちの生活はどのように変化するだろうか？　そうなっても日に三度の食事をとる必要があるのだろうか？　それとも、絶えず食べ続けていなければならないのだろうか？　どこから海藻を手に入れるのだろうか？　どうやってみんなを養うのに十分な量を栽培できるのだろうか？　誰がそれを栽培するのだろうか？　どうやって運ぶのだろうか？　どのくらいのコストがかかるのだろうか？　レストランや食料品店はどうなるのだろうか？　もう冷蔵庫はいらなくなるのだろうか？

化石燃料からの移行も同じことだ。化石燃料は、私たちの家や車の動力源というだけではない。衣類の製造からNetflix（ネットフリックス）のストリーミング再生にいたるまで、化石燃料はあらゆるものに使われている。化石燃料からの脱却は、石炭・石油・ガス産業の労働者の生活にじかに影響を与え、そしてさらに他のほぼ全ての産業に間接的に影響を与える。化石燃料の使用を止めることは、その性質上、経済に大きな混乱と変革をもたらすことになる。問題は、それをどのようにやり遂（と）げるかということだ。

政府が総動員を主導することで、米国経済が成長し、生活者が守られるように、脱炭素社会への移行を最もうまく設計・管理できる。ただし今度は、過去に総動員を成し遂げたやり方と同じではない。

アメリカの歴史上、あらゆる経済的総動員は、弱い人々を搾取してきた。差し押さえに迫られた住宅所有者に融資を提供するために、ニューディール時代に設立された住宅所有者貸付公社（HOLC）は、黒人が多い地域に「ハイリスク」というレッテルを貼ることが多かった。これが融資を抑制し、「赤い線引き」を促進した[4]。今日では、「ハイリスク」と表示されている地域の74％は中低所得者層の地域であり、64％はマイノリティが多く住む地域だ。これらの地域は今日に至るまで、人種的にも経済的にも隔離されている。同様に、1950年代、1960年代、1970年代の高速道路の拡張と都市再生プログラムは、十分な経済的支援なしに、何十万人もの住民（主に有色人種）を追い払ったため、住宅や企業を所有していた人たちの、数十年分の財産を消滅させてしまった[5]。その結果、何百万人ものアメリカ人が経済的総動員という考えを恐れるようになった。グリーン・ニューディールは、このような恐怖感にじかに対処しなければならない。そうでなければ、10年間にわたって計画を維持するために必要な国民の支持を失う危険性がある。

さらに、正義と公平性を無視した経済的総動員は、疎外された人々と脱炭素化の両方にとって危険だ。例えば、ニューディールや第二次世界大戦時代の政策の産物である住宅ローン配分の人種差別は、「赤い線引き」を加速させ、居住地に関する人種隔離に加えて郊外のスプロール化を促し、同時に排出量も増加させた。同様に、州間高速道路建設のために分断されたコミュニティの多くは、経済的に回復することはなく、ひどく汚染され、空気の汚れた最前線のコミュニティとなっている。

気候変動の問題には、大規模かつ迅速な動員が必要だが、それは公正かつ公平でなければ成功しないのだ。

原則

気候変動に関しては、「科学がそう言っている」からといって、人々が特定の政策を支持（または反対）することがある。たしかに科学は、気候変動の危機の程度を理解し、その原因を特定し、その深刻さを測るのに役立つ。また、それに基づいて行動の予定表を提案することもできる。しかし科学はどのような政策的解決策を追求すべきかを教えてくれない。それは原則の問題だからだ。

過去40年のあいだに一度でも、アメリカの政治の場で政策立案に関わったことがあれば、「常識」と称する新自由主義的理論に取り囲まれた経験があるだろう。政策決定の大海原を航海するための道具として、あなたに与えられる羅針盤の設計は、以下のような新自由主義の想定にひどく影響されているのだ。市場は自動制御され、効率的に財を生産して経済を成長させる。「自由」市場を創設し保護する場合を除いては、政府の介入は非効率で有害だ。私有化（民営化）や規制緩和、減税、それに組合つぶしは、市場が適切に機能するために必要なものだ[6]。不平等は資本主義の結果として当然のもので、容認されるべきものだ。社会や政府には、生活のために働く機会を与えること以外は、あなたに対する義務などない。逆に、あなたにも、政府に対する借りなどない……。

こんな羅針盤を使って、長期にわたる国家経済の大変革の舵取りをしようとすれば、必ず失敗する。変革の詳細について議論する前に、私たちの政策は新しい羅針盤が、すなわち新たな科学的・哲学的・道徳的原則の組み合わせが必要だ。

グリーン・ニューディールの背景にある経済理論

環境正義運動やケインズ経済学、第二次世界大戦とニューディールの歴史など、いくつかの歴史や理論がグリーン・ニューディールのビジョンに影響を与えた。しかし最も重要な影響を与えたのは、グリーン・ニューディールの開発初期に私たちが「ニュー・コンセンサス」と呼んだ経済理論体系だ。ハジュン・チャン（Ha-Joon Chang）、マリアナ・マッツカート（Mariana Mazzucato）、ケイト・ラワース（Kate Raworth）、アン・ペティファー（Ann Pettifor）、ジョセフ・スティグリッツ（Joseph Stiglitz）などの経済学者の仕事が示すように、この新しいコンセンサスは現代国家の「正しい」統治パラダイムとしての新自由主義を否定している。それに代わって、私たちが直面している危機の多くは、政府の行き過ぎた行動の結果ではなく、政府が経済的責任を放棄した結果であると主張している。その責任とは、市場を作り出し、産業を計画し、革新する責任のことである。

新古典派経済学者は、政府は市場の失敗を正すことだけを目指すべきだと考えているが、マッツカートは『企業家としての国家』の中で、「そのような見方は市場が盲目であることを忘れている。…市場は社会や環境への影響を放置するかもしれない。…市場はしばしば自己強化的に、最適ではない方向に向かうことが多い」と述べている。石油会社がクリーンなエネルギーへの投資を行わず、地面のより深い、より危険な場所からの採掘を執拗（しつよう）に追求することは、「市場の失敗というより、悪い市場に陥ったのだ」とマッツカートは言う。政府は「既存の市場を規制しながら、積極的に市場を創造し、形成する」必要があるのだ[7]。

グリーン・ニューディーラーは、政府は他の機関（市場や教会、家族など）にはできないことができ、また*それをすべきだ*というケインズ理論の原則を指針としている。グリーン・ニューディールの政策ビジョンにとって、公共部門の強化と政府への権限付与が極めて重要なのは、これが理由だ。市場に任せていては実現されない、直接的かつ効率的で、公正な経済変革が必要なためだ。

政府には国民経済の舵取りに不可欠な役割があり、グリーン・ニューディールは公共（すなわち政府）と民間（すなわち市場）とのバランスを取り戻すことで、政府がこの役割を果たすことを歓迎する。これは、企業や金融市場には、果たすべき役割がないとか、役割を果たすべきでないという意味ではない。ニュー・コンセンサスの経済学者にとっても民間部門は、経済の変革と繁栄に不可欠なものだ。グリーン・ニューディールの政策ビジョンでは、政府は市場の下僕（しもべ）ではなく、市場の失敗を修正することだけが仕事でもない。政府はリーダーであり、リスクを引き受ける者であり、独自の能力を発揮して市場を創造し、規制し、形成すべきものなのだ。

政府が経済において主導的な役割を果たすことで、政策立案者が利用できる公的な権限が拡大され、気候・社会・経済の危機を、包括的かつ公平に解決することができるようになる。ニュー・コンセンサスの経済学者たちが追加する次の3つの原則は、私たちが政策を立案する際にグリーン・ニューディーラーの指針となるべきものだ。

第一に、米国政府が（〔連邦・州・自治体の〕いずれのレベルでも）新たな「グリーン」経済のためのビジョンと戦略を共有しなければならない。マッツカートが主張するように、米国が排出量を大幅に削減し、競争力のあるクリーンテクノロジー部門を発展させることができなかった理由の一つは、連邦政府が気候政策に対して「つぎはぎ的」なアプローチを採用し、各州の機関や管轄区域をまたいだ調整がなされていなかったことにある。

第二に、公的支出と投資は、インフラや「公共財」だけでなく、イノベーションのためにも不可欠である。研究開発に対する連邦政府の投資は、GPSやナノテクノロジー、スマートフォンの主要部品など、いくつかの最重要技術に資金を提供してきた。脱炭素化に必要な技術のほとんどはすでに手に入ったとはいえ、化石燃料から完全に移行するためには、さらなる躍進が必要だ。しかし、国内総生産（GDP）に占める公的R&D支出の比率は、1980年代以降、半分近くまで減少している[8]。グリーン・ニューディール政策は、公共支出を低く抑えろという新自由主義の教義（ドグマ）は却下して、代わりに大規模な公共投資戦略を採用しなければならない。そうすることで、私たちの経済を急速に脱炭素化し、アメリカを世界的なグリーン経済後進国から、リーダーという立場に押し上げるのだ。

第三に、グリーン・ニューディールは金融化ではなく、実体経済への投資を進めるべきである。GNDが成功するためには、金融市場や金融商品に関わることも必要だが、その政策は何よりもまず「実体経済」に、つまりモノやサービスのフローからなる経済部分に、投資すべきである。グリーン・ニューディール政策は、金融市場や金融政策（貨幣政策 monetary policy）に役立つものより先に、生活者にとっての現実の経済的成果となる要因（例えば雇用創出や賃金水準、労働組合組織率など）に焦点を当てるべきである。金融政策は依然として重要だが、グリーン・ニューディールのための政策を設計し実施する際には、金融市場を第一の関心事とすべきではない。

ニュー・コンセンサスの思想家たちの理論を、どのように解釈すべきかを教えてくれるのは、私たちの価値観だ。私たちがグリーン・ニューディールを経済的総動員として設計した理由は、それが急速な脱炭素化の要求に応える最善策だというだけではない。思いやりや尊厳、そして正義をもたらす可能性が高い解決策でもあるからだ。ニューディールから第二次世界大戦まで、経済的総動員は米国の中産階級を形成してきたが、それは前述の通り、特定のアメリカ人にしか寄与しなかった。グリーン・ニューディールによって脱炭素化を実現し、経済を再構築し、様々な失敗を是正しようとするならば、不正義を資本主義の必然的な（あるいは許容しうる）結果として扱うようなことのないように、政策を設計せねばならない。

権力

権力に関するグリーン・ニューディールのビジョンは、ある種の再分配である。すなわち、民間から公共へ、雇用主から労働者へ、そして歴史的に優勢な者から歴史的に劣勢な者への再分配である。化石燃料が無制限に燃焼され続けている原因には、① 石炭・石油・ガス会社が権力を持ち、そのビジネスモデルに対して民主的に課せられる制約を、回避したり妨害したりできることと、② 地域を破壊したり、人々を傷つけたり殺害したりしても、罪に問われることがないこととの、二つがある。要するに経済的・政治的権力が異常に集中していなければ、気候危機がひたすら続くということもありえないのだ。

ナオミ・クラインによれば、過去40年のあいだに上位1%のエリートたちは、「1920年代以降のどの時点よりも自由な政治的、文化的、知的な権力」を手に入れた[9]。

新自由主義的な政策によって、エリートたちは1980年以降の経済成長分のほぼすべてを手中に収め、その大金を労働組合に批判的な政治家たちに献金し、労働組合を弱体化させる政策を実施させた[10]。その結果は、賃金の停滞と格差の拡大だった。組合員の減少だけで、1972年以降の所得格差拡大の原因のおよそ約3分の1を説明できるのだ[11]。アメリカ人の78%を占める人々は生活に追われており、「気候を守」れば仕事が無くなると政治家が言えば、不安になって当然だ[12]。エリートは権力を持ち、経済政策の舵取りをし、労働者を不安定な状態にとどめることができる。庶民は、上司や「市場」の気まぐれに翻弄されながら生活しているのだ。

賃金の低迷は、地方の税収基盤を弱める一方で、社会保障サービスへのニーズを高める。それによって州や地方自治体は資金繰りに困り、大金を持つ企業などの影響を受けやすくなる。その結果、政策に対する地域やコミュニティの影響力が低下している。2019年に行われた、連邦および州の100万件の法案に関する調査では、法案のうち1万件は、エリートが資金提供する利益団体やシンクタンクが作成し、政治家に売り込んだ法案の雛形を、そのまま丸写ししたものだった。他の数千件の法案には、雛形に含まれる条項が引き写されていた[13]。これらの法案の大部分は、「地元の有権者や、彼らが選出した指導者の意志」を踏みにじってでも、企業や業界の利益を増進するものだった[14]。

グリーン・ニューディールの成功は、1%のエリートから、そしてそれらに奉仕するように設計された政治的・経済的な諸機関から、権力を取り上げることができるかにかかっている。人々と地球に奉仕する経済を実現させたければ、（全ての）人々が、今すぐ、力を持つ必要があるのだ。

グリーン・ニューディールは、気候危機に対処するためには何をすべきかという明確なビジョンを示している。しかし、ビジョンだけでは不十分だ。アメリカはこれまで80年近くも、大々的な経済的総動員を行ったことがない。新自由主義の流れの中で、政策立案者はそれをどうデザインすればよいのかも分からなくなった。政策立案者には、枠組みが必要だ。そして、グリーン・ニューディールがその枠組みを提供するのだ。

経済的総動員の枠組みとしてのグリーン・ニューディール

気候危機対策に求められるのと同じようなスピードで、米国が生産規模を拡大したのは、過去に経済的総動員が行われた時期だけだ。グリーン・ニューディールはこれまで見てきたように、10年にわたる経済的総動員の計画だ。ところで、経済的総動員とは何なのだろうか。そして、なぜそれが、気候変動と経済的不安定という双子の危機に対処する最善策だと言えるのだろうか。

経済的総動員とは何か？

経済的総動員とは、国家的危機に対応して「経済」（国家のあらゆる資源）の「動員」（調整および展開）を行うことだ。それは、ある最終目標を達成するために、経済を組織化することだ。ここでいう最終目標とは、中核的な公共的戦略に沿って、他のあらゆる事柄よりも優先される公共的諸目的を粘り強く追求しつつ、（公私を問わず）国内の全ての資源を総動員することによって、ようやく達成できるような目標のことだ。したがって経済的総動員が適切な戦術なのかどうかは、危機の種類にかかわる問題というよりも、危機の規模や性質にかかわる問題だ。経済的総動員を正当化するためには、その危機が、公共部門および民間部門の「全面的な戦いの努力」を必要とするほど深刻で、まさに存亡に関わるものでなければならない[15]。

時間枠を考えれば、気候危機は巨大かつ存亡に関わるもので、しかも日に日に悪化しており、経済全体のエネルギー転換によってのみ解決可能であり、それには経済的総動員が必要である。クリーンなエネルギーインフラの生産を早急に拡大し、排出量を急速に削減できるのは、調整のとれた国を挙げての取り組みだけだ。

エネルギー部門を考えてみよう。2018年にはアメリカで消費されたエネルギーのうち、再生可能エネルギー源によるものはわずか11％に過ぎなかった。電気自動車は、販売されている全自動車の2％に満たなかった。建物は、アメリカの二酸化炭素排出量の40％を占めた[16]。ある調査によると、100％再生可能エネルギーに移行するためには、アメリカでは約7800万枚の太陽光パネルや、48 万 5000 台の風力発電機、4 万 8000 箇所の太陽光発電所が必要だと見積もられている。これらは風力と太陽光によって全エネルギーの約 95%（約 150 万メガワット）を発電するために、新規に必要となるものだ[17]。実用規模の風力タービンには約 8000 個の部品があり、その多くは設置場所の近くで現地製造する必要がある[18]。これはエネルギー分野に限ったことではない。住宅や輸送、農業、製造業など、アメリカ経済のほぼすべての分野で同様の変革が必要とされている。そして、第二次世界大戦と同様に、アメリカは自国の装備を整えるだけでなく、他国のためにも低炭素製品を開発・生産しなければならない。

産業総動員の例にもれず、これは必要な技術を生みだすだけでは不十分だ。それを支えるインフラを構築し、管理しなければならないのだ。それには、再生可能エネルギーを統合できる「スマート」な電力網を支えるための何百万マイルもの新しい通信ケーブルや、電気自動車のための何千もの新しい充電ステーション、そして家庭や企業に設置する電気炉やヒーター、ストーブなどを生産するための、新しい製造施設が必要となる。これはまだ始まりに過ぎない。炭素集約的な工業・農業の工程を転換するための、新しい慣行も必要だ。排出量をゼロにするために私たちは再生農業や養殖場、さらには電気分解のようなものを全て、早急に必要としているのだ。

産業総動員は、私たちに求められる急速かつ広範な変革を可能にする。それは部分的に、産業総動員がもたらす政策調整によって可能となる。規制や立法、行政、公共調達など、政府のあらゆる手段が一つの目標に向けて列挙され、調整され、活用されることはめったにないのだ。また、急速かつ広範な変革の大部分は、「リスク」が高すぎたり規模が大きすぎたりして民間投資家を惹きつけることができないような構想に、前例のないレベルの公共投資を行うことによって可能となるものだ。

グリーン・ニューディールが提案する、大規模で急速な移行を実現できるだけの力が、政府にあるのかと疑う反対論者は、第二次世界大戦の総動員の教訓に耳を傾けるべきだ。勝利に必要な生産目標を（いっけん不可能に見える目標であっても）設定し、大規模かつ調整のとれた戦略的な公共投資と、民間企業との協調を通じて、目標を達成するために全力を注ぐことが必要なのだ。

第二次世界大戦の総動員の教訓

第二次世界大戦の経験は、経済的総動員を成功させるために、官民の深い協力関係が必要だということを示している。第二次世界大戦の経済的総動員は、アメリカが戦地に赴くためだけでなく、連合国軍が必要とした兵器や機械類など「民主主義の武器」を生産するためにも実施された。ローズヴェルト大統領は1942年の議会での年次演説で野心的な生産目標を提示した。1943年だけでも12万5000機の飛行機や7万5000台の戦車、3万5000基の対空砲[19]、1000万トンの商船を生産するという目標だった。ローズヴェルトは新しい目標を発表した後、「我々の仕事は困難で、前例がなく、時間は短い」と述べた。

これは大戦前のアメリカの生産力では不可能な目標だった。大戦前の生産実績は年間で、船舶は積載総量30万トン[20]、飛行機の機体もトータルで約2030万ポンド〔9210トン〕だけだった。年あたりで、戦車は100台以下、飛行機は3700機未満しか造られていなかったのだ[21]。しかし総動員は生産力を一変させた。船舶生産のピークである1943年には、1年間に載貨総重量1800万トンもの船舶が建造された[22]。飛行機の機体の生産は翌年にピークを迎え、1944年だけで7億8710万ポンド〔3万5400トン〕を製造した[23]。終戦までにアメリカは29万9293機の飛行機と、8万8410輌の戦車を生産したのだった[24]。

部品の生産も急増し、合成ゴムやマグネシウム、アルミニウムの生産量は戦前の平均の7倍から288倍にも増えた[25]。失業率は1940年の14.5%から1945年には1.6%にまで低下し、その一方で賃金は上昇し、所得格差は大幅に縮小した[26]。

緊密で協調的な官民パートナーシップと高水準の公共投資により、アメリカはわずか数年で生産能力を急速に増加させることが可能になった。官民パートナーシップを優先させ、公的資本を大量に投入して支援するという決定がなされたのは、まさにそれが必要だったからだ。アメリカは少なくとも1200万人のアメリカ軍を武装し、さらに英仏軍にも武器などを供給しなければならなかった。公的手段だけでこれだけの軍需品を製造することは、とうてい不可能だった。政府は、アメリカの消費型経済（すなわち工業化された世界最大の経済）を総動員し、軍需品を製造する道を探るほかなかったのだ[27]。アメリカは第二次世界大戦の軍事費全体の10%に当たる200億ドル近くを、工業生産と機械製造に費やしたが、その投資の多くは「政府所有・請負(うけおい)業者運営（GOCO）」施設、つまり民間企業が運営する公有の工場の建設に向けられた[28]。政府は、新しい製造施設の建設に多額の資金を投資したことにより、戦争末期には「名目価値でみて、この国の全工場の4分の1近くを所有していた」[29]。

公共投資の成功とGOCO工場の大規模なネットワークは、企業の関与なしには実現できなかっただろう。企業経営者たちは民間工場を軍需生産用に改造した（例えば自動車工場やラジエーター工場を戦車やヘルメットの生産に転用した）。それだけでなく専門知識や経験も提供した[30]。民間の技術者は軍の専門家と提携し、新しい武器を開発・改良した。企業の幹部は陸軍省に入り、全国を回って、軍需生産に協力する企業のリーダーを募(つの)った。おそらく最も重要だったのは、民間の請負業者が軍関係者と協力して複雑なサプライチェーンを管理し、新しい労働者を迅速(じんそく)に訓練し、さらに大規模で複雑な生産施設を運営したことだろう[31]。

反対論者たちは、（特に戦時中の）経済的総動員は、そもそも「自由な企業活動」を阻害し、民間部門に不利益をもたらすものだと主張する。しかし、民間産業は第二次世界大戦の総動員から利益を得た。GOCO施設を運営したり、軍需品を製造したりした企業は、認められた生産費が全て払い戻され、利益も保証される契約を結んだ。政府はまた、新たな特許技術を持つ民間企業（特に小規模企業）に技術使用料を支払って、その技術を公開させ、量産化できるようにした[32]。

国家規模の経済的総動員は大量の労働力を必要とする。その結果、労働市場の需給が引き締まって労働者に有利になる。そして通常の経済状況よりもはるかに迅速に、経済的不平等が是正される機会をもたらす。例えば、第二次世界大戦のあいだに[33]上位1%が得る国民所得は、1939年の15%から1945年の10%にまで低下した[34]。上位10%が得る国民所得はもっと急激に（13%ポイントも）急減した。総動員は特に、疎外された労働者に恩恵を与えた。1940年代には、（アフリカ系アメリカ人や女性、農業労働者を含む）大多数の人々の所得の、国民所得に占める割合が急激に上昇したのだ。

気候危機対策としての経済的総動員

経済的総動員によって公共部門は、調整がとれた戦略的かつ的確な方法で、民間産業に対してじかに多額の資本を投じることが可能となる。総動員が行われている間は、長期の（または大規模な）新規プロジェクトのリスクを、立ち上げ資金の提供や融資保証を用いて政府が「吸収」することによって、短期志向でリスク回避的な民間資本を待たずに新製品の開発が可能になる。このようなリスクテイクが気候危機には不可欠だ。アメリカは脱炭素化に必要な技術のほとんどをすでに持っているが、特に航空や海運のような分野では、新たなブレイクスルーが必要だ。経済的総動員は、公共部門に対するGOサインである[35]。これによって政府は、必要とされる研究開発にじかに多額の投資を行うとともに、技術が実証されれば民間資本をコーディネートして、プロジェクトを支援させることも可能となるのだ。

経済的総動員は公共投資を解き放つだけでなく、需要を強化し安定化させる公共部門の力をも増幅する。太陽光発電や風力発電などの重要な低炭素産業は、アメリカでは足場を築くのに苦労してきたが、その主な理由は、需要自体が不安定で、その量も不十分だったためだ。政府は顧客であると同時に規制当局でもあるので、経済的総動員がなされれば「グリーン」な商品の需要を拡大し、それを支えるために市場を再構築することもできる。

太陽電池（太陽光発電設備）を例に考えてみよう。アメリカのエネルギーシステムを再生可能エネルギーに完全に移行させるためには、太陽光発電に適した全住宅の約57%の屋根に太陽電池を設置する必要がある[36]。しかし2020年現在、平均的な規模の住宅用太陽電池の設置費用は、税額控除を適用しても1万1500～1万5000ドル〔126万5000円～165万円〕にのぼる[37]。これは、ほとんどの住宅所有者に支払える金額をはるかに上回るものだ。費用の大部分はハードウェアの価格というよりも、むしろマーケティングや顧客獲得、様々な許認可手続きに関連する「ソフトコスト」によるものだ[38,39]。そして、ここには悪循環がある。顧客獲得や許認可対応が容易にならないかぎりは「ソフトコスト」も下がらない。すると「ソフトコスト」が下がらないせいで住宅用耐用電池の価格もなかなか下がらない。そして設置費が高止まりするせいで太陽電池を設置する住宅所有者も増えない、というわけだ。これまで連邦政府や州政府は、税額控除以外にはほとんど支援策を実施してこなかった。そしてその税額控除も、事前に必要となる費用をまかなうのには役立たないので、住宅用太陽電池の需要増加にはほとんど寄与しなかった。

しかし、グリーン・ニューディール政策は、新築工事のゼロカーボン化を義務付け、既存建築物のソーラー改修に資金を提供し、州間の許認可を合理化することによって、需要を恒久的に増加させることができる。新築住宅に太陽電池の設置が義務づけられれば、太陽電池メーカーにとっては躊躇する顧客を説得するコストが不要になる[40]。メーカーは広告を増やす代わりに、需要の増加に対応して生産規模を拡大するための投資を行う。大規模化によって、ハードウェアのコスト低下のためのさらなる技術革新に拍車がかかる。一方、不動産の所有者は、新たに設立されるグリーン銀行からの助成金を得ることができるため、事前に必要となる費用を支払う余裕がなかった住宅所有者にも、太陽光発電の需要が広がることになる。そしてこれは、雇用も大幅に増やすことになる。人々の住まいの屋根から、給与水準の高い公的部門の雇用が何千人分も生まれてくるというわけだ。

経済的総動員はまた、私たちが社会契約を見直し、交渉し直す可能性を提起している。つまり私たちは、どのような国を、どのような社会を、未来に引き継いで行きたいのかということだ。経済と社会は別々に存在するものではない。グリーン・ニューディールが提案するような大規模な総動員には、社会政策が不可欠だ。それはGNDの目標と原則に合致するとともに、経済を完全雇用に近い状態で維持する支えとなる社会政策のことだ。それは労働政策だけでなく、医療政策から育児政策、労働力人口政策、住宅政策に至るまで、社会的セーフティネットのあらゆる分野の変更を必要とする。元祖ニューディールの最大の経済効果のいくつかは社会保障（Social Security）のような新しい社会政策と、何十万人ものアメリカ人を雇用した公的雇用プログラムから生まれた。これによって必要な労働力が維持され、第二次世界大戦の生産ブームに備えることができたのだ。

また総動員は労働市場の需給を引き締め、富の再分配と格差の縮小に寄与する。実際のところ総動員は、とりわけ低所得者や疎外された労働者にとって、税制を通じて富を再分配するよりもはるかにうまく富を分配する[41]。しかし、総動員は必ずしも公正なものばかりとは限らない。特に、生みだされた仕事に誰もがアクセスできない場合は不公正が残りうる。保育の費用が年間で5500～2万5000ドル〔60万5000～275万円〕という状況で、国家的な気候総動員に必要なだけの労働者を集めることなどできるだろうか？[42]　雇用主が提供する医療に依存している家族が、総動員によって創出されたもっと給料の良い仕事に移ることなどできるだろうか？　職業紹介や訓練を受けるために、どこに行けばいいのかさえわからない人々が、労働力に復帰することなどできるのだろうか？　公共部門を通して彼らのニーズを満たさない限り、それは不可能だ。だからこそグリーン・ニューディールは、連邦雇用保証と、普遍的な育児支援、医療、教育、そして職業訓練に、大規模な投資を行うことを約束している。これらの公約は、気候変動に対処するためのあらゆる動員が、計画から実施に至るまで、グリーン・ニューディールの原則を忠実に守るように設計されている。国家の進歩の代償として迫害や抑圧が許されるようなことは、二度とあってはならない。

公共政策としてのグリーン・ニューディール

アレクサンドリア・オカシオ＝コルテスは、自身が議会に提出したグリーン・ニューディール決議を「政策提案の要求」と表現している。事実、全米のコミュニティやリーダーたちは、決議のビジョンや枠組みを具体的な政策提案に転換しはじめている。まだ初期段階で発展途上とはいえ、これらのGND政策は、従来の気候政策や経済政策とは異なる4つの特徴を共有している。

第一に、狭義であれ広義であれ、全てのGND政策はトリプル・ボトムラインに資するものである〔ここでいうトリプル・ボトムラインとは環境的側面、経済的側面、社会的側面の3つから政策を評価する考え方のこと〕。すなわち、H.R.109決議〔オカシオ＝コルテスのGND決議〕によって設定された脱炭素化目標の達成と、所得格差の是正、そして迫害や抑圧の是正の3つである。例えば、「公営住宅のためのグリーン・ニューディール」は、連邦政府が管理する120万戸の住宅の改修と改良を行い、二酸化炭素の排出量を削減すると同時に何十万人もの雇用を創出しうる。他方で、有給の職業訓練プログラムに助成金を投じることで、公営住宅の入居者を訓練し、グリーン・ニューディール法案が生み出す25万人の雇用に備えてもらうことができる（それらの雇用は全て、一般的な水準の賃金が支給されるものだ）。さらには、地元組織からの助成金申請は、すべて入居者評議会の承認を得なければならない。これによって入居者たちは、自分たちの住宅に投資された資金がどのように使われるかについて、これまでなかった権限を手にすることができるのだ。ニューヨーク州の「気候リーダシップ・コミュニティ保護法（Climate Leadership and Community Protection Act）」は、公平な投資を通じてトリプル・ボトムラインを満たそうとしている。ニューヨーク州当局にGHG排出量ネットゼロの達成を義務付け、中間目標として2030年までに再生可能エネルギーを70%にすることを打ち出し、そして、疎外されてきたコミュニティへの投資が35%を下回らないよう求めているのだ[43]。

第二に、GND政策は市場を形成し需要を創出する。これによって、低炭素商品やゼロ炭素商品が、炭素集約型商品の代替品ではなく標準仕様となるのだ。「メイン州のグリーン・ニューディール」と「ロサンゼルスのグリーン・ニューディール」には再生可能ポートフォリオ基準（RPS）が含まれている[44]。これは決められた期限までに、全てのエネルギーの一定比率以上を再生可能エネルギー源でまかなうことを義務付けるものである（前者は2040年までに、後者は2036年までに、全エネルギーの80%を再生可能とする）。これによって、再生可能エネルギーの需要が大幅に増加することになる。「ニューヨーク市気候動員法案」も、エネルギー市場と需要のシフトを図っているが、異なるメカニズムを用いている。市の建築基準法を変更して中規模・大規模の建築物に対する排出キャップを導入したほか、新築のすべての商業用建築物と住宅にグリーンルーフか太陽光発電設備の設置を求めている[45]。また、建築局が認める再生可能エネルギー技術の「道具箱」に風力を加えている。こうして、この法案はニューヨークにとっても全米にとっても、低炭素建築材料や再生可能エネルギー、そしてその関連技術の市場を大幅に拡大するのだ。

第三に、GND政策はあらゆる分野の脱炭素化のために公共投資を動員し、労働者や疎外された人々、そして脆弱なコミュニティに、新しい経済への参入の道筋をつけ、防災をも可能とする。例えば、エリザベス・ウォーレン上院議員が提唱したグリーン・ニューディール計画は、10年間で官民合わせて10兆ドル〔1100兆円〕を投資するが[46]、そのうち2兆ドル〔220兆円〕はグリーン製造業と研究に、155億ドル〔1.7兆円〕は持続可能な農業と食糧システムの地域化に[47]、そして少なくとも1兆ドル〔110兆円〕は「最前線」のコミュニティと疎外されたコミュニティに振り向けられるとしている[48]。バーニー・サンダース上院議員のグリーン・ニューディール計画は、16兆ドル〔1760兆円〕の投資を行うとしている。その内訳は、再生可能エネルギーと送電網の近代化に2兆ドル〔220兆円〕、低・中所得者層の住宅や中小企業のための断熱及び改修に約3兆ドル〔330兆円〕、労働者層の家庭が電気自動車を購入できるようにするための約2.7兆ドル〔297兆円〕などである[49]。またこの計画は気候正義回復基金に対して400億ドル〔4兆4000億円〕を投資するとしている。これは確実なバックアップ電源を備えたコミュニティ・センターやシェルター、それに「最前線」のコミュニティのための湿地修復や気候適応など、様々なプロジェクトに使用される[50]。

最後に、GND政策は資金調達から政策設計、実施に至るまで、疎外されたコミュニティが率先して行うようにし、可能な限り地元でそれらを管理できるようにする。そうすることによって、そこに属する人々が力をつけるよう働きかけるのだ。GND決議は、地方レベルで「計画し、実施し、管理する」ために、「最前線の脆弱なコミュニティと労働者が参加し、主導する」民主的なプロセスをとるよう求めている[51]。これまでのところ、立法者は耳を傾けている。

このセクションで取り上げたすべての法案は（「気候総動員法案（Climate Mobilization Act）」以外は）、「最前線」のコミュニティを気候政策の推進者として位置づけている。環境正義作業部会や移行諮問委員会、公正な移行に関する委員会などの、いずれもがそうしている。例えばニューヨークの環境正義作業部会は、「気候リーダーシップ・コミュニティ保護法案[52]」の結果として生じる「副次的汚染物質（co-pollutants）の削減や、温室効果ガス排出量の削減、（…）投資の配分のために、不利な立場にあるコミュニティを特定するための基準を確立する」としている。同様に、連邦レベルでは、カマラ・ハリス上院議員とアレクサンドリア・オカシオ＝コルテス下院議員が提出した「気候公平法案（Climate Equity Act）」は、気候・環境公平局を設立し、16の連邦機関に気候・環境正義のためのシニア・アドバイザーを設置し、気候関連のすべての連邦規則や規制に対して「公平性審査」を行うとしている[53]。

化石燃料を用いない公正な経済への長い旅は、まだ始まったばかりだ。だが、すでにグリーン・ニューディール政策は、その目標を達成するための無数の設計と仕組みを提示している。それは地方自治体の条例や、排出量の上限と削減工程表、地元での管理、コミュニティの組織化のための連邦助成金、それにセクター別の投資と変革などだ。私たちは、どのようにして公平に脱炭素化を行い、どのようにアメリカの人々（そして人々の手、人々の創造性、人々の資源）を動員し、経済を作り替えてゆけばよいのだろうか。一歩一歩、お互いに配慮しながらそれを学んでゆく中で、政策の詳細は変化し続けるだろう。だが、政策の構想と実施の大海原で、どんな困難に遭遇しようとも、グリーン・ニューディールのビジョンが、私たちの羅針盤となってくれるはずだ。

第7章　経済学からのグリーン・ニューディール推進論

ジョセフ・スティグリッツ

グリーン・ニューディールのビジョン

国家が危機に陥（おちい）った時には、大胆な行動が求められる。1933年のアメリカは危機に直面していた。大恐慌は4年間続き、泥沼化し、日に日に悪化していた。人口の4分の1が失業し、農家の収入は半分かそれ以下に減っていた。フランクリン・デラノ・ローズヴェルト大統領（FDR）は過去の過ちを理解していたため、この状況の緊急性を認識していた。〔前任者の〕ハーバート・フーバー大統領の在任中は、国は対応を遅らせていた。もしフーバーが1929年の株式市場の崩壊後に迅速かつ適切に行動していたとしたら、どれだけの被害が避けられたかわからない。だが彼は対応できなかった。それに対してFDRが、繁栄を取り戻すための壮大なビジョンとして、ニューディール政策を打ち出したのだ。

FDRはまた、アメリカがファシズムの脅威に直面したときには、我々の価値観を守るために、あらゆるリソースを動員し、敵と戦った。

この二つの出来事は後世に、この時々の緊急対応を超える意味をもった財産を残した。1930年代には（社会保障法Social Security（ソーシャル セキュリティ）を含む）社会保障関連諸法と（ワグナー法を含む）労働諸法が成立し、社会のあり方を大きく変えた。

第二次世界大戦中、我々は農業型経済を中心とする大規模な農村社会から、工業型経済を伴う大規模な都市社会へと移行した。戦争遂行のための需要を満たすために、女性を労働力として参入させたことは、女性を一時的に解放しただけでなく、長期的な影響を及ぼすこととなった。

これがグリーン・ニューディールの野心である。しかも現実的な野心である。我々が直面している気候危機は、グリーン・ニューディールが想定しているような大胆かつ強力で包摂的な対応を必要とする。グリーン・ニューディールは21世紀の社会変革をもたらし、より包摂的な社会を実現するだろう。21世紀の革新的なグリーン・エコノミーが、化石燃料に基づく20世紀の工業型経済の経済的・社会的モデルに従わなければならないという理由は全くない。それは工業型経済が、それまでの農業型経済の経済的・社会的モデルに沿う理由がなかったのと同様である。

グリーン・ニューディールは緊要であり、費用が賄え、我々の経済に利益をもたらすものだ。

グリーン・ニューディールが必要な理由

グリーン・ニューディールの提唱者たちは、気候変動に今すぐ対処しなければならないと言い、気候変動と戦うために必要な対策の大規模さと広範さを強調している。彼らは正しい。

我々は、気候変動の脅威について何十年も前から知っていたが、それを最小化ないしは阻止するための取り組みは停滞しており、明らかに不十分である。大気中の炭素排出量とその濃度は著しく増加した。大気中から炭素を除去する技術は、そもそも最初から炭素を排出しないよりもはるかに高価であり、有効性も実証されてもいない[1]。プラス2℃で気候を安定化させるための、費用対効果が最も高い方法は、将来の「負の排出」に頼ることではなく、今すぐ排出量を削減することである。

だからこそ、経済システムをグリーン・エコノミーに変えることが不可欠だ。それは、我々が使用する電力の量や、その電力をどのように生産するかといったことだけでなく、住宅や交通システム、都市構造、そして食糧等を含む消費財など、我々の経済のあらゆる側面に関わることだ。19世紀から20世紀にかけての近代産業経済は、化石燃料由来のエネルギーを基盤として築かれた。21世紀のイノベーションや、サービス部門を中心とした経済は、風力や太陽光のような再生可能な資源から得られるエネルギーを基盤として構築されなければならない。それは、少ないエネルギーから最大限の豊かさを引き出す社会でなければならない。

市場だけではこのような変化を起こすことはできない。政府は、社会全体の動員において重要な役割を果たす必要がある。すなわち（環境に配慮したインフラや公共交通機関の整備を含む）必要かつ迅速な公共投資を行い、適切な環境プライシングや規制を導入し、執行することである。

この仕事の規模は計り知れないほど大きい。その比喩（アナロジー）はニューディール政策よりも、国民全体が一丸となってこの国を救おうとした第二次世界大戦期の大動員の方が妥当かもしれない。だがそれは、巨大な仕事だとはいえ、実行可能であり、費用を賄（まかな）うことも可能である。

何もしないことのコスト：グリーン・ニューディールを実施せざるを得ない理由

米国はすでに、気候変動を無視することによって金銭的な代償を支払っている。近年では洪水やハリケーン、森林火災などの気象関連災害で GDP のほぼ2% を失っている[2]。「1 オンスの予防策は 1 ポンドの治療に値する」という格言があるが、我々は気候変動に対して何らかの形でツケを払わされることになるだろう。

何もしないことのコストは、気候変動を抑制するために温室効果ガスの排出を抑制することに伴うコストよりも大きい[3]。

異常気象が一回起こったからといって、気候変動がその原因だとは言えない。しかし、それらの発生頻度が増えたならば、それは明らかに気候変動に原因を求めることができる。また、気象の変動性が増大することも気候変動の一面であることを思い起こしてほしい。2019 年の冬の極端な寒波もまた、気候変動に起因するものだったのだ[4]。作物は氷点下の気温を 1 回経験するだけでも壊滅的被害を受ける可能性があるため、気象条件が乱高下することのコストは莫大なものになりうる。

気候変動に起因する疾病(しっぺい)による健康被害は、統計が示され始めたばかりだが、これらの疾病の治療にも数百億ドル〔数兆円〕が必要だろうし、数えきれないほどの数の命が失われるかもしれない[5]。

世界中で土地が水没したり、農業や居住に適さなくなったりして、住んでいる場所で生きて行くことができない人々は気候難民となるだろう[6]。生物種の破壊も進むだろう。新たな紛争が発生するだろうが、その結果起こりうる政治的な影響を予測することは不可能である。現在の標準的な費用便益分析は、気候変動による世界的な社会的コストの、ほんの一部を示しうるだけだ。

危機のコストは過小評価されている

気候の未来の可能性を考えるとき、「最悪の事態に備えよ」という古い格言が思い浮かぶ。専門用語では、この考え方は予防原則と呼ばれることもある。標準的な経済学の説明でも、人間はリスク回避的であり、だからこそ保険に加入するのだと言われる。

残念ながら、気候変動に関する非常に多くの経済論文が、楽観的すぎる人々によって生み出されている。彼らはプラス3.5℃の気温上昇で満足すべきだと提案しているのだ[7]。これはパリやコペンハーゲンの合意で承認されたプラス1.5℃から2℃を遥かに上回るものだ[8]。これは人類文明の時代が始まるずっと以前から、すなわち過去300万年以上も地球が経験してこなかったような高い炭素濃度の大気だ[9]。彼ら楽観主義者たちは、そんなことを私たちに受け容れろ、かけがえのない地球を危険な博打(ばくち)の対象にしろと言っているようなものなのだ。

この手のアナリストが採用しているモデルには多くの欠陥があるため、まともに受け止めることは憚(はばか)られる。しかし、気候危機に対して何もしない人たちにとっては、このモデルは確実に役に立つものなので、その重大な誤りのいくつかについては検討せざるを得ない。

第一に、彼らのモデルは気候システムがもつ複雑なフィードバックのメカニズムや非線形効果、それにティッピング・ポイント（転換点）を認識していない[10]。彼らの経済モデルでは捉えられない複雑で連鎖的な破壊の一例として、ナオミ・オレスケスとニコラス・スターンは、「グリーンランドや南極大陸西部の陸氷が急速に失われた場合には、海面上昇と高潮が引き起こされる。その結果、水源の汚染や沿岸都市の破壊が起こり、住民の居住地が奪われ、騒乱や紛争が誘発される可能性がある」と記している。

つまり、楽観主義者たちの気候変動モデルは、現実に起こりうる最も悪い結果に十分な注意を払っていないのだ。最悪の事態を重視すればするほど、より多くの予防策を講じる必要が生じる。だがこの手の研究では、最も悪い結果には（ほとんど全く）重きが置かれないことによって、何もしないことを正当化する分析結果が出る方向へと、体系的（システマティック）なバイアスが掛かっているのだ。

気候変動の影響が大きくなる時とは、そのコストを吸収する我々の能力が最も小さくなる時に他ならない。気候変動の緩和を怠（おこた）った結果として〔気象災害規模の確率分布の〕「ファット・テール（fat tail）」に属する激甚な異常気象や、大幅な海面上昇が起こる場合には、それに対応するために巨額の投資が必要になることが考えられるが[11]、それに備えて我々が加入できるような保険は存在しない。つまりそういう状況では、我々の世界はより貧しくなり、損失を吸収することができなくなるのだ〔fat tail は「裾（すそ）が厚い」などと訳される統計学用語で、確率分布の末端部分（tail、裾、しっぽ）が太く、異常に大きな事象も無視できない確率で発生しうることを意味する〕。

だが、プラス3.5℃も温暖化した世界を受け入れるべきだと嬉（うれ）しそうに発言する経済学者たちは、飢饉が蔓延し、地球上のすべての地域が暑さのために居住不可能となった世界でも、これまでの世界と（ほとんど）変わらぬ経済成長が続くと予測している。彼らのモデルは、気候破壊による将来のリスクを体系的に過小評価する一方で、温暖化する世界における経済の安定性を過大評価している[12]。

しかし結局のところは、気候変動に対応するということは、冷たい費用便益分析にとどまる話ではない。現在のコースを進み続けた結果として失われる人命や生物種の価値を、どのように評価するかということだ。実際のところ、気候の不安定化がもたらす影響をGDPだけで評価することは、気晴（きば）らしに過ぎないと言って批判する人もいる。なぜなら、それ以上のものが危険にさらされているからだ。適切な対応は、生命の価値や紛争の代償、コミュニティの崩壊などの諸々の問題を含めて評価することだ[13]。我々が進む未来には大きなリスクがあり、平和で繁栄した人類文明を維持することが、不可能とは言えないまでも、極めて困難になりうるのだ。

費用は賄えるのか？

反対論者は「グリーン・ニューディールの費用は賄えるのか」と問う。彼らはこの政策は不当に高くつくと非難する。さらに彼らは、グリーン・ニューディールの推進派たちが、普通の人たちなら全員が賛成するような「地球を守る戦い」と、社会変革のためのより複雑な議論とをごっちゃにしていると批判する。しかし彼らはどちらの点でも間違っている。

質問の仕方からして間違っている。1941 年に米国が攻撃を受けたとき、「戦費は賄えるのか」と聞く者など誰もいなかった。それは存亡に関わる問題であり、戦わないわけにはいかなかったからだ。気候変動も同じだ。しかも上述のように、我々は何らかの形で気候変動の代償を支払うことになるのだから、後になって異常気象や海面上昇に対処するために巨額の費用を支払うよりも、いま排出量を削減するための費用を支払うことは理にかなっている。

要するに、費用は賄えなければならないのだ。第二次世界大戦の時と同じように、今も多くのものが危機に晒されている。気候変動は第三次世界大戦なのだ。

我々が本当に問うべきなのは、「なぜ我々はグリーン・ニューディールから経済的利益を受けることを、将来に先送りしているのか」ということだ。気候危機の対処するために不可欠な投資を遅らせれば、損害の増大という現実の費用が、自分たちにのしかかってくる。

リソースは有り余っている：過剰貯蓄と失業

世界的にリソース〔労働力などの資源〕が十分に活用されていないことを考えれば、グリーン・ニューディールの実施を遅らせることは、とくに馬鹿げたことだと思われる。

世界は、一方で気候変動と戦うためのリソースの不足を心配しているようだが、他方でリソースの過剰を心配しているようだ。つまり、（例えばロボット化やAI化の結果としての）失業の増加の形で現れる労働力の過剰と、（投資機会に比べて貯蓄が多すぎるという意味での）過剰貯蓄に頭を悩ませているのだ[14]。リソースは有り余っているという話と、緑の移行（グリーン・トランジション）の費用は賄えないという話との、両方が正しいということはあり得ない。

実際には、グリーン・エコノミーへの移行を迅速に進めるために必要な投資を行うことは、近い将来において、失業率を高めないための良策となる。住宅の断熱化や太陽光パネルの設置など、必要とされる仕事の多くは、簡単に習得できるスキルしか必要としない。気候変動に対抗するための努力は、今はごくささやかなものだが、すぐにでもスケールアップすることが可能なのだ。

巨大な投資ニーズが満たされていないことと、過剰貯蓄との間には、矛盾があるように見える。このことが、数多くの理論的問題や実際的問題を提起している。

第一に、我々は経済学者として、この難問をどう説明できるだろうか？　市場は需要と供給を等しくするよう機能するはずであり、過剰貯蓄（や失業）などは起こりえないはずではないのか？

その根底にある問題は、金融市場の根本的な弱点に原因を求めることができる。貯蓄の多くは長期的なものである。すなわち、人々は退職後のために貯蓄し、政府系ファンドは将来世代のために資金を確保し、大学や財団法人は寄付金を蓄える。いま求められている投資も多くは長期的なものとなる。しかし、この２つを仲介しているのが短期志向の金融市場である。ここでは、半年先を考えることも長期的思考とみなされるのだ。

第二に、そこに政策的な「解決策」は、あるいは少なくとも問題を改善するような変化はありうるのだろうか？

例えば、税法やコーポレート・ガバナンスを変更することで、長期的な思考を促（うなが）すことができるだろう。CEOがストックオプションを現金化できるようになるまでの保有期間を長くしたり、長期投資を行う投資家のウェイトを大きくすることなどだ。また、年金基金や財団の受託者に長期的な視点を求めることも必要である。企業や年金基金、財団、その他の組織が長期的な視点を持っていたなら、気候変動とその影響を考慮していたであろう。企業に対して、自分たちが生じさせた気候リスクの責任を負わせることは、気候変動に対して十分な対策をとらない場合の結果について、もっと注意させることにつながるだろう。

第三に、社会全体でみればグリーン・ニューディールのための十分なリソースが存在するということと、家計・企業・政府がどうやって資金を調達すればよいかということは、全く別個のことだ。それはどうすればよいだろうか。

一つの方法は、国営グリーン銀行の設立である。この種の銀行は、気候変動対策の投資資金を、〔政府だけでなく〕民間部門にも提供する。例えば収益性の高い断熱投資を行おうとする住宅所有者や、グリーン経済に備えて工場や本社を改装しようとする企業などに対してである。

このような「開発銀行」は、大規模プロジェクトの設計や、リスク分散のための金融商品の開発を支援することもできる。実際に開発銀行は、発展途上国や新興市場において重要な役割を果たしてきた。そして米国や世界の緑(グリーン)の移行(トランジション)においても、重要な役割を果たすことができるだろう[15]。

リソースの再配置と経済改革

この地球を守るための戦争では、十分に活用されていないリソースが大量に存在するが、この戦争に勝つために、リソースの再配置が必要になることもほぼ確実である。第二次世界大戦中は、女性の労働力化が生産能力を拡大した[16]。また農村で十分に働けていない人々や、非効率な働き方をしている人々には、都市部への移動を促した。さらには（自動車などの）消費財から軍事作戦に必要な物資へと生産をシフトさせたのである。

また、より公平な経済社会において生じうる生産現場の変化は、経済の効率性と生産性を向上させ、その結果として我々も気候変動によりうまく対処できるようになる。例えば、労働時間の柔軟性が高まれば、より多くの女性が労働力として参加できるようになるだろう。

気候変動との戦いの、いくつかのステップは簡単だろう。例えば、何百億ドル〔何兆円〕もの化石燃料への補助金をなくし、汚いエネルギーの生産からクリーン・エネルギーの生産へとリソースを移せばよい。また、エネルギー効率を改善するよう（例えば公共交通機関の改善によって）都市を再設計すれば、都市の時間効率の向上にもつながる。

政府はグリーン・ニューディールの費用を賄えるのか？

化石燃料への補助金を廃止し、政府のエネルギー効率を向上させ、必要な投資の多くをグリーン銀行に頼ったとしても、それでは不十分かもしれない。政府には追加の資金が必要となる可能性がある。だが、アメリカはむしろ幸運だと言えるかもしれない。アメリカの税制はお粗末に設計された逆進性の高いもので、抜け穴だらけなので、経済効率を高めながら財源を調達するのは簡単なのだ。汚染産業から税金を取り、不安定な短期金融取引に幅広く課税し、高収益の企業がほとんど無税で済むよう設計された税の抜け穴を塞（ふさ）ぎ、少なくとも生活のために働く庶民と同じくらい高い税率を資本家が払うようにすればよい[17]。このような税制改革によって、政府は今後10年間で何兆ドル〔何百兆円〕もの資金を手にいれ、その資金を気候変動と戦うために使うことができるだろう[18]。そして、これらの税金の多く（汚染や金融取引にかかる税など）は、実際に経済のパフォーマンスを向上させることにもつながるだろう。

それでも、〔税収に関する〕標準的な試算は、ほぼ確実に保守的（過小評価）である。なぜならGNDが経済を刺激し、需要側と供給側の両方に影響し、その結果としてさらに多くの税収が生まれることを、無視しているためだ。

私は、GNDが提供する成長への刺激（詳しく後述する）と、上述したリソースの再配置や税制改革があれば、この気候戦争に勝つには十分だろうと考えている。

しかし、政府には借り入れが必要だという意見もあろう。財政赤字フェティシズムがついに打ち破られたらしいことは、もちろん良いニュースである〔財政赤字フェティシズムとは、財政赤字や「国の借金」が恐ろしい問題だと思い込むこと〕。オリヴィエ・ブランシャールのような主流派経済学者でさえ、政府がより多くの国債を発行する余地があると主張しているのだ[19]。

バランスシートが企業のものであろうと政府のものであろうと、その負債の側だけに注目すべきではない。生産性の高い投資に対する資金調達のために負債が増加するのであれば、企業や政府の状態は改善する。そして、経済成長率が実質金利よりも高ければ（明らかに現在の状況はそうなっている）、債務返済の負担は時間が経つにつれて軽減されることは自明である。第二次世界大戦末期の米国の債務対 GDP 比は約 118% であったが、これは何の問題もなかった。投資が続いたため、経済は成長を続け、やがて債務対 GDP 比は 1955 年には約 55% となり、1964 年には 40% 以下にまで低下したのだ[20]。

気候変動に対する戦争による経済的利益

実際には、グリーン・ニューディールは費用が賄えるだけでもなければ、今すぐ行動することで資金を節約できるだけでもない。経済にも実際に良い影響を及ぼすだろう。気候変動に対する戦争が正しく遂行されれば、米国に利益がもたらされるだろう。それは、繁栄を分かち合いながらも、歴史上最も高い成長率を記録した米国の黄金時代の礎が、第二次世界大戦によって築かれたのと同様である。

グリーン・ニューディール政策は需要を刺激し、利用可能なすべてのリソースが確実に利用されるようにする。社会から疎外されたグループが効果的に労働力として参加できるのは、（1990 年代後半のような）総需要が大きい時期だけである[21]。炭素排出量の削減は（正しく行われれば）、再生可能エネルギーに基づく世界に向かって、経済が準備を進めていく中で、数多くの仕事を創出することになる。経済の立て直しに必要な投資は、それだけで大量の雇用を生み出すことになるのだ。また、労働市場が引き締まることで、長らく低迷していた賃金も上昇する。本書が出版される頃には、COVID-19 は経済に大混乱をもたらし、何千万人ものアメリカ人が職を失っているに違いない。議会はすでに景気刺激策や救済策のために何兆ドルもの支出をしている。これらの復興政策は、今の経済を救うことに、つまり失業率を低下させ、経済のエンジンを再始動させることに役立つと同時に、我々が将来に必要とするような経済を生み出すことにも役立つ。

うまく設計された家族休暇や家族支援政策、そして労働時間の柔軟性の向上によって、女性や有色人種、そして高齢者など、働ける人々や働きたい人々をより多く労働力へと引き入れることができる。

長年にわたる差別の歴史のために、多くの有能な人々は、経済において彼らのスキルを十分に活用できていないのが現状だ。より良い教育政策や健康政策と、インフラや技術への投資の増額（真のサプライサイド政策）と相まって、経済の生産能力は向上し、気候変動との戦いや適応に不可欠なリソースの一部を提供することになるだろう。しかしそれ以上にこれらの政策は、彼ら個人とその家族にとって有益であり、この国の真の弱点の一つである、根深く幅広い不平等に対する取り組みの発端（ほったん）となるだろう。

さらに、グリーン・エコノミーへの移行は、新たなイノベーション・ブームの先駆（さきが）けとなる可能性が高い。実際にグリーン・エコノミーへの移行は、すでに多くのイノベーションを加速させている[22]。19世紀から20世紀にかけてのエネルギー革新は、化石燃料時代の生活水準を向上させる鍵となった。このような新しいイノベーションが、21世紀の生活水準を維持・向上させる鍵となるだろう。実際のところ、世界の一部の地域は化石燃料からの汚染排出の影響に苦しんでいる。もし代替案が見つからなければ、気候変動の影響を無視したとしても、これらの地域の人々の寿命と健康は、著しく悪化することになる。

グリーン・ニューディールの需要サイドと供給サイドの効果が組み合わされば、75年以上前のニューディールや第二次世界大戦がそうだったように、経済と社会の変革の起爆剤になる可能性が高い。

民主主義を強くする

最後に、グリーン・ニューディールの背景にある草の根運動は、世界を席巻しているポピュリズムや民族主義の背景となった、冷笑主義（シニシズム）や絶望とは正反対のものであることを指摘しておきたい。グリーン・ニューディールの実施は、この国の民主主義への信頼を回復させることにもつながるだろう。この草の根運動は、社会と自然を対立させる経済モデルに代わる、もう一つの経済へ向けて我々を突き動かす。そしてその過程で、社会的包摂を促進し、人々の幸福度を高めることであろう。

第8章　南部湾岸地域のためのグリーン・ニューディール

コレット・ピション・バトル

南部湾岸地域のためのグリーン・ニューディールがなぜ必要なのか？

グリーン・ニューディールは、気候危機に対処するための先見性ある計画であり、国営インフラ施設に投資することで、何百万人もの人々のために、生活可能な賃金を支払う雇用を創出します。これにより、私たちの地域社会を癒（いや）し、これから生まれてくる世代を守る機会も提供します。

ここ南部湾岸地域では、多くの気候災害が発生することが知られています。ハリケーン・カトリーナは私の人生を変えました。私は2006年にルイジアナ州スライデルに戻りましたが、その時に自分のコミュニティに弁護士が、災害関連の書類が読める人が、必要だと気づかされました。南部湾岸地域の住民は、災害のトラウマが残る中で、自分の権利を放棄するような文書にサインするよう求められていました。私はこのコミュニティ出身の、3人目の弁護士です。いくつかの書類を読んで、ここに残ることを決めたのです。私が初めてルイジアナ州の洪水地図を見たのは、カトリーナの災害から約2年後のことでした。その日、地域の集会で、このハリケーン・カトリーナに伴って発生した30フィート〔約9メートル〕の高潮が、ルイジアナ州南部やミシシッピ州、アラバマ州沿岸部のスライデルのような地域に洪水をもたらしたことを説明するために、この地図が使われていました。そこでわかったのは、過去50年の間に私たちは、それまで海からの緩衝（かんしょう）装置となっていた土地を、失ってしまっていたということです。

壁に貼られたこの洪水地図を、自分の目で確かめたことで、とつぜん私の人生に大きな変化が起こりました。その2年の間で、2度目の変化です。その洪水地図には、私のコミュニティや、そのほかの多くのコミュニティが今世紀末までに消滅することが示されていました。土地や木々、沼地、湾岸、友人、隣人、家族…。私はそれらが何千年も前からそこにあり、これからもそこにあるだろうと思っていました。私は間違っていました。

コミュニティ・センターで、ルイジアナ州南部の黒人や先住民、貧しい人々と一緒に過ごすうちに、短期的な災害復旧の必要性（ニーズ）ばかり考えていてはいけないと学びました。また気候変動による海面上昇で、コミュニティが消滅しないようにしなければいけないという課題も理解しました。

南部湾岸地域（テキサス州と、ルイジアナ州、ミシシッピ州、アラバマ州、フロリダ州）で私たちが直（じか）に経験したことは、気候変動に迅速（じんそく）に対処しよう、その過程で現地のコミュニティをより回復力のあるものにしようという、科学者たちの呼びかけを裏付けるものでした。グリーン・ニューディール決議は、「グリーン・ニューディールの動員を地方レベルで計画・実施・運営するために、脆弱（ぜいじゃく）なコミュニティの労働者や当事者たちが参加し、主導する民主的なプロセスを利用すること」を求めています。南部、湾岸地域のコミュニティは、この呼びかけを真剣に受け止めています。そして、連邦や州の政策が可決されたときに備えて、グリーン・ニューディールは私たちの地域にとって何ができるか、何をすべきかを、積極的に明らかにしようとしています。

私たちはこの、地域全体での協力関係を「南部湾岸地域版グリーン・ニューディール」によって築いています。これは、南部湾岸5州の100以上の組織からの支援を受けてつくられた運動組織と、政策要綱のことです[1]。私たちの活動は、グリーン・ニューディールはリベラルなエリートのための政策だとするメディアの報道が、いかに真実からかけ離れているかを示しています。このサード・コーストでは、貧しい黒人や白人、褐色人種、先住民を含むあらゆる階層の普通の人々が、そして中小企業や町内会などが、グリーン・ニューディールを実行する準備をしています〔サード・コーストとは、東海岸と西海岸の次の海岸ということで、南部湾岸地域のこと〕。同じことは、全国の人々についても言えるでしょう。

南部湾岸地域：背景と展望

テキサス州とルイジアナ州、ミシシッピ州、アラバマ州、そしてフロリダ州は、アメリカの南部湾岸地域を構成しています。メキシコ湾で結ばれたこの地域は、カリブ海と中央アメリカとの深い歴史的なつながりを持っています。これらの州は、アメリカ南西部からディープサウス〔南部の保守的な地域〕、南部聖書地域、黒人地域、そして大西洋岸へと連なっています。この地域はアメリカの経済やエネルギー産業、国防インフラにとっても、さらには自由主義や科学、社会運動、社会イノベーションの世界的な発展においても、極めて重要な役割を果たしています。

昔も今も、南部湾岸地域の諸州から始まった社会運動は、人権と市民権を求める世界的な闘争へとつながっています。公民権運動の指導者 W. E. B. デュボイスはアメリカ南部を、労働者階級が暴力的弾圧や搾取（さくしゅ）と闘うための重要な結節点（キー・リンク）と定義しました[2]。「南部で起こったことは、全米で起こる（As goes the South, so goes the Nation）」とは、彼の時代の格言ですが、今日でも事実となるでしょう[3]。南部の政治運動には暗い歴史もありましたが、この南部湾岸の５つの州における政治的抵抗運動は、現代の民主主義を最も効果的に活かした実例でもありました。

南部湾岸地域の経済は、当初は奴隷労働者によって築かれたものですが、今では石油・ガス産業の中心地になっています。ルイジアナ州だけでも12万5000マイル〔約20万km〕ものパイプラインがあり、全米の製油所のほぼ半数が集中しています。テキサス州は全米の石油・ガスの41％を精製しているほか、他のどの州よりも多くの原油を生産しています[4]。南部湾岸地域には、米国の石油精製能力の45％と、天然ガス処理施設の51％が集中しているのです[5]。過去の有害な経済構造は、当初は奴隷によって築かれたものでしたが、現在では環境人種差別主義（レイシズム）によって駆動されています[6]。

南部湾岸地域では化石燃料産業ロビーの圧倒的な政治力のせいで、石油やガスを採掘・精製する労働者を保護する法律が例外的に弱くなっています。アラバマ州やフロリダ州、ルイジアナ州は「随意州（At-will States）」とも呼ばれており、理由なく通知もなく労働者が解雇されることがあります〔原注1を参照〕。そして南部湾岸5州ぜんぶには、いわゆる労働権法（right-to-work laws）があります〔原注1を参照〕。AFL-CIO（米国労働総同盟産別会議）によれば、これらの法律は「力関係を大企業に有利にし、労働者の家庭を犠牲にする方向に制度を変え[7]、労働者が組合を結成して、より高い賃金や福利厚生、それにより良い労働条件を求めて団体交渉をすることを困難にしている」と報告しています。保護がなければ、労働者は危険な産業慣行に翻弄されます。2010年に起きた、ブリティッシュ・ペトロリアム社（BP社）の石油掘削装置の災害では、トランス・オーシャン社が所有し、BP社が借りていた石油掘削施設「ディープウォーター・ホライズン」が爆発したことによって、メキシコ湾に約500万バレル〔約8億リットル〕の石油が放出されました。その生態系への被害は多くの人々の記憶に残っているでしょうが、11人の石油掘削施設の労働者が亡くなったことは、覚えていない人も多いでしょう。

労働者だけでなく、地域社会も化石燃料産業による事故などの被害を受けています。BP社が起こした災害は、2カ国にまたがる海洋に2億ガロン〔約8億リットル〕以上の石油を流出させ、地域経済の生命線である生態系を破壊しました。漁業従事者のほか、観光会社や接客業者の従業員たちは、何万人もが、何年にもわたって仕事を失い、復職できなかった人も多くいます。石油掘削装置の災害はまた、〔石油汚染を除去するための〕有毒な化学薬品（分散剤）の使用により、清掃作業員や地域住民の健康に直接的な影響を与えました。これらの化学薬品は、人体に有害であることが知られているため、ヨーロッパでは使用が禁止されていますが、米国政府と産業界によって南部湾岸地域での使用が承認されています。

これらの南部湾岸の石油・ガス産業は、「最前線」のコミュニティにとって、気候災害が起こったときに有害物質をまき散らすという恐怖も与えています。2017年のハリケーン・ハービーの際には、何百万ポンド〔数百トン〕もの汚染物質が工場から大気中に放出されました。南部湾岸地域の石油生産量は減少しましたが、いまだに有毒な化学物質の生産が盛んに行われています。石油・

ガス事業と同様に、膨大な化学物質の精製と貯蔵が、低所得者層の、特に黒人や有色人種のコミュニティ内で行われています。このように多層的な石油化学産業は、疎外されたコミュニティを標的にしているだけでなく、過剰な量の温室効果ガスを排出しており、地球規模の気候危機を加速させています。

当然ながら南部湾岸地域は、沿岸部に接する低地であることから、気候変動による災害が発生しやすい地域でもあります。2030年までに、この地域の洪水の発生件数は2倍になると予想され、フロリダとテキサスだけでも200万軒近くの住宅が危険にさらされるといわれています[8]。ルイジアナ州では、海面上昇による土地損失の被害が、地球上で最も多く発生しています[9]。土地の損失が加速している理由は、海面上昇と、石油・ガス事業の操業、それに連邦政府によるミシシッピ川の自然流量の人工的コントロールが、致命的に重なったことです。南部湾岸のコミュニティは、社会的・経済的な不平等の結果として、洪水防止事業と復旧事業にかんして、著（いちじる）しく不利な立場に置かれています。カトリーナ災害が起こった後に私は、最も深刻な影響を受けた地域が、何千年と続く先住民の土地と歴史的な黒人コミュニティであったことを知りました。

南部湾岸地域では、ハリケーンなどの異常気象に加えて、気温や潮位の上昇による洪水の増加の影響によって、地域のコミュニティの健康や回復力が、さらなる脅威に晒（さら）されています。この地域ではすでに危険な熱波が発生しており、早急に対策を講じなければ、それは今後も悪化するばかりです。華氏100度〔約37.8℃〕を超える日数は5つの州すべてで増えており、その数は2050年には4倍になると予想されています[10]。

グリーン・ニューディールを南部湾岸地域に

「グリーン・ニューディールのための南部湾岸地域（#Gulfsouth4GND）」は、2019年5月にニューオーリンズで発足しました。その場には南部湾岸全域から800人以上の農家や漁師、コミュニティリーダーなどの呼びかけ人が参加しました。発足後には5つの州で、「最前線」の人々の声を取り入れる手続きが続けられました。そして2019年11月に、「政策要綱（Policy Platform（ポリシー プラットフォーム））」が確定しました。

「南部湾岸地域版グリーン・ニューディール」を策定するにあたり、私たちは基本的人権を主張することから始めました。つまり、すべての人には、きれいな空気や水を求める権利、経済的安全を求める権利、自己決定のための平等な権利があるということです。すべての人が重要であり、すべての声が重要です。これは、ボトムアップ型の政策要綱を策定するプロセスを、私たちがどのように築いてきたかを説明しています。私たちは、社会の隅々にいる人々に何が必要かを尋ね、誰も置き去りにすることなく全ての人々のニーズを満たすためには何が必要なのかを、一緒に考えました。

「環境的公正のためのディープサウス・センター」のビバリー・ライト博士が、環境的公正について教えてくれました。安定した気候を望むすべての人々の権利を守るために、南部湾岸の土地と領海における新たなパイプライン建設と掘削事業を禁止し、損害を受けたコミュニティの汚染を除去し、また自然を搾取しない経済に投資して雇用機会を増やすことが喫緊の課題であることを、頻発する洪水が明らかにしています。再生可能エネルギー事業による雇用の増加は、石油・ガス関連の労働者や、この産業に依存する現地のコミュニティのために、優先的に機会とアクセスを与えるべきです。

物理的なインフラも、エネルギー変革を促進するように再配置する必要があります。放棄された油田掘削装置や、その他の石油・ガス関係のインフラを、再生可能エネルギー・インフラの発展のために再利用することもできます。

温室効果ガスの排出削減を目的とした政策は、石油とガスによって汚染された有毒な土地の浄化に対しても、同じように緊急に財政支援を行うべきです。この浄化事業においても、またそれ以外の公平で公正な移行のためのあらゆる側面においても、その費用や代償は化石燃料産業に支払わせなければなりません。彼らが地域社会を汚染し、自分たちの事業が気候にもたらす脅威について、意図的に人々を欺いてきたからです。

化石燃料産業の労働者だけでなく、他の多くの職業についている労働者も、グリーン・ニューディールの一翼を担うことを熱望しています。「南部農村の黒人女性イニシアティブ」のキャロル・ブラックモンさんは、大地と共に働く人々の力を私たちに示してくれました。私たちの農業経済はすべての働き手に、尊厳を与える労働条件と、家族を守る賃金を保障する必要があります。私たちは単一栽培（モノカルチャー）ではなく、農場の生物多様性や健全な作物に助成金を与えるべきです。私たちの食糧システムは、地域社会に根ざした農業生態学および食糧主権の原則に基づいて構築されなければなりません。その際には、野生動植物の生息地や森林、および湿地を保護し、復元すべきです。これらは、食糧供給源であるだけでなく、炭素汚染を自然の力で減少させ、さらにはカトリーナ災害の時に私のコミュニティを破壊した高潮に対する障壁となるものです。

「南部湾岸地域版グリーン・ニューディール」についての議論の中で、漁業関係者たちは、最後の主要な自己再生型食料供給源である漁業（wild-capture fishery（ワイルド キャプチャー フィッシャリー））の保護を主張しました。海は、石油化学による肥料や農薬の汚染水や、プラスチックなどの汚染から守られなければなりません。工業化された農場からの汚染水は、ミシシッピ川河口付近で発見されたような「死の海」の原因となっています。また、その他の有害な藻類（そうるい）が沿岸部の漁業コミュニティを衰退させています。海のコモンズは私たちみんなのものです。「ブルー・ニューディール」は、工場型の養魚場や大規模な養殖場による海洋の工業化にも終止符を打たなければなりません。連邦政府は、漁業における産業統合を制限しなければなりません。そして、昔から不利な立場に置かれてきたコミュニティで、職業訓練をほどこし、彼らが漁業に参入できるような経済的支援も提供しなければなりません。

人々はすでにケアとメンテナンスの経済で働いており、これらの生業（なりわい）はグリーン・ニューディールによって拡大されるべきです。また、安価な住宅や、医療へのアクセス、質の高い教育は、気候の回復力に不可欠な要素であり、すべての人に確保される必要があります。

グリーン・ニューディール政策は、大企業の反対を阻止し、ボトムアップの変化を促進する力をコミュニティに与えるために、実施に際しては、地域の労働者やコミュニティの力を高める必要があります。グリーン・ニューディールは、持続可能な住宅所有を進める方向性の他に、エネルギーや農業などに関連する大小の企業を協同組合的所有や公有とする道筋を示すことによって、コミュニティの富を、すなわち経済力を高めることができます。

私たちは、移民労働者や農場労働者を含むすべての労働者にも団体交渉権を拡大することによって、米国の労働制度を抜本的に見直し、労働者の力を強めるべきですし、それは可能です。これは、「労働権（right-to-work）」や「随意（at-will employment）」などの、企業寄りの労働法を廃止することから始まります。

最後に、グリーン・ニューディールの実施は複雑なものなので、政府機関の性質は、分野の垣根を超えたものになる必要があります。関係機関のあいだで、そして国民とのあいだで、よりオープンで民主的なコミュニケーションを図り、解決策をつくる実践を共有するのです。こうすれば、時間が経（た）つにつれて、これまで以上に有能な行政を実現するための好循環を生み出すことができます。

人間を中心とした制度設計の強みは、画一的な制度から人々がこぼれ落ちる危険性を発見することにあります。「最前線」のコミュニティが直面している課題は、ただひとつの問題から発生したものではなく、私たちの社会構造の中にある様々な失敗や不正義が交わり合う所で起こったものなのです。私たちが彼らの話を聞きながら得ることができた検討事項をいくつか紹介しましょう。

・先住民コミュニティの人たちは、主権者としての諸権利の必要性を強調し、すべての先住部族連合の条約は承認され、尊重されなければならないと述べました。なぜならそれが、彼らが文化を実践し、彼らの土地を守るための基盤だからです
・投獄やジム・クロウ法、そして奴隷制度の遺産は、南部の黒人に何世代にもわたって犯罪歴を残し、経済的機会を奪ってきました〔ジム・クロウ法は1876年から1964年にかけて存在した、南部諸州の人種差別的な州法の総称〕。私たちは、現在および過去に投獄された経験を持つ人々から、グリーン・ニューディール政策は将来の労働市場を設計する際に、有罪判決の後のことも考えなければならないと伝えられました。
・誰もが働くことができるわけではありません。グリーン・ニューディールが質の高い仕事を提供できるとしても、私たちは、子どもや学生、高齢者、障がいを持つ人々、そして失業者を含む、働けない人たちの安全や尊厳、そして自己決定権を保障しなければなりません。
・昔からの被害を償（つぐな）う基本的な経済制度がなければ、南部の黒人の権利と尊厳は永遠に実現されないでしょう。だからこそGNDは黒人に対する（土地改

革を含む）賠償プログラムとしても理解されなければなりません。「南部湾岸地域版グリーン・ニューディール」は、「ビジョン・フォー・ブラック・ライブズの政策要綱（Vision for Black Lives platform）」[11] に示された賠償の基準を成文化することを要求しています。また私たちは、米国国内での賠償と、気候被害への地球規模の補償との間に、関連づけを行う必要があることについても理解しています。

・最後に、南部湾岸地域における暮らしの中の現実として、経済と文化の中心に軍隊があります。これは、他の地域の人々には見えにくいことかもしれません。私たちは、湾岸地域のコミュニティにおける軍隊の歴史的意義を尊重しながらも、投資事業を軍関連のものから切り離し、再生可能な地域経済を作るための雇用創出に転換しなければならないでしょう。

最初の話に戻りましょう。コミュニティ・センターの壁に貼られた土地喪失の地図を見ていたところです。気候変動による移住は、現在でも問題ですが、今後はより深刻なものとなります。これは南部湾岸地域の中だけでなく、アメリカ国内の他地域からの移住や、外国からの移住も問題になってきます。私たちは、「気候ジェントリフィケーション」という新しい用語を使っている人々から話を聞きました。この言葉は、海岸の土地から追い出されたコミュニティが、いまや裕福な人々が海面上昇を避けるために内陸に移動したせいで高台の土地価格が高騰したことにより、そこからも排除される現象を表しています。

「気候ジェントリフィケーション」は、気候災害が去ったあとにしばしば起こります。ハリケーン・カトリーナのあとで数万人の住民がニューオーリンズを去ったとき、機を見るに敏な資本家たちがやってきました。被害を受けた家はより頑丈に再建されましたが、その価格は高く、家に帰りたいと願う貧しい人々の手の届かない物になりました。この価格差は、共同体として故郷に戻るための人権を行使できる人々と、（気候被害を受けやすい）別の場所への（孤独な）移住を強いられる人々との間の、格差を意味しています。

このような避難や移住を、民間セクターのおカネ儲けのチャンスと捉えるのではなく、正義と公平性に根ざした社会インフラを再構築する機会と捉えたらどうでしょう。私たちは学校や公立病院に資金を投入し、気候変動による移住がもたらすものに対して備えるよう、支援することができます。これには、損失や移住に伴うトラウマが含まれます。私たちは、公共交通機関に隣接する安価な住宅を提供する、公平で公正なハウジング事業を積極的に促進することによって、「気候ジェントリフィケーション」と闘うことができるのです。私たちは、特に有色人種のコミュニティに属する家族や、脆弱な立場の家族に対して、住宅の高台移動や洪水対策に必要な物的資源を提供することによって、住宅の所有権を守ることができます。

災害時にも長期的な移転プロセスにおいても、移住する権利だけでなく、留まる権利も認めなければなりません。移転のプロセスはコミュニティが自ら決定しなければいけませんし、コミュニティが生き残り繁栄するために必要な社会的・文化的・経済的要件も保証しなければなりません。

カトリーナが去ってから15年にわたり、南部湾岸地域で仕事をしてきたことによって、人権や人間の尊厳、そして人間の自由を守ることは、私にとって決して譲ることができないものとなりました。誰も置き去りにしないと決めた時には、近道はありません。社会的・政治的・経済的な搾取のシステムを、地球を再生し、人間の解放を地球規模で進展させるシステムに転換せねばなりません。そのためには、戦略的に行動する必要があります。すなわち、それぞれのコミュニティですぐに目に見える改善を示し、エコロジー的公平性と気候正義の実現に向けた、持続的な構造転換へとつながるようにしてゆくのです。

人類が次の段階を生き抜くためには、社会・経済システムを根元(ねもと)から枝葉(えだは)にいたるまで再構築してゆく必要があります。個人志向の使い捨て社会から、集団志向で長期志向の人間性を確立する社会に変わらなければなりません。それができなければ、生き抜くことはできないでしょう。

この任務は簡単なことではありません。私たち自身よりも大きな力と、私たちの寿命よりもっと長い命というものを、絶えず認識する必要があります。そのためには、目に見えないものを信じることが必要です。お互いを信頼し、解放を達成する方法を、一緒に考えましょう。

おカネには、陽（ひ）に照らされて腐ってゆく牡蠣殻（かきがら）の山のようなにおいがした

ジェナイ・ルイス

子供の頃、毎晩同じ夕食を食べていたのを覚えている。母が作るモロ・デ・アビチュエラス〔豆と米を使ったドミニカ料理〕と、近所の獲（と）れたての魚だ。

アパラチコーラ湾から東へ 30 マイルほど離れた、フロリダ州パンハンドル地域にあるスラッシュパインの森の奥深くに、私の漁村カラベルがある。私の父は約 1,000 人のコミュニティの住民のために、地域の診療所を営んでいた。ほとんどの人は貧しく、健康保険に加入せず、医者にかかるおカネもなかった。父はとにかく彼らを治療した。人々の面倒を見るのが自分の義務だと信じていたからだ。そのお返しに、村の人々は私たちの面倒を見てくれた。

一日おきに、訪問者たちが裏口から入って魚を売りに来ていた。ドニーと孫のゲイジは、その日獲（と）れた魚を持ってきてくれた。サケやボラ、フエダイ、サメなどだ。海産物は通貨だった。フランクリン郡では、おカネには、日光にあたって腐ってゆく牡蠣殻の山のようなにおいがした。ゲイジは私のクラスメイトだった。幼稚園に初めて通った日に彼が、その当時多くの男の子たちが口にしたのと同じように、「僕は 16 歳で学校をやめて、パパと一緒に牡蠣の漁師になるんだ」と言ったのを覚えている。

私が 8 歳になる前には、父は診療所を続けるのが難しくなっていた。請求書が多すぎる一方で、医療費を払える患者が少なすぎたのだ。父が診療所を閉めてから数年は、カラベルには医者がいなかった。ドニーはまだ裏の玄関に魚を届けてくれていた。

6年後、BP社が契約し、トランスオーシャン社が所有する石油掘削装置（ディープウォーター・ホライズン）がメキシコ湾で爆発した。原油はどこまで広がったのかな？　自分の目で原油を見たことはある？　毎朝の高校の化学の授業で、私たちは原油のことばかりを話していた。原油の匂いがする日々もあった。刺激臭は湾内の遠く離れた水域まで漂い、バリアー島を越えてこちらの湾内にも漂ってきた〔バリアー島とは、堆積物でできた、岸に並行な細長い島のこと〕。それは溶けたクレヨンのような匂いがした。アパラチコーラ湾に原油が姿を現したら、誰も私たちの牡蠣を買わなくなることは分かっていた。恐怖に駆られた政治家たちは、2週間前倒しで牡蠣の漁獲シーズンを開始した。数日間、牡蠣の養殖場を掃除する船で湾内は埋め尽くされた。BP社は、仕事を失った人たちにおカネを配るための事務所を現地に立ち上げ、流出した原油を清掃する仕事を提供した。

ゲイジのような少年たちは、まだこの地域にはたくさんいた。水上で働くことしか考えたことがなかった人たちだ。彼らはBP社からもらったおカネで車を買い、パーティーに行くために車を乗り回した。裏通りで競走するトラックのタイヤが、ブレーキでキーキーと音を立てるのを、私は一晩中聞いていた。ある朝、ドラッグ濫用（らんよう）のニュースが伝えられた。パーティーに行っていた人たちが、後部座席に友人の死体を乗せたまま走り回っていたことに、あとで気づいたという。

毎日6時頃になると、フランクリン郡刑務所の職員たちが一斉に交替し、カラベルにあるたった2つの店に夕方のラッシュが到来する。私と共に育った子どもたちのほとんどは今もそこに住んでいて、レジ係をしたり、商品を陳列したり、刑務官の制服を着て買い物をしたりしている。

これらがそこでの残された仕事だ。しかし、グリーン・ニューディールのもとでは、私のコミュニティの人々が再び、水上での良質な仕事を手に入れられるかもしれない。入り江を修復したり、アパラチコーラ湾を癒すために牡蠣の種付けをしたりする仕事などだ。BP社の事務所はもうないが、私たちはまだここにいる。そして、アパラチコーラ湾のためにグリーン・ニューディールを勝ち取ることができるなら、私たちはこの土地と、お互いを、大切にすることができるのだ。

第9章　グリーン・ニュー・ビンゴホール

ジュリアン・ブレイブ・ノイズキャット

©Dante Garcia

2019年1月、私はサウスダコタ州のヤンクトン保留地を訪れました。フォート・ランドール・カジノのビンゴホールには、（一般にスー族として知られる）オセティ・サコウィン族の指導者たちが、「聖なるものを守るための国際条約」を再確認するために集まっていました。この条約は、2013年にこの地で初めて署名されたもので、キーストーンXLパイプラインや、各地の産油地域から噴出する化石燃料プロジェクトに対する闘いのために、先住民族を団結させてきました。それは、アルバータ州のタールサンドや、ノースダコタ州のバッケン・シェール、フォーコーナーズ近郊のサンファン盆地、テキサス州のパーミアン盆地などのことです。そこから、北米大陸じゅうにパイプライン網が張り巡らされ、製油所からタンカー、そして世界中の発電所やガソリンスタンドへとつながっているのです〔ビンゴホールは、アメリカ各地に存在するビンゴゲーム会場のこと。ビンゴは集金目的で行われる非営利のものが多いが、商業的ビンゴホールもある。先住民居留地には1970年代から多くのカジノ設置が認められ、その収益は先住民族の経済的自立を支えており、そこにあるビンゴホールは人々が集まり憩（いこ）う場となっている〕。

私が訪れた前の年には、米国は石油採掘ブームの真（ま）っ只中（ただなか）でした。国際エネルギー機関（IEA（アイイーエー））によれば、サウジアラビアを追い抜いて、日量1000万バレルを超える世界最大の石油生産国となっていました[1]。

これらの化石燃料の燃焼が、この地球の大気環境を大きく変えています。

2019年には、大気中の二酸化炭素の濃度が415ppmに達しましたが、これは過去300万年のうちで初めてのことです[2]。かつてそんな濃度だった頃には、南極大陸では森林が育ち、グリーンランドの氷床はまだ存在しておらず、海面は現在よりも50フィート〔約15 m〕以上も高かったのです。私たち人類（ホモ・サピエンス）は、まだ地上を歩いていませんでした。

私たちがこの危機に直面しているのは、偶然のことではありません。国際通貨基金（IMF（アイエムエフ））の急進左派の人たちの論文によると、米国の政府は化石燃料産業に毎年5千億ドル〔55兆円〕以上の直接的・間接的の補助金を提供しています[3]。これには、安い賃貸料での公有地の貸し付けや、迅速で簡便な許可手続きなどがあります。そのほか、私たちがスタンディング・ロック保留地で目（ま）の当たりにしたように、警察が協力して企業の私兵のような役割を果たしていることもあります。

1970年代には、学者たちは「石油国家（ペトロステイト）」という用語を考案して、石油採掘からの収入で成り立つ国家開発のあり方を表現しました。さらに遡って、サウジアラビアやベネズエラのような国々が石油掘削を始めた頃には、温室効果は理論にすぎず、化石燃料を使わずに工業経済を動かすことなど考えられなかったでしょう。しかし今日では、気候変動は科学的に明らかになっており、安価なソーラーパネルもあります。私たちの国は〔GDPが〕20兆ドル〔約2200兆円〕規模の経済大国です[4]。そして私たちには、別のやり方で経済を動かすための知識や技術、そして資源があります。それでも人類はイチかバチかの賭（か）けを続けてきました。1988年にジェームズ・ハンセンが議会証言で地球温暖化に対する認識を広めた後も、人類はそれまでの歴史で排出された量よりもたくさんの炭素を大気中に排出してきました[5]。再生可能エネルギーは、多くの地域で化石燃料よりも安くなっており、その価格はいまも低下を続けているのに、私たちは炭素排出を続けているのです。米国の炭素排出量は、〔2015年から〕3年間減少したのち、2018年には3.4%増加しました[6]。トランプ大統領は、地球温暖化を「中国によって、中国のために作られた」「デマ」だとし、「アメリカのエネルギー黄金時代は現在進行中だ」と豪語しました[7]。米国政府は、化石燃料企業と手を組んで、世界史上まれにみる破壊的な勢力となりました。それを表現するには「死の国（Necro-State（ネクロステイト））」という新しい語彙が必要かもしれません。

この破壊的行為を目の当たりにして、ますます多くの人々が立ち上がっています。先住民族のコミュニティは反体制派の中でも特に勇敢であり、私たちには「神聖なものを守る」という使命が、すなわちパイプラインの建設を止めるための大義と、土地と人間とのより公正な関係を確立する責任が、あるということを主張してきました。

この1月に私たちが集まったサウスダコタは、1851年と1868年に2つのララミー砦（とりで）条約が結ばれた場所です。どちらの条約も、オセティ・サコウィン族に大陸中部の広大な原野を保証しましたが、どちらも羊皮紙のインクが乾く間もなく破られました。1980年に最高裁判所は、米国政府が1874年にオセティ・サコウィン族の聖地ブラックヒルズを探鉱者に開放したことは、1868年の条約違反だとする判決を下しました。裁判所は政府に8800万ドル〔96億8000万円〕の返還を命じました。利子を含めると、この和解金は今日では10億ドル〔1100億円〕以上の価値があります。しかし、オセティ・サコウィン族は、神聖なブラックヒルズは売り物ではないと主張し、補償金の受け取りを拒否しています。

これらの条約などを大義として、各部族はキーストーンXLパイプラインと戦ってきました。このパイプラインは年間2430万トンのCO_2排出に寄与します[8]。これはアメリカの人々が自動車をさらに毎年600億マイル〔約960億km〕以上走行させた量に相当します。

このプロジェクトは過去10年にわたって法廷闘争を展開してきましたが、業界の専門家や反パイプライン活動家は、2020年には建設が再開される可能性があると考えています。反対運動を見越（みこ）して、サウスダコタ州議会はキーストーンXLパイプラインの反対派を対象とした抗議活動禁止法（anti-protest law（アンチ プロテスト ロー））を可決しました。これは牧場主や環境保護主義者、先住民部族などを標的としたもので、「暴動の扇動」と呼ばれる新たな犯罪に対して罰金を課すものです。クリスティ・ノーム知事は、法案の提出から3日も経たないうちに、これに署名して法律を成立させました。しかし、ありがたいことに全米市民的自由連合（American Civil Liberties Union, ACLU（アメリカン シビル リバティーズ ユニオン エーシーエルユー））は、合衆国憲法の修正第1条に違反するとして、この法律に対する異議申し立てに成功しました。ジャーナリストたちが「トランプの州」と呼ぶようになった「赤い州」(共和党支持の州）においては、この国の建国文書が、すなわち合衆国憲法と、アメリカ合衆国が大西洋から太平洋へと拡大できるようにと、先住民たちとの間に結んだ300本もの条約が、この専制政治と気候危機に対抗するために残された、民主主義の最後の防波堤なのかもしれません。

こうした状況の中で、キーストーンXLやダコタ・アクセスなどのパイプラインの問題が、全国的なニュースとなりました。この10年間のパイプライン政策が、環境運動の重心をシフトさせたのです。2016年には100万人以上の人々がダコタ・アクセスに反対する闘いに連帯して、スタンディング・ロックに「チェックイン」しました[9]〔チェックインはFacebookで、その場所に「行った」ことを示す機能のこと〕。支援活動に参加した何千ものミレニアル世代の人々の中に、ブロンクス出身の、プエルトリコ系のバーテンダーがいました。アレクサンドリア・オカシオ＝コルテスです。

キーストーンXLやダコタ・アクセスに反対する先住民運動に続いて、オカシオ＝コルテス下院議員のグリーン・ニューディールが、アメリカ政治の風景を一変させました。160人の議員がグリーン・ニューディール決議案の共同提案者となり[10]、民主党の大統領選予備選挙では（バーニー・サンダースやエリザベス・ウォーレンを含む）18人の候補者がこのビジョンを支持しました[11]。私が勤務しているシンクタンクのデータ・フォー・プログレス（Data for Progress）は、人々がグリーン・ニューディールを一貫して支持していることを確認しています。この政策によって、地球温暖化問題とあまり関連づけられてこなかった「正義（justice)」という単語も、話題に登るようになりました。

オカシオ・コルテス下院議員とグリーン・ニューディールの唱道者たちの多大な仕事のおかげで、環境的人種差別と不正義への対策が、グリーン・ニューディールの初期の設計に含められました。例えば2019年7月には、カリフォルニア州のカマラ・ハリス上院議員とオカシオ＝コルテス下院議員が連名で、連邦政府の気候変動政策では「最前線」のコミュニティへの投資を優先させるとした「気候公平法案（Climate Equity Act)[12]」を公表しました〔提出日は2020年8月11日〕。同年夏には、ニューヨーク州では「気候リーダーシップ・コミュニティ保護法（Climate Leadership and Community Protection

Act（アクト））[13]」が可決しました。気候危機に関する CNN の討論番組（タウンホール）では、9人の候補者が直接・間接に「環境正義」に言及しました[14]。

たしかに、「環境正義」や「最前線のコミュニティ」という言葉は、空虚（くうきょ）な流行語にすぎないという批判もあります。しかし「空虚」なのは、こうした言葉を使っている人たちが、その言葉を本当に大事にしていないからではありません。今後この言葉を、政策的な中身で充たしてゆく必要があるということです。それは例えば、オセティ・サコウィン族にとっての正義とは、どのようなものなのかということです。この点については、サウス・ブロンクスにおける正義についても同じように深めてゆくべきでしょう〔サウス・ブロンクスはニューヨークの、有色人種が多く暮らす貧困地区〕。また、気候変動や公害の「最前線」にいるコミュニティを、環境破壊の被害者や投資の受益者としてだけでなく、グリーン・ニューディールの立案者や推進者として考えるということが、何を意味するのかについても答えてゆく必要があります。

そこでしばらくの間、国会議事堂や政治運動から離れて、サウスダコタ州のヤンクトン保留地にあるフォート・ランドール・カジノのビンゴホールに戻りましょう。ここから出発したら、グリーン・ニューディールはどんなものになるのでしょうか？

実際のところ、グリーン・ニューディールのインスピレーションが大陸全土の先住民コミュニティにあったとは言えないまでも、その基礎となるものは以前から、そこに存在していたのです。ところが、最も関心の高い人たちも含めて、ほとんどの人はそれに着目していません。

世界最大の石油企業に立ち向かうよう最貧層の人々を鼓舞してきた価値観の中に、どんなに不利な闘いにも勝利するために必要な勇気を、私たちは見出すことができるでしょう。

私たちの抗議する権利を憲法が守っているということ、そして脱炭素化と気候変動との闘いにおいては民主主義こそが重要で強力なツールであることを、忘れるべきではないでしょう。

憲法が「地域の最高法規」と規定している条約の中に、同意なしに部族の土地を通るパイプラインを建設することはできないという、先住部族と連邦政府の間のより公正で公平な関係の基礎を見出すことができます。

〔グリーン・ニューディールは〕多人種民主主義だけでなく、多民族民主主義をも目指すべきものですから、部族の主権（ソブリンティ）を守ってきた先住民族を、運動の新たな仲間（パートナー）に加えるべきではないでしょうか。オセティ・サコウィン族はサウスダコタ州で、過去10年間に渡ってキーストーンXLパイプラインを阻止してきました。そして同じように多くの場所で、強欲と温暖化の危険なこの時代に、環境を守ることができることを、先住民族が示してきました。こうした先住民族の、生来（せいらい）の、不屈の自己決定の意志を通して、私たちはこの国を、とりわけ先住民（ファースト・ネーションズ）をはじめとする、この大陸に住む諸民族の共通の家として再定義し、再構築することができるかもしれません。

そして、大量殺戮（さつりく）を生き抜き[15]、世界の終わりを生き抜く意味を知っている先住民族の世代を跨（また）いだ記憶と経験から[16]、気候危機を生き伸びる方法について、人類はなんらかのことを学ぶことができるかもしれません。

では、先住民族のための、ではなく、先住民族と共に築くグリーン・ニューディールは、一体どのようなものになるのでしょうか？

それは、以前から存在していたものを尊重するものとなるでしょう。それは、先住部族や彼らとの条約、飲み水を提供してくれる川、呼吸する空気、私たちが作物を育て、そして死んだ後に還（かえ）ってゆく大地などを、尊重するということです。これらはずっと前から存在してきたものですが、この国では十分に尊重も保護もされてきませんでした。これらを尊重して初めて、私たちはグリーンでニューな何かを、作りあげることができるでしょう。

2月のフォート・ランドール・カジノの場面に戻りましょう。そこで私は、「聖なるものを守る国際条約」に、リロエット族（Lillooet, St'at'imc（スラトリーアム））からの唯一の参加者として、署名をするように求められました。スピーチの順番が回ってきたとき、私は5代前の先祖で、族長でもあったハリー・ナカスサ・ピーターの歌を歌うことにしました。この歌は、たくさんの外的勢力が、つまり細菌や政府、宣教師、市場（マーケット）などが、私の家族から奪い去ろうとしてきたものですが、今でも私たちはこれを記憶し、歌い継いでいます。

気候変動と戦うためには、新しいテクノロジーが必要かもしれません。バッテリーの性能向上も決して悪いことではありません。でも本当のところ、グリーン・ニューディールの大部分は、太陽や風、それに先住民の力など、ずっとそこに存在してきたにもかかわらず、その可能性がいまだに完全に解き放たれていないものの力によって、築き上げることができるものなのです。

第10章　労働者にとってのグリーン・ニューディール

メアリー・ケイ・ヘンリー

Gage Skidmore
CC BY-SA 3.0view terms
File：Mary Kay Henry by Gage Skidmore.jpg

ハリケーン・ハービーがヒューストンの街を襲った時、フランシスカ・レイエズの娘と孫たちは、暴風と豪雨によって自宅から追い出された。彼女たちは、この街で清掃員として働く祖母の元に避難したが、嵐はそのライエズ邸(てい)の屋根をも吹き飛ばし、家族みんなを大混乱に陥れた。

その17か月後、カリフォルニア州パラダイスの町が火災に見舞われた。その日の朝、ジョン・アレンは近郊のエンロー医療センターでコックとして働いていたが、病院の医師が、彼の自宅があるパラダイスに火の手が迫っていることを知らせてくれた。

ジョンは、自宅で乳がんの療養をしていた妻を助け出そうと、パラダイスに戻った。彼女は無事だったが、二人はかけがえのない家族の写真や宝物などをすべて失ってしまった。

悲劇はそれだけではなかった。彼らは、もっとかけがえのないものを失ったのだ。ジョンの義理の母は難聴(なんちょう)で、火災の避難警報が聞こえなかった。そのため、モバイルホーム〔移動式住宅〕が全焼すると、彼女も命を落とした。

労働者家族にとって何が危険にさらされているのか

フランシスカとジョンの苦難は（黒人か褐色人種か、アジア太平洋諸島の出身者か、白人かに関わらず）全ての労働者が、気候変動によって引き起こされる異常気象の被害に対して、最も脆弱であることを明らかにしている。彼らが失ったものが、気候の変化が労働者家族の生活を一変させていく中で、何が危険にさらされているのかを示しているのだ[1]。

フランシスカとジョンは、私たち米国国際サービス従業員労働組合（SEIU）の組合員だ。つまり、サービス・介護部門で働く200万人以上のSEIU組合員のうちの二人だ[2]。気候災害がテキサスやノースカロライナ、カリフォルニア、フィリピン、そしてプエルトリコを襲ったとき、当組合に所属する家族は一丸となって、壊滅的な損失を被ったフランシスカやジョンのような組合員に対して、支援と援助をしてきた。また、SEIU組合員は医療従事者や社会福祉士、動物管理官、道路整備労働者たちなので、日常業務の中で危機にいち早く対応した。私たちは、現在のように炭素が排出され続け、人類文明がこれまで適応していた安定的な気候が崩壊してしまったら、いったい何が起こるのかと問い始めている。ハリケーン・サンディによる被害の処理と復興を手伝った東海岸の清掃員や、ビルメンテナンス業の労働者たちは、海面上昇と暴風雨の威力が増した場合、自分たちの住む都市がどうなるのかを議論している。公務員や医療従事者、保育士など、カリフォルニアで従事する人々は、火事で壊滅的な被害を受けた多くの家族を目の当たりにして、「もし火事の起こるシーズンが一年中続いたらどうしようか」と話し合っている。

こうした問いがはっきりと示しているのは、働く人々の幸福や利益を得るための闘いは、地球上の幸福や利益を守るための闘いに他ならないということだ。私たちは、より多くの人々が家族を維持できる仕事（繁栄する地域社会を成長させる良質で安全な仕事）を勝ち取れるように団結する必要がある。同時に、自分たちの地域社会のきれいな空気と水を守るためにも、戦ってゆかなくてはならない。

そうして、私たちは行動を起こした。SEIUの組合員は、気候変動の不正義を正すべく動き始めた。私たちは、スダンディング・ロック・スー族の部族が住む土地にパイプラインを建設しようとする動きに対して、スー族とともに反対運動を起こした。また、ニューヨークの大規模デモではピープルズ・クライメート運動に参加した。そして2019年6月には〔ミネアポリスで開かれたSEIUの国際執行委員会で〕、北米大陸全土のSEIUの地方組織のリーダーたちは、圧倒的な賛成票をもって、グリーン・ニューディールを勝ち取るための闘いを支援することに決めた〔グリーン・ニューディール賛成決議が可決された〕。私たちの行動が前進したのは働く人々みんなが、肌の色や出身地に関係なく、健康と安全、そして経済の安定を求めているからだ。そのためには住みやすい気候、きれいな空気、きれいな水が不可欠なのだ。

気候変動はどのみち経済の仕組みを変えることになる。もし私たちが「公正な移行」のために闘わなければ、億万長者や企業の利益団体が社会の不安定さにつけ込んで、移民や、有色人種の家族や、労働組合員たちを、温暖化問題のスケープゴートにするだろう。そしてより多くの富が、さらに少数の人達の手に集中するだろう。私たちは、大企業が主導する大規模な経済変化が、何をもたらすのかを見てきた。私たちが生きるこの時代には、大企業や経済学者たちは、グローバル化された経済に移行すれば、すべての人々が利益を受けると約束していた。しかし実際には、空気や水を汚染しても咎められず、労働者にも権利がない国々へと大企業が拠点を移し、労働組合に加入できるような中産階級の仕事は破壊され、都市は空洞化してきたのだ。

ここ30年ほどのあいだに、億万長者と大企業の強力なネットワークが、巧みな法的・政治的攻撃を仕掛けて、アメリカの労働者から組合を組織する力を奪うと同時に[3]、汚ないエネルギー源を守るための闘争を展開してきた[4]。労働組合を破壊しようとする人間たちが、気候破壊を推進する人間たちと同類であることには、理由がある。彼らは労働者が、団結して組合をつくって安全な労働条件と雇用を守る力だけでなく、きれいな空気や水を、化石燃料に依存する経済からの公正な移行を要求する力を持っているということを、理解しているのだ。これらの強力な特殊利益集団は、成長する公平な経済と、持続可能な気候とは、二者択一だと主張している。しかし私たちの理解では、これらの目標を両立させる政策が不可欠なのだ。

グリーン・ニューディールは、働く人たち全員が共に進歩してゆける繁栄した国家を築き上げるために必要な、理にかなった行動である。これは、私たちの都市を住みよいものにする。そして、時代に取り残されそうなコミュニティを再建し、インフラを修復し、忘れられつつある地域を復興するために、投資を行う。そしてより良く安全な雇用を創出することで、労働者家庭の生活水準を向上させる。

SEIU は、北米最大級の働く人々の組織として、将来世代のために地域社会（コミュニティ）を守るという目標を共有する人々と、手を取り合わなければならない。

いまの経済は大多数の人々の役に立っていないので、アメリカの労働者はその航路を変えたいと考えている。30 ～ 40 年間にわたって、大部分の労働者の実質賃金は、ほとんど上昇してこなかった。その結果、今のアメリカの勤労者の中で、アメリカン・ドリームを体験できる可能性がある人の数は、きわめて少なくなった。1950 年に世帯所得の中央値を稼ぐ家庭に生まれた子どもが、30 歳までに両親以上の収入が得られるようになる確率は 80%だった。しかしながら 1980 年に同じような家庭に生まれた子どもには、両親より良い生活ができる可能性は 50%しかない[5]。

現在、アメリカの労働力の約半分は、サービス業や介護の仕事から給料を得ている。これらの仕事はアメリカ経済の中心になりつつあるが、その多くがあまりにも低賃金であり、どれだけ懸命に働いても貧困から抜け出すことは難しい。この国は、GDP の成長率でみれば経済の拡大は続いているが、6400 万人の人々がいまだに時給 15 ドル〔1650 円〕未満で働いている。連邦準備制度理事会（FRB）によれば、アメリカ人の 40%は、自動車の修理や医療費のような突然の出費をまかなえるだけの現金を、たかだか 400 ドル〔4 万 4000 円〕も持っていない。何百万人もの勤労者が、給料が少なすぎて、食料や住居に関する公的扶助プログラムの受給資格を満たしているのだ。

貧困の瀬戸際（せとぎわ）で生活している勤労者家族には、いかなる失敗も許されない。嵐や火災で職場が一時的にでも閉鎖されれば、給料が支払われず、こうした家族は食料・住宅・医薬品のいずれかを諦（あきら）めなければならなくなる。また、自然災害で住宅や自動車に被害を受ければ、長年かかって成（な）し遂（と）げた進歩が台無しになってしまうのだ。

この分断された不平等な社会の中で、有色人種のコミュニティは、差別的で怠慢な政治のせいで、自然災害や環境汚染の打撃を最初に受けるにもかかわらず、援助が届くのは最後だ。有色人種の勤労者階級の人々が住む地域では、他の地域よりも水や空気、土壌が汚染されており、黒人の子どもたちの間で、様々な疾患のなかでも特に喘息（ぜんそく）や呼吸器疾患の発生率が高くなっている。また、フリント市の水道水汚染事件は恥ずべき事例である。ミシガン州の大企業と政治家の（大部分が白人の）グループは、毒入りの水を飲まざるをえなくし、汚染水で入浴せざるをえなくするなど、勤労者階級の黒人家族の尊厳を軽んじた信じ難い行いをしてきたのだ〔財政破綻状態のフリント市は、デトロイト水道下水局に料金が支払えなくなり、やむなくフリント川から取水して水供給を始めたが、その水質が悪かったせいで水道管が腐食し、鉄サビや鉛が水道水に混入し、深刻な被害を発生させた〕。

ハリケーン・カトリーナがニューオーリンズに上陸する時にも、その後にも、防潮堤が未整備の地域に住むアフリカ系アメリカ人は、避難の際に見捨てられただけでなく、警察官に銃で撃たれることさえあった。さらに彼らは、白人の住民に比べて、再建のための支援をあまり受けられなかった。カトリーナから11年後のニューオーリンズでは、アフリカ系アメリカ人の人口が9万6千人も減少している[6]。主に労働者階級の人々が暮らすローワー・ナインズ・ワードの人口は、カトリーナ襲来以前は98％がアフリカ系アメリカ人であった。それから10年経っても、当時の人口の半分は戻ってきていない[7]。

フリントやニューオーリンズなどの都市に住む、看護師や清掃員をはじめとするサービス労働者は、将来の災害を防ぎ、汚染による被害を改善させ、家族を養える仕事のある、活力に満ちた地域社会を再構築するための政策を必要としている。グリーン・ニューディールは、その政策ビジョンの中心に人種的公平性を据え、肌の色に関わらず、すべての家族が確実に利益を得られるようにするものだ。

労働者、組合、そしてグリーン・ニューディールのビジョン

グリーン・ニューディールは気候政策であるだけでなく、アメリカの勤労者に、生活水準を向上させる力を授けるものである。そこには元祖のニューディールに触発された政策が含まれている。それらは前世紀において、自動車産業や鉄鋼業、鉱業、および繊維産業に従事していた人々に労働組合を組織する力を与えたものだ。

労働者たちは団体行動の力を活用して、工場や作業所における低賃金で危険

な仕事を、家族を維持できる仕事に変えてきた。彼らは、自分たちの仕事が生み出した利潤に対する公正な見返りを求めて戦い、賃金を引き上げ、何百万もの家族を中流階級に引き上げることに成功したのだ。また、彼らは組合を結成して大規模なストライキを実施することで、ニューディールの広範な社会改革を勝ち取るために不可欠な政治力を勝ち取った。労働組合の力によって、農業経済から工業経済への公正な移行が実現したのだ。

1953年までに、アメリカ人の被雇用者の約35%が組合に加入した。彼らがより高い賃金を求めて交渉を行うと、その利益が波及して、活力のある健全な地域社会が築き上げられた[8]。しかし、状況は変わってしまった。企業は、サービスやケアを基盤とする経済体制への移行に乗じて、勤労者たちが組合に所属し団結することを難しくするような障壁を築いたのだ。今では、アメリカの勤労者のうちで、組合に所属している人の数は11%にも満たない[9]。特にサービスやケアの仕事をしている人々にとって、組合で団結することは困難だ。議会が全国労働関係法を成立させたのはニューディールの時代だったが、この法律は家事労働者や在宅介護労働者、農場労働者の団体交渉権を認めていないのだ。彼らの権利を議会が認めなかったのは、南部の有力な白人議員たちが、そのような仕事の大部分を担っていた黒人や褐色人種の勤労者の力が強くなることを、断固として阻止しようとしたためだ。

時が経(た)つにつれて、大企業はより多くの人々を排除する新たな方法を編み出してきた。法律上の雇用の定義を積極的に改め、労働者に対して法的責任がないかのように、そして私たちと団体交渉する義務がないかのようにふるまっている。職業分類の悪用や下請(したう)け、アウトソーシング、契約社員、フランチャイズなどを駆使して、人々が実際に生活できる仕事を生み出すという責任から逃れているのだ。

SEIUの推計によれば、人種的排除と雇用の分断によって、アメリカ人労働者のおよそ45%が事実上、団体交渉の機会を奪われている[10]。

SEIUの組合員にとってグリーン・ニューディールのビジョンは、私たちがこれまで掲げてきた「万人のための組合」という政策と合致している。グリーン・ニューディールが企業に対して、私たちの共通の家〔地球〕を破壊するのをやめるよう迫っているのと同様に、「万人のための組合」は企業に対して、労働者との交渉に応じることを要求する。

グリーン・ニューディールと「万人のための組合政策」によって、私たちは元祖ニューディールの過（あやま）ちを繰り返さずに、〔誰もが〕家族を養える仕事に就ける経済へとシフトすることが可能となる。私たちは、何百万ものアメリカの勤労者たちが組合に結集できるよう規則を書き換え、これによって大企業や富裕層が私たちの民主主義や経済、そして環境に及ぼす巨大な影響力を阻止できるようにする。公正な移行を実現するために、あらゆる産業部門で組合雇用（ユニオン・ジョブ）の水準を維持し、〔離職時の〕賃金支援や医療保障をすべての人々が得られるようにし、エネルギー部門の労働者が訓練を受けて別の組合雇用に移れるようにし、すべての労働者に年金を保障する〔組合雇用（union job（ユニオン ジョブ））とは労働組合に加入できる良質の雇用のこと〕。

グリーン・ニューディールに類似したエネルギー変革においても、強力な「万人のための組合」政策の前例がある。ドイツでは労働者はすでに、労働基準に関する産業別労働協約をめぐって使用者と交渉する権利を持っている。そしてドイツではこの慣行に基づいて、汚いエネルギー源からの脱却のための長期合意を目指している。ドイツの石炭企業の代表者と炭鉱労働者、そして影響を受ける地方自治体の代表者たちが、炭鉱労働者とその地域社会を支援しつつ石炭の使用を終わらせるための長期計画をまとめるために、同じテーブルについているのだ。

アメリカでも、主要な産業部門で同じようにできるはずだ。ただし、（ひとつの企業や作業所で働く人々だけでなく）その地域や産業部門に属するすべての勤労者に、労働組合を結成して使用者と交渉する力を与えるための、「万人のための組合」政策が必要だ。これによって、その産業部門に属する全ての人々の生活水準を向上させ、給与や福利厚生を切り下げて労働者たちを互いに競争させようとする企業の試みも防ぐことができる。

組合に自由に加入できる労働者は、家族の生活をより安全なものにするグリーン・ニューディールなどの政策を実現するために、団結し、投票し、共に行動する力を持つことになる。私たちは、大企業が気候変動のコストを労働者階級のコミュニティに押しつけることを阻止するために、違いを越えて団結する力を獲得するのだ。

団結すれば勝利できる

社会運動に根ざした集団行動は、変化をもたらす最も直接的な方法だ。そしてそれが、働く人々がグリーン・ニューディールを勝ち取る手段なのだ。

2012年11月、ニューヨーク市のファストフード労働者200人の勇気あるグループが、時給15ドル〔1650円〕の最低賃金と団結権を求めてストライキに出た。これにより、「15ドルと労働組合のための闘い」と呼ばれる歴史的な運動に火がついた[11]。この運動が起きた当初は、他の最低賃金提案と比べても15ドルという金額がはるかに高かったため、人々は彼らを嘲笑した。しかし彼らは引き下がらなかった。ファストフード労働者たちの挑戦は、この国のサービス部門の仕事について常識を変え、賃金の引き上げに賛成する雇用主や政治家も現れた。

他にも、マーチ・フォー・アワー・ライブズ（March for Our Lives〔銃規制運動〕）や、ブラック・ライブズ・マター（Black Lives Matter〔黒人の人権闘争〕）、サンライズ・ムーブメント（Sunrise Movement）、女性の行進（Women's March）、そしてレッド・フォー・エド（Red for Ed〔公教育運動〕）など、あらゆる社会的・人種的集団の人々が、新たな運動を加速させてきた。今こそ、連帯の時である。

貪欲と憎悪の力が私たちを分断し、人類共通の地球を危険にさらしている今、SEIUのメンバーは傍観しているわけにはいかない。SEIUもグリーン・ニューディールを採択したことで、サンライズ・ムーブメントやフューチャー・コアリション（Future Coalition）などの若者たちの運動に合流することとなった。私たちは地球規模の気候ストライキで、腕を組んで行進し、グリーン・ニューディールと「万人のための組合」を支持するよう民主党の大統領候補者たちに要求し、私たちの運動の唱道者を政治の場へと送り出してゆく。

大地と空気、そして水が私たちをつないでいる。グリーン・ニューディールは、私たちにとって住みよい惑星や、家族を維持できる仕事を原動力とする経済、そしてすべての投票が活かされる民主主義を求める闘いに不可欠な、公平性と連帯を実現する。多数者である私たちがもっと力を付けて、共通のビジョンの下に決然と団結すれば、必ず勝利するだろう。

第三部

グリーン・ニューディールを勝ち取るために組織化（オーガナイズ）する

第11章　人々の力と政治的な力

ヴァルシニ・プラカシュ

The Laura Flanders Show
CC BY 3.0
File：Varshini Prakash 2019.jpg

2007年に私は、高校のリサイクル部に入部しようとしていた。その頃には気候変動が大きな問題だと確信していたが、それが解決からいかにほど遠いのかという実感は、まだなかった。

周りの人たちは、あまり気候変動への危機意識はなさそうだった。それでも、イリノイ州のカリスマ上院議員がテレビで、気候変動への取り組みを約束していた。それから1年も経たないうちに、そのカリスマ議員が、すなわちバラク・オバマが、民主党の大統領候補の座をほぼ手中にし、ともに気候危機を食い止めようと言った。「いま私たちがこれに取り組むことに、これと闘うことに決めたならば（…）、後からふり返って子どもたちに、この時が転換点だったんだよと（…）、海面上昇のスピードが下がり始めた時だったんだよと、話をすることができることでしょう」と明言したのだ。

私は闘う覚悟だったが、そこにはリサイクル部しかなかった。そうして私は、この世界から1本でも多くペットボトルをなくす仕事に専念した。他方では、オバマは大統領に就任すると、選挙運動中に使っていた高尚な美辞麗句から、静かに距離を取り始めた〔バラク・オバマは第44代アメリカ大統領（2009年～2017年）〕。

2009年に開催されたホワイトハウスの「グリーンチーム」のオフレコの会議で、新政権の人物は環境保護活動家たちに対して、「クリーンエネルギーの雇用」に集中してほしい、大統領が右派の批判に晒（さら）されるので、気候変動に関するメッセージを避けて欲しいと言った。その会議に出席したジェシー・トールカンは後に、「あの会議で一番はっきり覚えているのは、この、気候変動の話をしてはいけないという見解だ」と語った。ちなみにジェシーは、若者たちが主導する「エネルギーアクション連合」の代表だ[1]。

その後、米国民主党と、ワシントンDC（ディーシー）（首都）に拠点を置く環境保護団体は、妥協の戦略を追求した。彼らは「米国クリーンエネルギー・安全保障法案」という名の、いわゆる排出枠取引（キャップ・アンド・トレード）の法案を提出し、化石燃料会社と手を組んで超党派のプロセスで法案を成立させようとした。しかし、この戦略はうまくいかなかった。産業界は法案の中身を骨抜きにし、共和党は超党派のプロセスに参加せず、石油王のコーク兄弟は法案に対するティーパーティーの抗議活動に資金を提供した。一方で環境保護派は、こうした右派の反発に対抗するための大きな運動を起こせなかった。

つまり、大統領執務室にいるカリスマ民主党員（オバマ）がなんとかしてくれると思っていたリベラル派が多すぎたのだ。元オバマ政権の関係者で、革新的（プログレッシブ）な活動家であるヴァン・ジョーンズは、「私たちは、オバマを大統領にしたことで、あとはただ座って見ているだけで良いと思ってしまった。ムーブメントを作るのをやめて、ムービーを観るだけになってしまった」と言って、この大チャンスを逃したことを悔やんだ。私たちは気候を守る政治を政治家たちに任せ、そして政治家たちは化石燃料の生産増を静かに歓迎しながら、喜んで気候変動を政治課題から外してしまった。

オバマは海面上昇を止めると言っていたが、彼の政権は、石油生産量を史上最大にまで増加させた。彼は2012年の、地球温暖化によって未曾有のレベルにまで海氷が減少しているときに、アラスカのボーフォート海での掘削許可をシェル石油に与えた。オバマ大統領は、BP（ビーピー）社の原油流出事故の3週間前、新たな海洋石油掘削の開始を認めた〔シェル石油とBP社は、ともに「スーパーメジャー」と呼ばれる世界最大手の国際石油資本〕。オクラホマ州クッシングでの選挙戦で、オバマは自慢げにこう言った。「私たちは潜在的な海洋石油資源の75％以上を開発しています。地球一周をゆうに超える長さの石油・ガスパイプラインを追加ましたが、さらに…」。他方で、ヒラリー・クリントンが率いる国務省指導部も、エネルギー企業の側についてフラッキング〔シェールガス採掘〕を世界中で推進した。

こうした政治的敗北を受けて、活動家たちはオバマ大統領の２期目に向けて、政治家や化石燃料貴族たちの善意に頼らない新たな道筋を描くことにした。環境保護団体は、気候変動に対する人々の意識を高める運動が重要だととらえていた。その際、大きな課題は、具体的な連邦法案が全くない状況下で、いかにして人々に問題を認識してもらうかということだった。勇気ある草の根活動家たちの答えは、首都・ワシントンDCから出て、業界と直接闘おうというものだった。

2010年７月に排出枠取引（キャップ・アンド・トレード）法案が葬（ほうむ）られた頃には、シエラクラブのビヨンドコール（Beyond Coal）キャンペーンと地域の活動家たちは、132基の石炭火力発電所をすでに停止させており[2]、さらに数十基を閉鎖させようとしていた。2011年にはアメリカ先住民と牧場主のグループが、キーストーンXLパイプラインを阻止する運動を主導した。それに触発されて多くの地域で、パイプラインや発電所に直接抗議する地元住民のアクションが展開されるようになった。石油・ガス開発への反対運動は、とても地道で粘り強かったため、ニューヨーク州やニュージャージー州、メリーランド州、バーモント州でのシェールガス採掘の禁止と延期につながった[3]。〔国際環境NGOの〕350.orgなどの環境保護団体は、1980年代の南アフリカのアパルトヘイトと関係のある企業からのダイベストメント運動（投資撤退を求める運動）が、化石燃料産業の破滅的なビジネスモデルを非難する上で、参考になると考えた。

ちょうどその頃、私は、マサチューセッツ大学のオーガナイザーにメガホンを渡され、気が付くと広場を見渡して叫んでいた。「化石燃料産業の事業計画は、住みよい未来とは相容れません。地球を破壊することが間違っているのなら、その破壊から利益を得ることも間違っています。マサチューセッツ大学はダイベストしなさい！」〔オーガナイザーは運動を組織化するリーダーのこと〕。

私たちの短期的な目標は、大学に化石燃料関連の株式を売却させ、持続可能な投資先に変えさせることだった。だが長期的な視点でいえば、私たちは大学に対するダイベストメント運動を通じて、若い世代を活性化し、オーガナイザーとして育成することができると考えた。その過程で、科学者が安全だとする水準の５倍もの炭素を燃やすという、化石燃料産業の無謀な計画に焦点を当てた。こうした産業全体が、経営的にも、政治的にも、道徳的にも、存続不能ではないかという疑問を投げかけたのだ。

ダイベストメント運動の経験で、世界に対する私の理解は180度変わった。私は高校で、変化はゆっくりと起こるものだと、ワシントンDCにいる金持ちの白人男性の気まぐれで起きるものだと教えられてきた。しかし、社会運動の歴史に目を向ける学習を活動仲間と行っていくなかで、全く違うものが見えてきた。すなわち普通の人々や、貧しい人々、黒人、白人、褐色の肌の人々が、そして私のような女性が、自由や平等や正義を求めて団結し、社会を変革する原動力だったのだ。

また、こうした普通の人たちが勝利するのに、そんなに時間はかからないことも分かった。もちろん、あらゆる運動の勝利は、何十年にもわたる静かな準備の上に実現するもの。だが、元祖ニューディールの核となる経済的な変革や、公民権運動の大きな前進には、わずか5年もかかっていなかったのだ。

これは、若い活動家の私にとっては重要なことだ。なぜなら気候変動の解決のためには、スピードは非常に重要な要素だからだ。ビル・マッキベンが何度も言うように、私たちは急速にスピードを上げて破滅に向かっているので、ゆっくりと勝つことは負けることと同じだからだ。私たちは決然と、現状を打破しなければならない。

オバマのような民主党の政治家が、大統領就任後に、私たちの味方につくということは、もはや考えられない。そこで過去の運動の原点にかえって、人びとの力をつけることで、歴史をできるだけ早く変えていくことにしたのだ。

2015年末までに、世界最大のソブリン・ウエルス・ファンド〔政府系ファンド〕を含む400以上の機関が、化石燃料関連の金融資産のうち2.6兆ドル〔約286兆円〕を売却することを表明していた。米石炭会社最大手のピーボディ・エナジーは破産声明の中で「ダイベストメント運動が投資家たちに与えた影響」について触れた[4]。石炭や石油、ガスから投資が逃げてゆくことが、化石燃料時代の終わりの始まりを告げている気がした。私たちは自問自答をはじめた。いつになれば、このダイベストメント運動を通じて私たちが築き上げた力が全て合わさって、危機を止めるに足るような大きな政治的変化を生み出せるのだろうかと。

実際には、大きな政治的変化はすぐそこまで来ていた。だが、私たちが望んでいた方向ではなかった。

2016年に、バーニー・サンダースが気候危機を解決することは急務だと語り、何百万人もの人々を選挙運動に動員しているのを見て、私は驚き、ワクワクした。サンダースは、コーク兄弟と化石燃料会社の幹部を名指しで批判し、史上類例のない、クリーンエネルギーに対する意欲的な公共投資を公約した。だが私はそれを、いわば指をくわえて観ていただけだった。例のキーストーンXLパイプライン反対運動と、ダイベストメントによる組織化がうまくいったおかげで、若者の気候運動は最大に盛り上がっていた。しかし、私たちは生涯で最も重大な選挙で、人々の力を投票に移すための共同戦略を持っていなかったのだ。

ヒラリー・クリントンとドナルド・トランプの大統領選挙で、私たちの運動は選挙経験の未熟さのせいで再び好機を逸してしまった。私たちが選挙運動に参加したときには、もうほとんど全てが決まっていた。気候活動家たちはヒラリー・クリントンに、キーストーンXLパイプラインに反対するよう求めた。彼女はこれには多くの注文をつけた上で、賛成した。だがフラッキングの禁止を求めても、彼女はこれを受け入れなかったし、化石燃料業界からの寄付を断るよう求めても、これを拒否した。

その一方で化石燃料業界は、何十年も前から選挙や政党政治に真剣に取り組んでいた。化石燃料採掘や温暖化懐疑説にくみしない政治家を処罰し、議会のロビー活動に何億ドル〔何百億円〕も注ぎ込んで、共和党と民主党両党の政治家を買収した。

トランプが大統領選に勝利した後、化石燃料ロビーは直ちに、大量の関係者を政権に送り込んだ。それによって、気候変動に関するオバマ政権時代の成果はすぐに台無しにされた。〔トランプ政権は〕パリ協定から離脱し、キーストーンXLとダコタ・アクセス・パイプラインを承認し、数え切れないほどの気候・環境関連規制を撤廃(てっぱい)した[5]。

エクソン最高経営責任者(CEO)(シーイーオー)のレックス・ティラーソンがトランプ大統領の国務長官に指名された時には、私は胃が痛くなるほど落ち込んだ。**なぜこんなことを許してしまったのか？**　その答えは、運動の力が全く不十分だったことだ。私たち草の根勢力は、大統領選挙の局面を変えるだけの、数百万の人数には遠く及ばない。そして権力の中枢には、危機の規模に見合った解決策を唱道できる私たちの味方がいないのだ。しかし相手陣営は、自分たちの身内を権力のある地位に就けることに、真剣に取り組んでいた。私たちとは大違いだった。

結果は明らかだった。私たちの運動が、オバマ大統領の2期目に連邦レベルで獲得したものは、ほぼすべてが骨抜きにされた。

化石燃料からの脱却に向けた、政治主導の経済変革を10年で実現するには、**人々の力と政治的な力**の両方を構築しなければならない。

これはサンライズ・ムーブメントの**変革のための理論**であり、勝利のためにやるべきことの仮説だ。つまり、人々の力と政治的な力を構築してゆけば、グリーン・ニューディールを勝ち取ることができるという仮説だ。

もし私が2020年のいま、この変革のための理論を〔初めて〕読んだとしたら、こんなふうに思っただろう。「当たり前でしょう！　大きな洞察がそこにあるわけ？　人々を味方に付けて、動員して、好意的な政治家を勝たせればうまく行くって？　当たり前すぎるじゃないの」と。そうだ、直感的に理解できることだ。だがそれこそが、私たちに不可欠なことだったのだ。

トランプが大統領に当選した後、気候変動と闘おうという若者が何百万人もいることは知っていたが、何百万人の若者自身の運動はなかったと思う。十分に大きな運動を作り上げるためには、すなわち政治をひっくり返して、この国の政府に危機を阻止するための歴史的な行動をとらせるのに十分な運動を実現するためには、何千人もの人々を私たちの運動に巻き込んで、抗議活動と政治活動の両方に取り組んでもらうことが不可欠だった。挫折と敗北の年月をくぐり抜けて最終的に勝利するまでは、人びとを支援し続ける必要がある。何十万人もの若者に、何も動いていないように見える時でも、運動は前進しているんだという確信をもってもらう必要がある。そのさい、しっかりと確立された変革のための理論は、運動がつねに最終目的地を目指しているための「北極星」として役に立つだろう。変革のための理論が「当たり前」のように見えるのは、むしろ良いことだ。信頼感と説得力が高まることになるからだ。

北極星は、薄暗くて目に見えなければ役に立たないのだ。では、本当の意味での「人びとの力」とか「政治的な力」とは、いったい何なのか？　そして、自分たちが目的に向かっていることを、どうやって知ればよいのだろうか？

人びとの力

「あの調査委員会に時間をかけるべきじゃなかった」。

私の知っている学生ダイベストメント・オーガナイザーたちは、ほぼ全員がこう言って後悔していた。彼らは5人の仲間たちで集まって、大学のダイベストメントを要求した。学長は、今はやめてくれ、もっとデータをくれと言った。学生と大学側は、この問題を検討するための特別対策本部を設置することで合意した。その12ヶ月後には、化石燃料フリーの投資対象の選択肢を詳しくまとめた長文のレポートが提示された。だが、キャンペーンのメンバーは、当初の5人のままだった。学外はもちろん学内でも、化石燃料業界が犯罪的な無謀な事業を行っているということについて、聞いたことがある者は誰もいなかったのだ。運動は広がらなかった。そして当然ながら、大学側も化石燃料企業の株式売却はしなかった。それを要求している人間など、5人しかいなかったのだから。

こういう運動スタイルに染まってしまった活動家が多いのは、偶然ではない。そんなふうにするように、教えられて育ってきたからだ。スーツを着たお偉方（えらがた）に注目しろ、状況を変えられるのはその男だ、全ての事実と論拠を集めてその男を説得するのだ、という考え方だ。この考え方は、私たちの社会では非常に強力で、「人びとの力」のためにやっている社会運動でさえ、変化を起こすための「人びとの力」を簡単に忘れてしまう。だからこそ、北極星としての変革のための理論は、極めて明瞭で、極めて明るくなければいけない。繰り返し何度も確認して、すべての活動メンバーが暗唱できるようにしなければならない。

さて、明るく明瞭な北極星は、「抗議活動をオーガナイズし続けよ」というよりも、もっと具体的でなければならない。若い活動家たちが困難を乗り越えて行けるようになるためには、「人びとの力」の測定方法を理解する必要がある。

以下のように、人びとの力を二つの要素に分解して、それぞれの進展を測定するのだ。

1　私たちの大義に対する消極的支持が、多数派へと拡大しつつあること（世論調査などの指標に現れる支持）
2　積極的な支持基盤の拡大（運動のリーダーやメンバーが、抗議活動や投票、相手陣営への非協力、発言などの行動を、何度も起こすことによって示す支持）

たとえスーツを着た男たちが、何度も何度も私たちの要求を拒否したとしても、人びとの力を十分に蓄えてゆけば、それは勝利への道につながる。多数派の支持を増やし、また支持基盤を拡大してゆけば、勝利に向かって進んでいる。なぜなら、ただちに要求が通らなくても、勝つまで仲間を増やし、支持率を上げて戻ってくることができるからだ。

人びとの力　その１：多数派の支持を保つこと

法律を変えるためには、過半数の支持を獲得しなければならない。広範な人々の支持は、勝利の十分条件ではないが、必要条件である。オバマ時代の運動の大躍進は、人々が大義を支持したことによって初めて起こったのだ。

オバマ大統領は在任当初、同性婚には否定的だった。しかし2011年に、世論調査で初めて大多数の人々が平等な結婚の権利を支持していると判明するや、オバマも同性婚への支持を表明したのだ。オバマの「進化」は氷山の一角に過ぎない。2010年から2014年にかけて、数多くの政治家が次々と立場を変え、いくつもの州が次々と同性婚を合法化していった。それも法廷を通じてではなく、いわば投票箱を通じて合法化していったのだ。ジャーナリストのリチャード・キムは2013年に、「同性婚が勝利したのは、法的議論の場で説得力が強まったためではなく、戦場が法廷から大衆世論へとシフトしたためだ」と述べた[6]。

移民法改正への支持についても、同じような変化が起こった。オバマ大統領が未登録移民の若者に就労許可を与えることに決めたのは、2012年のことだ。2005年時点では、未登録移民に就労許可を与えることへの世論の支持はわずか32％だった[7]。そこでユナイテッド・ウィ・ドリーム（United We Dream）

などの組織が、若年移民の問題にスポットライトを当てようと、何年にもわたって精力的に活動を続けた。その結果として、2012年6月にオバマ大統領が、若年移民に対する国外強制退去の延期措置（DACA）を導入したのだ。その月の世論調査では米国民の7割近くがその政策を支持した[8]。

ところで本稿はグリーン・ニューディールを勝ち取ることがテーマなので、元祖ニューディールも幅広い支持によって支えられたのか、という疑問に答えておこう。米国で世論調査が始まったのは1936年のことだ。だが、その調査に代わるテストとなるのが、1934年の中間選挙と1936年の大統領選挙だ。これによって、当時の米国民が、フランクリン・デラノ・ローズヴェルト〔第32代アメリカ大統領（1933年～1945年）〕とニューディール政策をどう評価したのかがわかる。中間選挙ではふつう、大統領のいる与党側がほぼ必ず議席を失うので、1934年の中間選挙で民主党がいくつか議席を失ったとしてもおかしくなかった。だが、この年には民主党が地滑り的な勝利をおさめた。フランクリン・デラノ・ローズベルトによる前代未聞の経済復興計画に対する、人々の幅広い支持が裏付けられたのだ。これが1935年の第二次ニューディールへの扉を開くことになった〔1933年のものが、第一次ニューディールと呼ばれる〕。ここで例えば、労働組合の権利を拡大するワグナー法が成立し、社会保障制度（Social Security）が創設され、公共事業促進局（WPA）が設置された。

運動が掲げる要求は真実かつ正義かもしれないが、議員たちが世論よりも先を行くことはほとんどない。大半の政治家は、有権者の大多数に逆らうことのコストを嫌っている。そこでサンライズ・ムーブメントは、グリーン・ニューディールに対する受動的多数派の支持を獲得し、それを維持することを北極星の一部分とした。すべてのアクションと、すべてのキャンペーンにおいて、短期的な勝敗にかかわらず、グリーン・ニューディールの支持が拡大しているかどうかを確認しているのだ。

人びとの力　その2：活動的な支持基盤

半数以上の米国民を味方につければ勝てる、というのが結論だったら有り難いのだが、現実の民主主義ではそうはいかない。

2019年5月には、米国民の63％が「エネルギー効率の高いインフラとグリーン・ジョブに公共投資をして気候変動に対処するグリーン・ニューディール」に賛成している。しかし残念ながら、好意的な世論調査データだけでは、世界で最も裕福な大企業群の抵抗を打破することはまず不可能だ。多くの政治家は、優先順位の低い問題に対する大衆の幅広くも大人しい支持と、数百万ドルの選挙資金を天秤にかけて、おカネを選び、人々を無視する。米国民の75％が富裕層への課税を望んでいるのに、課税反対ロビイスト軍団が動いて、企業や富裕層のための減税を何度も勝ち取っている[9]。米国民の65％以上が、突撃銃と大容量弾倉の禁止を支持しているのに、全米ライフル協会（NRA）は、少数派ながらも執拗に銃規制に反対する有権者を動員して、銃規制派の政治家や法律を打ち破るためのキャンペーンを着実に展開してきた[10]。

革新派のご多分にもれず、気候活動家もつねにおカネに困っている。イェール大学の2018年の報告書によると、2000年から2016年の間に「化石燃料産業や運送会社、電力会社等は、再生可能エネルギー関連企業や環境保護団体に比べて10倍もの資金を」政治家に対するロビー活動に投じていた[11]。

2009年に米国で排出枠取引法案が採決されたときには、小規模だが声が大きく資金力のある派閥が、幅広いが消極的な人々の支持を踏みにじった。この法案が葬られた後に、政治学者のシーダ・スコチポルは、米国気候行動パートナーシップ（USCAP）という名の、運動を主導した連合体の戦略を詳しく「解剖」した。USCAPは、国民世論の消極的支持を喚起するために広告に数百万ドルを費やし、超党派の支持を勝ち取るために環境保護活動家と企業との妥協点を模索していた。しかし、USCAPに所属する化石燃料企業の幹部たちは裏切って、法案に反対するロビイスト企業と協力すると同時に、この法案を「できるだけ自分たちの業界に有利な」ものにしようとしていた。

環境活動家たちは上院に回された法案についての賛成論を唱えつつも、自分たちが準備不足のまま戦いに突入してしまったことを実感した。彼らは法案を議会で成立させるために、国民世論の消極的支持と、ワシントン内部のインサイダー連合の力だけに頼っていたのだ。他方、反対派は法案阻止のために、政治献金のアメとムチを持っていただけでなく、何千人もの業界ロビイストや、法案阻止のために動くティーパーティー活動家を活用できた。かくして環境活動家は敗れた。スコチポルは今後のキャンペーンのために、次のような明確な警告を発した：

> 激しい政治的抵抗に対抗するためには、改革者は組織的なネットワークを全国で構築し、(...) 足並みをそろえて政治的な努力を続けるべきだ。(...) 社会を変える大きな改革は、(...) いかに鼓舞され、外部から活力を受けられるかに掛かっているが、それは広く張り巡らされた組織と、幅広い民主的な運動によって得られるものだ。
> 　右派のポピュリストやエリートの勢力に対抗するためには、気候変動に取り組む幅広い大衆運動をつくるしかない[12]。

ジャーナリストのデヴィッド・ロバーツも、スコチポルと同じように注意を促した。

> 環境活動家たちは全国世論調査から、聞きたいと願うお告げを聞くことができる。なぜなら、大多数の人々はいつだって、きれいな空気やクリーンエネルギーには賛成だからだ。だが、環境活動家たちは世論調査の結果を、政治家に対する有権者の支持と勘違いしている。世論調査に答えた人が、政治家との対話集会に来たり、連邦議会の候補者に投票したりしてくれるわけではないのだ。
> 他方で、右派においては、ティーパーティー運動はよく組織され、声が大きく、信じられないほど情熱的だった。いつだって、情熱的で活動的な支持基盤が、浅く広い人々の支持を打ち負かす［傍点は筆者］。政治家を動かす手段は、熱心な支持基盤をつくることであって、世論調査ではないのだ[13]。

明らかに、政治家を突き動かすためには、熱心な支持基盤が必要だ。だが、具体的に何人いればよいのだろうか。それには政治学者のエリカ・チェノウェスとマリア・ステファンの推定値が、もっとも妥当と思われる。彼らは1900年から2006年のあいだに行われた、政権の打倒や自国の解放を求めるためのあらゆる運動を、非暴力的なものも暴力的ものも含めて数多く調査した。そして運動の手法や、参加者数の人口比、そして運動の成否を評価した。その結果は以下の通りだ。

非暴力的なキャンペーンは「暴力的な反乱に比べ、およそ2倍の確率で成功」した。そして「人口のうちのほんの3.5％以上が積極的かつ持続的に参加するようになった運動で、失敗したものは1つもなかった[14]」。人口の3.5％といえば、今のアメリカなら1100万人ちょっとだ。

「積極的かつ持続的」がキーワードだ。この研究結果は、1100万人規模のデモを1回やれば勝てるとは言っていない。自由と解放を求める運動において、ボイコットやデモ、ストライキ、市民不服従行動、そして選挙運動などの組織的な非暴力活動に、人口の3.5％以上が粘り強く取り組んだときに、体制を打倒することができるということだ。非暴力の運動に多くの人々が参加し続けたとき、一般大衆が運動の支持者に変わり、体制への非協力（と、やがてそれ以上の行動）によって、旧態依然とした社会に終止符を打つのだ。

化石燃料によって動く経済や政治体制変革にさいして、私たちが直面する計り知れない困難は、独裁者の打倒を試みる場合と（全く同じとは言えないが）類似している。1100万人ものアメリカ人の参加が必要かといえば、おそらくそうだろう。最低でも数百万人は必要だろう。グリーン・ニューディールを勝ち取るためには、何度も戸別訪問をしたり、頻繁に職場や学校でストライキをしたり、繰り返しデモを組織してくれる、運動の基盤となる人々が必要だ。私たちは、つねにその基盤を拡大させ、数の上で反対派を凌駕（りょうが）しなければならない。

だからこそ、私たちの「北極星」は、多数派からの消極的支持を保つことに加えて、活動的な支持基盤を拡大することを掲げている。グリーン・ニューディールを勝ち取るために持続的な行動を起こしてくれる人の数を数百万人規模に、そして最終的には1100万人以上に増やすということだ。

積極的支持基盤を動員して大勝する

要するに、グリーン・ニューディールを勝ち取るためには、過半数の消極的支持と、積極的支持基盤の拡大が必要だ。多くの運動の勝利は、権力者に対して声を大きく上げて、何度でも立ち向かっていく積極的支持基盤によるものだ。2009年には右派のティーパーティー運動が、活発で声高な支持基盤を動かして市議会の議場を襲撃し、オバマ政権の計画を阻止した。インディビジブル（トランプの当選後に立ち上がった草の根運動）は同様の戦術で、医療保険制度改革法〔いわゆるオバマケア〕を守り、共和党の廃止案に反対するよう議員たちに粘り強く圧力をかけている〔Indivisible（インディビジブル）は「分断させない」という意味。2016年に反トランプの草の根運動として設立され、2018年の中間選挙では民主党の勝利に影響を与えたとされる〕。

防衛戦を制すためには、積極的で激しい支持基盤だけでも十分だ。

だが、私たちの戦いは防衛だけではない。法案ひとつを阻止するだけではない。私たちは、前例のないスピードで地球を温暖化させる汚染物質を削減すべく、10年以内に経済と社会全体を作り変えるために、いくつもの法案を可決させなければならない。しかも、反対陣営は、地球上で最も裕福な大企業だ。

ここでヒントになるのが、強力な反対陣営を打ち破って歴史的な改革を勝ち取った運動だ。なかでも公民権運動は、政府も無視できないような形でモラル・クライシス（道徳的危機）に火を付けるものだった。

モラル・クライシスに火をつける

2015年の時点では、米国民のうちで地球温暖化を国の最大の脅威としてあげた人たちは、2%だけだった。地球温暖化はトップテンにも入らなかったのだ。米国民の大半が、地球温暖化の脅威が事実だと信じていなかったわけではない。遠い未来の脅威だと考えていただけだ。ちなみに、その回答者たちに「世界がいま直面している問題で、対策をとらなければ最も深刻となる問題は何だと思いますか」と質問したら、気候変動だという回答がトップだった。

私たちは気候危機とグリーン・ニューディールを、多くの人々や政治家たちにとっての、否定しようのない、緊急の、現在の問題にしてゆかなければならない。暴風雨や火災、洪水などの被害が深刻化すれば、気候危機が国の課題のトップに浮上するだろう、という考え方はできない。私たちの運動は、モラル・クライシスに火をつけるべきだ。それも、政治家たちにとって、こちらの側につくしかないような危機のことだ。私たちの側についてグリーン・ニューディールをつうじて住みやすい未来を実現するのか、それとも化石燃料会社の経営者たちの側について破滅を招くのか、という選択を迫るのだ。

モラル・クライシスを引き起こすためには、暴力や不平等や抑圧といった権力者がずっと隠蔽（いんぺい）し固定化させてきた不正義を、運動によって可視化させなければならない。

公民権運動は、命をも奪われるような暴力と抑圧に立ち向かい、歴史的な大衆運動と抗議活動を通じて人種的正義を国家の重要課題にまで押し上げ、最終的には公民権法と投票権法を可決させた。〔アラバマ州の〕バーミングハムとセルマでの運動は、その非暴力大衆運動の規模の大きさと、道徳的なメッセージの明確さの点で、他の抗議運動とは一線を画するものであり、結果として、国家の良心と政治に大きな影響を与えることとなった。

1963年のバーミングハム運動は、市内の黒人に対する隔離政策と差別の撤廃を求めて4000人以上が街頭でデモ行進をし[15]、3500人の逮捕者を出して市内の刑務所を満杯にした。その夏、非暴力の轟（とどろ）きが全国に響きわたった。10週間のうちにアメリカの186の都市で、750以上の公民権デモが行われ、1万4733人が逮捕された[16]。

歴史家のアダム・フェアクロウは、抗議がさらに拡大するという見通しから、大統領官邸は政策転換を余儀なくされたと述べている：

> 2年ものあいだロバート・ケネディ［司法長官］は、それぞれの人種的反乱に対して、その場しのぎの対応を試みてきた。しかしバーミングハム運動によって彼はついに、連邦政府がより根本的な政策を取らない限り、人種差別に対する反乱が同じような頻度と規模で繰り返され、政権は打倒されてしまうと確信した[17]〔ロバート・ケネディは、第35代アメリカ大統領ジョン・F・ケネディ（1961年～1963年）の実弟で、同政権の司法長官（1961年～1964年）〕

バーミングハムや全国各地で行われた、人種隔離に対する抗議行動は、この問題の緊急性を劇的に高めた。「ギャラップの世論調査では、公民権を国の最重要課題として選択した人の割合は（…）春先の4%から、初夏には52%へと[18]」上昇した。わずか3ヶ月ほどで、運動が掲げた要求が、国の緊急課題となったのだ。

バーミングハム運動から1カ月後、テレビで国民に向けて演説したジョン・F・ケネディ大統領も、国民の優先順位に地殻変動が起きたと語った。「バーミングハムや各地での出来事は、平等を求める世論を沸騰させて、もはやどの都市や州も、立法機関も、その声を黙って無視することは許されません。（…）私たちは国としても、国民としても、道徳的危機に直面しています。（…）連邦議会でも、州や地方の議会でも、行動が求められているのです[19]。」

大統領は速やかに、その年の初めに提案したものよりもずっと強力な公民権法案のパッケージを議会に送った[20]。

マーティン・ルーサー・キング・ジュニア牧師は、著書『良心のトランペット』の中で、これらの勝利を振り返り、差別や権利剥奪（はくだつ）の法的解決策はバーミングハム運動の前から知られていたし、〔法案も〕起草されていたが、運動によって紛れもないモラル・クライシスが引き起こされてはじめて、法案の成立が可能に、そして必然になったと説明した。

> 公民権委員会は、まさに我々が要求していた権利を求めて、変化を呼びかける強力な文書を書いていた[21]。しかし、委員会の報告書に対して何らかの行動をおこした人間は誰もいなかった。我々がまさにこの問題について行動を起こし、国際世論の審判の前で、迅速な変革が必要だと訴えるまで、何も行われなかったのだ（…）

特筆すべきは、バーミングハムの黒人リーダーたちの規律と勇気、それに戦略的決断力が、長年の闘争と何百もの地域運動で磨かれてきたことだ[22]。1960年および1961年の、学生主導の座り込み運動だけでも、南部全域で5万人が参加した[23]。大きな運動の背景には、たくさんの失敗や、長年の苦闘がある[24]。失敗を教訓として、大衆性と正義性を薄めることなく、メッセージと戦略を研（と）ぎ澄（す）ませて行けば、大きな変化を急速に起こすことも可能だ。大規模な非暴力闘争は、敵陣営が私たちを抑え込むために使ってきた欺瞞（ぎまん）のベールを破り、ものの数ヶ月のうちに国の政治の優先順位をひっくり返すことができる。

その際、意思決定者に言うことを聞かせるためには、道徳的な説得だけに頼る必要はない。庶民である私たちの日常生活の中にこそ、社会を変える力があるのだ。もし私たちがその力を利用すれば、社会に急ブレーキをかけ、要求を呑ませることができる。ちょうど1930年代の労働者が、画期的な法案を勝ち取ったように。彼らは、膨大な数のストライキを成功させ、連邦政府が組合代表権と団体交渉の永続的な権利を与えざるを得なくさせたのだ。

大衆の非協力闘争：人びとの力の究極の武器

化石燃料の最高経営責任者とその仲間たちに挑むとなると、ディズニー映画の「バグズ・ライフ」の1シーンが頭に浮かぶ。バッタの首領（ドン）のホッパーは、アリの集落を支配し搾取しているが、一匹でもアリが立ち向かってくれれば、バッタの支配が脅かされると恐れている。それを説明するために、ホッパーは子分たちに小さな穀物を一粒投げつけて、痛いかと尋ねる。子分たちがくすくす笑うので、ホッパーはもう一粒を投げつける。子分たちはそれをも笑い飛ばすので、ホッパーはコンテナ一杯分の穀物をかぶせて子分たちを生き埋めにし、重要な教訓をたたき込んだ。「アリ一匹でも反抗を許したら、全員が立ち上がるかもしれんのだぞ。ちっぽけなアリでも、数はオレたちの百倍だ。ヤツらがそれに気付いたら、オレたちは終わりだぞ！」

ホッパーは残酷な支配者だが、権力をよく理解している。

私たちの経済や政府、社会全体は、私たちが働き、学校に行き、税金を払い、ゴミを拾うといった、何千もの日々の小さな行動の積み重ねによって普通の状態が保たれている。私たちの協力が、全ての基盤なのだ。しかし、ホッパーが悟ったように、私たちアリがひとたび協力するのをやめれば、とてつもない力を発揮する。

ジーン・シャープは、市民による非暴力抵抗運動の先人の一人だが、20世紀における成功した解放運動を研究して、ホッパーと同じ結論にたどり着いた。すなわち、普通の状態は、大多数の人が文句を言わずに働くことによって成り立っており[25]、普通の人々がいつもの仕事をストップしたとき、歴史の流れが変わるというのだ。なにしろ教師だって、誰もいない部屋で授業はできない。

大衆の非協力闘争は簡単なことではない。大規模な集団行動によって社会参加をストップさせるためには、人の心を動かすだけでなく、協調的で組織的な力をふるわなければならない。この非協力闘争は、しばしば運動が採用する最終戦術であり、成功の可能性が最も高いものだ。

かつてのニューディールを勝ち取る闘争において、労働者がやった非協力とは、ストライキのことだ[26]。今ちょうど何百万人もの学生たちが、気候変動対策を要求して授業をサボっているのと同じ種類の非協力のことだ。1934年、ストライキの波は「国を震撼させ」、ローズベルト政権を「パニックに陥れた」と、歴史家のウィリアム・ルクテンバーグは書いている[27]。その年、約150万人の労働者たちが、サンフランシスコやミネアポリスのゼネラルストライキ（全産業に影響するシャットダウン）を含む、およそ1900回のストライキに参加した[28]。

歴史家のスティーブ・フレイザーによれば、社会保障（Social Security《ソーシャル セキュリティ》）の成立のほか、雇用対策局や農村電化事業団の設立に至るまで、「改革の全盛期に実現したとされるニューディール関連法のいずれの部分も」、「実際には民衆の反乱が生み出した成果だった[29]」〔雇用促進局（Works Projects Administration《ワークス プロジェクツ アドミニストレーション》）と農村電化事業団（Rural Electrification Administration《ルーラル エレクトリフィケーション アドミニストレーション》）はローズベルト政権のニューディール政策の一環として1935年に設立された〕。前例なき労働者たちの反乱は、議会においても労働者寄りの民主党の力を強め、「彼らは今や、より説得力をもって、強力な対策によってのみ安定を取り戻すことができると主張できるようになった」[30]。ルクテンバーグの記述によれば、当時の多くの政治家が異常に急進的だと考えていたワグナー法までもが議会で可決され、労働組合と団体交渉権の法的基盤が確立され、「工場内での組合結成を平和的に受け入れるよう使用者に強制した[31]」。

当時、ニューディールを求めた労働者のストライキがワグナー法を可能にしたように、今日の学生や労働者のストライキもグリーン・ニューディールを可能にする。15歳のグレタ・トゥンベリは2018年8月、国会前での抗議のために学校をサボり始め、そのわずか1年後には学校での気候変動ストライキが、世界的な若者の運動にまで拡大した。2019年9月20日、世界中の700万人の若者が学校や職場を抜けて街頭に出た。私もそのとき、子どもたちの川のように長い隊列を見渡しながら、ニューヨークのストリートを歩いた。そして、集会の壇上で、私たちの世代が主導権を握ると言った。また、このストライキこそが気候変動を止めグリーン・ニューディールを勝ち取る道だと発言した。

> 生き延びたければ、私たちが率直に認識しておくべきことがあります。私たちの運動がいくら大きいと言っても、必要な人数のほんの一部です。勝つためには、何千万人のアメリカの人々が、一緒に街に出てくれないといけません。そして、勝つためには何度も繰り返し、社会を、さらには経済を、停止させないといけないのです。

まだアメリカの人々には、そのような運動に参加する準備はできていないだろう。しかしイェール大学が2013年に、つまり気候変動が大統領選の中間選挙の重要争点になるずっと前に発表した研究によれば、「米国民の4人に1人は、地球温暖化を悪化させる企業や政府の活動に対して、市民の非暴力的な不服従行動に取り組む組織を支持し（24%）、およそ8人に1人が個人としてそうした活動に関わりたいと考えている」[32]。

2013年で8人に1人だ。今こそ組織化を始める時だ。

私たちの課題は、これだ。グリーン・ニューディールへの過半数の支持を取り付ける運動だけでなく、モラル・クライシスに火を付け、勝つまで闘える多様なリーダーや活動家を増やし続ける運動をつくることだ。人びとの力とは、そういうことだ。1100万人の街頭ストをやってみて、うまくいくか試してみよう。

政治的な力

2016年にバーニー・サンダースが台頭し、ドナルド・トランプが大統領選で勝利するまでは、私が参加していた運動でも、政治家なんて風見鶏（かざみどり）のようなものだ、世論の風向きに応じてクルクルと立場を変えるものだと考えられていた。だから、人々の運動は風向きを変えれば勝てると思い、いちばん錆び付いた風見鶏の向きだって変えられるように、強い風を起こそうと努力していた。

しかし、私は考えを改めざるを得なくなった。バーニー〔サンダース〕の選挙運動が「過激」な思想を政策提言に変え、何百万人もの人々を鼓舞し、政治的可能性の窓を広げていたからだ。全ての政治家が風見鶏だというわけではない。何人かは政策の唱道者(チャンピオン)なのだ。運動が風を起こすのと同じように、政策を打ち出して天候を変えることができる人たちなのだ。

当たり前のことだが、あえて書いておこう。経済を脱炭素化し、何百万人もの雇用を創出するための法案を成立させるためには、法案を提出し、忍耐強く賛成論を語る議員が、最低でも一人は必要だ。そして、その法案に賛同し、一緒に肉付けし、仲間の議員たちを粘り強く説得して賛成票を投じさせてくれる政治家たちも、何人かは必要だ。経験豊富で献身的な議員たちを味方に付けなくても法律が作れるほどに、強力な草の根運動など存在しない。だからこそ私たちの北極星は、政治的な力を獲得するために、政策実現を熱烈に支援してくれる唱道者を十分な数だけ獲得せよと語っている。化石燃料企業のCEOの代理人ではなく、私たちの代表者で、連邦から州議会、市議会に至るまで、あらゆる権力の場で、グリーン・ニューディールのために勢力を結集してくれる政治家たちが必要なのだ。

サンライズ・ムーブメントが始まった時から、気候政策の唱道者の選定基準を高くしていく必要があることは分かっていた。2016年の大統領選挙では、科学が示す気候危機の現実にほんのちょっとでも合致したプランを打ち出した候補者は、誰もいなかった。ヒラリー・クリントンは、発電量に占める再生可能エネルギーの割合を2027年までに33%にすると誓ったが[33]、ダコタ・アクセス・パイプラインなどの化石燃料インフラ事業の建設中止に関わることは拒んだ[34]。バーニー・サンダースは、フラッキングを禁止することを誓い、気候変動を「私たちの惑星が直面している最大の脅威」と名付けたが、彼の長期計画もクリントンと同様〔に悠長なもの〕で、2050年までに炭素排出量を80パーセント削減するとしていた[35]。この計画では、2015年のパリ協定で合意された目標は大幅に超えてしまう。クリントンの政策もサンダースの政策も、何百万人への死刑宣告になってしまう。

だが、2016年にはまだ、それらの政策も野心的とみなされていた。それどころか、「科学は真実だ」と言ってくれる議員がいれば、それだけで満足する環境保護団体があまりにも多かった（今でも少なくないのだが）。こういうグループの政治権力に対する考え方は、要するに、〔誰でもいいから〕民主党議員を一人でも多く当選させろ、政策決定者との縁が切れるといけないから民主党議員をおいそれと批判するな、というものだ。

当然ながら、民主党支持者の期待が低いせいで、民主党が気候危機の規模に見合った解決策を出すよう迫られることもなかった。ジャーナリストのロビンソン・マイヤーは2017年に、「びっくりするほど民主党は気候変動との戦いの準備ができていない」と題した記事で、党のアプローチに大きな欠陥があることを指摘している。

> 民主党は気候変動に対処する計画を持っていない[36]。（…）起こると分かっている問題に対処するために、合意された法案もない。その法案がどんな形になりそうかというビジョンさえも共有できていない。「メディケア・フォー・オール（Medicare for All）」に似た、地球温暖化をどうやって食い止めたいのかを表現するスローガンもない〔メディケア・フォー・オールはサンダース候補などが掲げた国民皆保険制度のスローガン〕

今では、下院議員のアレクサンドリア・オカシオ＝コルテス（AOC（エーオーシー））の例があるので、唱道者とはどんな人なのかが理解しやすくなった。AOCは、党首脳部の方針に照らして自分の政策を決めるのではなく、科学的な現実と、弱者を守るためという道義とに照らして判断する。そして、「共感してあげる政治家」といった距離を置いた立場ではなく、草の根運動の一員のように行動し、発言している。

2018年の秋、私たちがナンシー・ペロシの事務所で座り込みを行う日の前夜、AOCはテーブルの上に立って、行動に備える200人の若者たちに言葉をかけた。

> このムーブメントは、スタンディングロックから始まりました。

私が、〔抗議活動の様子について〕証言をしたことから、また、
私たちの将来を守るために、自分の命と体とを進んで投げ出す人たちと、
肩と肩を合わせて、抵抗の意志を示したことから始まったのです（…）
この運動に参加し、たいまつを受けついでくれてありがとう。
こうして私たちは、ここまで来ることができました。
つぎは、みんなでドアを叩き破りましょう。
これからのことは、全てが、私たちに懸(か)かっているのです。
〔スタンディングロック居留地を通るダコタ・アクセス・パイプライン建設は、アメリカ先住民（スー族）と市民団体が共闘して、2016年に中止に追い込んだ。〕

唱道者とは、こういう人のことだ。

AOCは翌日の座り込みにも参加し、3ヶ月後には議会にグリーン・ニューディール決議案を提出した。1年もしないうちに、民主党の主な大統領候補者の政策には、グリーン・ニューディールの文言が見られるようになった。バーニー・サンダース候補は、2030年までに電力と交通を100%再生可能エネルギーにすることを誓った[37]。エリザベス・ウォーレン候補は、10年間の総動員によって、2030年までに経済全体のカーボンニュートラルを達成すると約束した[38]。予備選挙において、政策やイデオロギーがダントツに希薄だったジョー・バイデンでさえ、オバマ政権の気候変動防止計画の不十分に繰り返し言及しつつ、2050年までにネットゼロ排出を達成するための、1.7兆ドル〔187兆円〕の計画を提案した[39]。

気候変動論争の前提が、たった1年で大きく変わるのを、私たちは目(ま)の当たりにした。これは、人々の力を呼び起こす何千何万もの若い活動家たちがいなければあり得なかったことだ。だが、アレクサンドリア・オカシオ＝コルテスや、エド・マーキー、ラシダ・タリーブなど、唱道者となってくれる議員たちも不可欠だった。彼らはグリーン・ニューディールを前に進めるために、すすんで議員としての力を発揮してくれたのだ。

エド・マーキーの例は、革新派(プログレッシブ)の気候政策のハードルを高くすることによって、民主党主流派の議員たちを刺激し、唱道者に進化させることが可能なこと

を示している。マーキー上院議員は古くから、気候変動問題については議会のリーダー的存在であり、2009年には排出枠取引のための「ワックスマン・マーキー」法案にその名を刻んだこともあった。この法案が否決された後は、マーキー上院議員には気候政策を牽引（けんいん）する力がなくなった。だが、2018年後半にグリーン・ニューディールが台頭すると、これは彼にとって追い風となった。彼は熱心にグリーン・ニューディールを採り入れた。それがワックスマン・マーキー法のような市場志向の政策とは根本的に違っているにも関わらずだ。そして彼は間もなく、グリーン・ニューディール決議の上院における主要提案者となった。

抗議活動を生かして世論を変えることは重要だ。そのことが、グリーン・ニューディールを唱道してくれるマーキー上院議員のような人たちを増やすきっかけになるからだ。だがそれ以外に、サンライズが政治的な力を高める主な方法は、グリーン・ニューディールについて若者に話をした上で、議会で私たちの唱道者になってくれる候補者を当選させるために、選挙運動に取り組むことだ。そしてたいていは、自分たちの団体だけでそれに取り組むわけではない。

2018年、サンライズ・ニューヨークは、地元地域が主導する強力な連合体に参加し、何百人ものボランティアを組織して、何千件もの戸別訪問を行い、独立民主会議（IDC（アイディーシー））を追放しようとした。IDCとは、州上院でいつも共和党員とつるんでいる保守系民主党議員集団のことだ。戸別訪問を行った小規模軍団は、複数の選挙戦で変化を起こし、IDCのメンバーを落選させることに成功した。2019年に革新派の上院議員たちが新たに就任すると、彼らはニューヨーク・リニューズ連合のコミュニティ組織と協力し、州レベルの気候政策の中でも最も強力な「気候リーダーシップ・コミュニティー保護法」を成立させた。

メイン州の農村部では、26歳のクロエ・マクシミンは、経済的な課題と気候変動問題に同時に取り組む方法があることに気付いた。2018年の州議会選において彼女は、民主党議員を一度も選出したことのない農村の選挙区で、選挙活動をうまくやり遂げた。彼女は議員に就任すると、メイン州のアメリカ労働総同盟産別会議や、シエラクラブメイン、サンライズ・ムーブメントなどの労働組合や環境保護団体と協力して、強力なブルー・グリーン連合を構築した。

2019年の春には、彼女が策定した州レベルのグリーン・ニューディール政策は、全米で初めて労働組合の支持を得るものとなった[40]。そして、その年の6月に州法として成立した。

率直に言って、私たち若者軍団の選挙への貢献度は、労働組合や旧来の環境保護団体に比べればそれほど大きくない。私たちは、数千人の「地上軍」を擁しているだけだが、重要な選挙では、大物政治家は10万ドルから100万ドル〔1100万円から1億1000万円〕の広告費を使っているのだ。しかし、一票一票が大切であり、重要な選挙戦は僅差で決着することも少なくない。IDCメンバーへの対抗馬として、サンライズ・ニューヨークが推薦したゼルナー・マイヤーとアレッサンドラ・ビアッジの2人は、4000票ちょっとの差で予備選挙を勝ち抜いたが[41]、それぞれの選挙戦でサンライズのボランティアが固めていた票が、4,000票以上だった。マクシミンはわずか220票の差で共和党の相手を破った[42]。私たちの活動が、唱道者を議会に送り込む戦いにおいて、接戦での勝利に貢献できるのであれば、やりがいはある。

投票用紙に唱道者の名前が書かれていれば、選挙運動もやりやすい。難しいのは、グリーン・ニューディールのような政策を練ってきた候補者や、真実を語る候補者が一人もいない場合だ。政治は厄介なものなので、一連の明確な政治原則を示して、政治との関わりで道を踏み外さないようにしている。自分たちの政治的な力を最大化するという北極星に注目しつつ、運動を続けるのだ。

第一の政治原則は、「私たちはグリーン・ニューディールを支持し、化石燃料企業の億万長者の代表ではなく、私たちを代表してくれる政治家を支持します」というものだ。候補者たちが、大手石油会社からの資金提供を拒否する気がないというなら、彼らが誰を代表したいのかがよく分かる。私たちは候補者たちをテストするために、NO化石燃料マネー誓約書（No Fossil Fuel Money Pledge, NFEM Pledge）の推進運動に参加した。これは「石油・ガス・石炭産業の幹部やロビイスト、および政治行動委員会（PAC）からは200ドル〔2万2000円〕以上の寄付を受け取らず、化石燃料産業の利益よりもこの国の家族や気候、そして民主主義を優先します」という誓約を迫るものだ。2018年の選挙期間中、1300人の候補者が誓約書に署名し[43]、投票日には700人の「化石燃料フリー候補者」たちが投票用紙に名前を記されることとなった[44]。

第二の政治原則は、「是々非々の態度を保つこと（No permanent friends, no permanent enemies）」だ。これは、英雄崇拝や怨恨を防ぐためのものだ。候補者が前進しているのか後退しているのか問わずに、過去の記憶からその人に対する判断を固定してしまうようなことを、避けるためのものだ。

第三の政治原則は、「私たちは選挙区の現状を大きく変える候補者を支援します」というものだ。これは、国内のどこか特別に革新的な選挙区で、特別に革新的な候補のためだけに活動するのではなく、どんな場所であっても、物事を正しい方向に動かせる候補者がいる限り、自分たちの政治的な力を構築するための取り組みを行うよう奨励するための原則だ。

私たちは、2018年のミシガン州知事選挙に取り組む上で、3つの原則すべてを必要とした。民主党の予備選挙において、私たちはアブドル・エル・サイードを知事候補として支持した。アブドルは、私たちが求めていた唱道者そのものだった。堂々と「NO化石燃料マネー誓約書」に署名し、人種的・経済的正義を核とする、気候危機に対する大きな解決策を臆することなく訴えた。

サンライズ・ムーブメントは、世論調査でアブドル候補の支持率が4％前後の時に、支持を決めた。彼は大きく支持を伸ばしたが、三者択一のレースでの得票率は30％で、惜しくも敗れた[45]。サンライズは難しい選択を迫られた。民主党候補のグレッチェン・ウィットマーは、火力発電を主力電源とする電力会社DTEの幹部から1万ドル〔110万円〕以上を受け取っていた[46]。ウィットマーでは、全く気持ちが盛り上がらなかった。

他方で、ミシガン州ではリック・スナイダー知事のもと、共和党の支配が8年目を迎えていた。この知事の下で、フリントの子どもたちが、鉛に汚染された毒水を飲まされてきたのだ〔フリント市はヒューロン湖を水源とするデトロイト市から水道水を引いていたが、数百万ドルの経費削減のため2014年から水源を近くのフリント川に変更した。その結果、鉛に汚染された水道水が市内に供給され、多数の健康被害が発生した〕。ウィットマーは、フリント市の水問題の解決に加えて、五大湖の底を走っている危険な石油パイプラインの閉鎖を公約に掲げて選挙運動を行った。このパイプラインは、世界の地表にある淡水の21％を、すなわち五大湖を汚染の脅威にさらしていた。ウィットマーの公約は十分に説得力があったか？　いや、なかった。では彼女は、軽蔑されていたスナイダー知事よりもずっとマシだったか？　それは、その通りだった。だから私たちは、是々非々の原則に従って、共和党が支配する現状からの脱却を訴えるウィットマーを、敵として扱わないことに決めた。地元ミシガンのハブでは、何千人もの若者にこのことを説明し、本格的な支持とはいかないまでも、彼女の選挙運動を静かに支援した。

抗議活動と選挙運動を調和させる

3年以上にわたって運動を共にしてきたが、今になって分かることは、人びとの力の構築が主目的である抗議活動と、政治的な力の増大が主目的である選挙活動との間には、わりと調和のとれた関係があるのだということだ。

2018年中間選挙における私たちの投票推進運動では、唱道者たちを議員にすることで政治的な力を高めることができただけでなく、ボランティアのリーダーシップも強化された。2018年の選挙日の後には、私たちの運動には、実地訓練を終えたオーガナイザーたちが何百人も揃っていた。自分たちが当選に寄与した民主党議員たちに、グリーン・ニューディールを要求しにいく準備もできていた。だからこそ、サンライズメンバー数百人が、1週間後にはワシントン行きのバスを連ねて、今では有名なペロシ事務所への座り込みを敢行できたのだ。2019年をつうじて、グリーン・ニューディールを求める私たちの抗議活動は、世論の支持を強化し、支持基盤を成長させて、人びとの力を構築してきただけではない。2020年の選挙に出馬する、グリーン・ニューディールの唱道者たちの名簿も大きくしたのだ。

こういった組織化のやり方は、摩擦がなかったとは言えないが、うまく調和してきた。サンライズ・ムーブメントの構想段階では、抗議活動と選挙活動の両方に取り組む最近の運動のお手本は、ほとんどなかった。本稿での私たちの活動概要が、今後、同じような実践の一助となればと思う。12章の「私達は光り輝く（We Shine Bright）」では、サラ・ブラゼビッチとダイアナ・ジェイ、ビクトリア・フェルナンデス、そしてアルー・シャイニー・アジャイが、人びとの力と政治的な力を構築するための長期戦に備えて、運動を作り上げるために用いたオーガナイジングの手段を、より詳細に説明してくれている。

一緒に海を分けて進む

ジェレミー・オーンスタイン

僕の祖母は、誕生日に曾祖母から、リンゴの芯をもらったという。この話は家族が集まるたびに聞かされたが、なぜそのリンゴがそんなに重要なのか、僕には理解できなかった。それから、僕が7歳か8歳だったとき、僕の兄が祖母のホロコースト体験記の一冊を取り出して、トイレに入ってそれをこっそり読んでいた。両親がそれを見つけると、「まだ小さいのにこんな物を読んではいかん」と言って、僕たちふたりを叱った。いつになれば僕たちはそれを読める歳になるんだろうと、考えたことを覚えている。

それから数年で相応の歳頃になった。ある日、ホロコーストについての集会のために、兄に付き添って礼拝堂の講堂に入った。大人のように扱われることにとても誇りを感じたのを記憶している。そのすぐあとで、ナチスはユダヤ人を殺すために、ガス室をシャワー室だと偽ったという文を目にした。僕の誇りはすべて崩れ落ちた。「そんなこと知らなかった、知らなかった」とささやいた。その部屋を出る前に、僕は成長しなければならなかった。世の中には悪が存在することを知り、恐れを感じた。

それから、僕はもっと多くのことを学んだ。憎しみの種をまき銃弾と血へと結実させる政治家たちや、無理やり家を追い出された家族、雷と波で崩れた家のことなどだ。これらの話は僕たちみんなを苦しめ、傷付ける。きっと、これから先の何年も。

僕は最近になって、祖母がもらった誕生日の贈り物の意味がわかるようになった。死の収容所で、誕生日プレゼントとしてリンゴの芯をもらったのだ！僕たちの歴史は悲劇で汚(けが)されただけではないとわかったのだ。僕たちはどうやって未来を生き抜いていくのかと問うときには、自分や周りの人々から奪ったり、自分たちの心から追い出したりすることのできない寛容さや愛も存在していることを、思い起こすようにしている。

そして、この愛は勇気となるのだ。過ぎ越しの祭り〔出(しゅつ)エジプトを記念するユダヤ人の祝い〕のときに、家族が毎年している話がある。僕たちは紅海の砂浜にいて、〔エジプトの王〕パロの軍が追ってきている。陽光のもとに鋭い槍が見える。僕たちの行く手には、凄まじい音を立てて波打つ海が立ちはだかっている。僕たちは恐れた。どうすれば逃げられるのかわからなかった。モーセは杖を地面の砂に突き立てるが、何も起こらない。僕は恐れおののいている。鋭い槍はすでに、群衆の最後のほうにいる者たちの皮膚を突き刺している。するとそのとき、僕より年下の子どものナフションが、内なる何かに耳を傾けた。彼が水の中に向かって歩くのを、僕たちはじっと見ている。水は彼の足首、腰、そして頭を浸していく。そして突然、僕ら子どもたちが彼に続いて海の中へと走っていく。それから年上のみんなや親も僕たちに続き、波にぶつかりながら走る。共に、僕たちは海を分け、乾いた陸地を渡り、向こう側にたどり着く。僕たちは歌い、踊る。自由に少し近づいて。

海を分けるまで、誰もその向こう側を見ることはできない。それでも、みんなと一緒なら、そこにたどり着けるはずだ。今こそ、共に歩き始めるべき時だ。

〔訳注：ナフションの伝説は旧約聖書の出エジプト記には記されていないが、ユダヤ教徒の間で伝承されている。〕

第12章　私たちは光り輝く——希望と歌による組織化——

サラ・ブラゼビッチ　ダイアナ・ジェイ
ビクトリア・フェルナンデス　アルー・シニー＝アジェイ

ダイアナ

ワシントンDCのナンシー・ペロシ下院議員のオフィスの、その木製のドアに近づくと、私の手は震えました。私の後ろには、若者たちが二人ずつ並んで、200人の列を作っていました。10代の若者たち、ミレニアル世代、それに7つか8つの子どもたちでした。それは、中間選挙から1週間後の2018年11月13日のことでした。

ヴァルシニがドアノブを回すと、カチャッと音がしてドアが開きました。その音を聞いたとき、「鍵がかかっていないんだ！」と思って、私の心臓は飛び出しそうになりました。

若者たちは慌ただしく、次期の下院議長のオフィスに飛び込みました。一人一人が手にした封筒には、「親愛なる民主党議員の方々へ、あなたのプランは何ですか？」と書かれていました。その封筒の中には、気候変動によって亡くなるかもしれない大切な人の手紙や写真や、失われるかもしれない大切な場所の写真が入っていました。それらをペロシ議員の机の上にドサッと置くと、私たちが何を守るために戦っているのかを、話し始めました。

最初が私でした。「私の名前はダイアナです。私は故郷のために戦っています。バージニア州南東部で、海面上昇の脅威にさらされているんです。誰一人として、ふるさとを失う心配などしないで、暮らせるようにしたいのです」。サーフィンをして育った海岸のことが思い浮かびました。私が高校生の時に、海岸線の浸食を食い止めるために、海から砂を吸い出して岸に戻すために、巨大なパイプが設置されたことも思い出されました。

40封ほどの封筒を置くと、私たちは歌い始めました。

私たちは　未来のために	ウィ アー スタンディング フォー ア ワ フューチャーズ We are standing for our futures
病んだ世を　癒やすために	ウィ アー ヒーリング ワット イズ ウロング we are healing what is wrong
立ち上がることを　決めたんだ	ウィ アー スタンディング フォー ア ワ フューチャーズ we are standing for our futures
一緒ならば　きっと強くなれる	アンド トゥギャザー ウィ アー ストロング and together we are strong.

この曲は、ウェストバージニア州のオーガナイザー〔運動を組織するリーダー〕のケイティ・ラウアーが書いたものです。これが、座り込みの合図でした。私たちは腕を組んで座り、出ていくつもりはないと宣言しました。

次の1時間は、たくさんのカメラが向けられ、プラカードが掲（かか）げられ、感情が押し寄せ、歌が謳（うた）われ、めまいがしそうでした。ペロシ議員のオフィスには、左右に2つの大きなテレビ画面がありました。CNN（シーエヌエヌ）はカリフォルニア州パラダイスの森林火災をうつしていました。そこでは、その時点ですでに70人の命が奪われていました。こうした大火災が、そこに赴（おもむ）いた理由のひとつです。ペロシ議員が率いる民主党は、気候危機に対抗するプランが何もなく、彼女の州の人々や、アメリカ中の人々が、その代償を支払っていたのです。

突然、オフィスの外の20台のカメラが、廊下の向こう側に向きを変え、記者たちはそちらへと走ってゆきました。しばらくすると、下院議員に当選したばかりのアレクサンドリア・オカシオ＝コルテスが、ドアから顔を見せました。彼女はオフィスに入ってきて、一人一人にハイタッチをしてくれました。「12年」と書かれたシャツに囲まれて、アメリカはグリーン・ニューディールのもとに団結しようと呼びかけてくれたのです。

デモが始まって1時間半が過ぎた頃、このムーブメントのお気に入りの歌を、歌い始めたのは私でした。アキン・オラとイラナ・ラーマン、そしてモメンタム研修所の仲間たちが作った歌です。これは、チャンス・ザ・ラッパー（Chance the Rapper）のブレッシングズ（Blessings）を元にした曲で、みんなで出来るだけ大きな声で歌おうという合図でした。

<table>
<tr><td>俺たちは立ち上がるんだ</td><td>We gonna rise up（ウィ ゴナ ライズアップ）</td></tr>
<tr><td>屈しないぜ勝つまではな</td><td>Rise up' til it's won.（ライズ アップティル イツ ウォン）</td></tr>
<tr><td>民衆が立ち上がった時は</td><td>When the people rise up,（ウェン ザ ピープル ライズアップ）</td></tr>
<tr><td>権力者が倒される時だ</td><td>The powers come down.（ザ パワーズ カム ダウン）</td></tr>
<tr><td>あいつらが俺たちを邪魔しても</td><td>They tried to stop us,（ゼ イ トライド トゥ ストップ アス）</td></tr>
<tr><td>また何度でも立ち上がるんだ</td><td>But we keep coming back.（バット ウィ キープ カミング バック）</td></tr>
</table>

世界の現状に対して悲嘆（ひたん）に暮れていても、権力者を倒し、国を変革するためには、より強く、より大きくなり、もっと大きな声を出さなければなりません。民衆が立ち上がったら、権力者は倒される。ペロシ議員のオフィスの中でも外でも、若い人たちが手拍子（てびょうし）をしたり、全力で足踏みをしたりして、フレーズごとにどんどん音量を上げてゆきました。

ここに来てから2時間が経ったころ、議会警察は私たちに2つの選択肢を与えてくれました。すぐに出ていくか、ここに残って逮捕されるか、です。51人が出て行くのを拒否しました。警官たちはビニールのジップタイを取り出して、私たちの手首を背中の後ろで縛り、私たちを外に連れ出しました。私たちは、歌をやめませんでした。

日付が変わるまでには、私たちの抗議の力が、当初想像していたよりはるかに大きかったことが分かりました。グリーン・ニューディールはトップニュースでした。24時間以内に数千もの記事の話題になっていたのです。多くの人々が、私たちのｅメールリストに登録してくれました。何百人もの若者がメールをくれて、自分達の町にサンライズの支部を立ち上げたい、寄付をしたい、次のアクションに参加したいと伝えてくれました。

2018年11月の慌（あわ）ただしい出来事は大旋風を巻き起こしました。私たちはそれに巻き込まれ、完全にはそれをコントロールできませんでした。私たちのリーダー・グループにとっては、この時の出来事や、その後に運動が急成長したことは、もっとも野心的な想像をも超えていました。ですが、それは全く意外なものではありませんでした。この時のために、何年も前から準備をしていたからです。大旋風は、長期的な、もっと大きなビジョンの一部に過ぎないのです。

私たちの組織モデル

サンライズの原則その１：　私たちの運動は、気候変動を止め、その過程で何百万人もの雇用を創出するものです。私たちは気候変動を全米における緊急的優先事項にするために団結し、化石燃料企業の経営者たちが政治的影響力を使ってこの国の政治を腐敗させるのを止めさせ、すべての人々の健康と福利のために立ち上がる指導者を選びます。

サンライズ・ムーブメントは、十数人の若者の奉仕活動として始まりました。一人ひとりが、気候変動を止めるためだけでなく、化石燃料を使わない、多種多様な人種による民主主義を確立するための戦略を、必死に模索してきました。そうした民主主義が、彼らがすでに直面している嵐を乗り切るために、必要だからです。変革を求める過去の運動について研究し、「歴史の向きを変えるために、いま私たちにできることは、一体何なのか？」を問い続けてきました。

ヴァルシニ・プラカシュは、私たちの「変革のための理論」を詳しく述べています。グリーン・ニューディールを勝ち取るために必要なものは何か、それについての指導的な仮説です。勝つために私たちに必要なものは、以下の２つです。

・人々の力：　十分に多数の人々（critical mass）が参加し、運動のために継続的に活動すること
・政治的な力：　十分に多数の政治家や役人が、私たちの大義を熱心に支持してくれること。

グリーン・ニューディール運動は、化石燃料エリートの抵抗を克服するために、何百万人もの活動的なメンバーを必要とするでしょう。サンライズの運動の目的は、最終的な目標に向けて、できる限り多くの人々に協力してもらうことです。

抗議運動が何十万人、何百万人に規模を拡大してゆくためには、私たちがペロシの部屋に座り込んだ直後に起こったような、「トリガーイベント」（急成長の契機となる出来事）を、いくつも繋（つな）ぎ合わせる必要があります。それは、はっきり言ってとても難しいことです。そもそも、トリガーイベントを引き起こす要因は15％が科学、25％が技術、そして60％が幸運なのです。そして、それ以上に困難なのは、急速な成長期が**過ぎた後に**、運動全体の結束と集中力を維持することです。

「オキュパイ（Occupy Wall Street、ウォール街を占拠せよ）」という運動を思い出してください。オキュパイは2011年の秋に、経済的不平等と企業権力に対する大規模な抗議運動として、全国を席巻しました。そのピークの頃は、この運動を止めることはできないように思われました。しかし、その勢いが、重大な弱点を覆（おお）い隠していただけでした。この運動で合意されていたのは、「オレたちが99パーセントだ」というスローガンと、公共の場を占拠しようという戦術だけでした。共有された目標や長期戦略はありませんでした。ひとたび警察が、ロウワー・マンハッタン地区や各地の抵抗キャンプを立ち退（の）かせると、オキュパイ運動の参加者の多くは方向性を失い、士気を喪失し、運動は崩壊したのです。

他の分権的な大衆運動と同じく、オキュパイの強みは、参加者に与えられた自律性でした。誰もが許可を得なくても参加でき、ブランドを利用できたことです。これによって、彼らは急速に成長することができました。しかし、オキュパイは急成長を遂げたのち、団結を維持するのに苦労しました。成長するや

いなやバラバラになってしまったのです。

私たちは、モメンタム（Momentum、社会主義運動にとりくむ若者を育成する団体）のトレーニングコミュニティを通じて、同様の課題に直面したドリーマーズ（Dreamers、未登録移民の子どもたちの権利運動）やオキュパイ、ブラックライブズマター（#BlackLivesMatter、黒人の命と尊厳を守る抵抗運動）などの運動のリーダーたちと合流しました。「戦略と目的の統一性を保ちながら、急成長を支えるべくメンバーに自律性を与えることができるような運動を、どうやって構築すればよいのか」を、ともに議論しあいました。

モメンタムで私たちは、DNA（ディーエヌエー）の比喩を用いて、運動を生命体としてとらえることを学びました[1]。生命体の中では、細胞が分裂して有機体が成長すると、DNA が複製されます。DNA は、生命体やその群れが成功するために、それぞれの細胞がどんな役割を果たすべきかを伝えます。例えば、ある種の渡り鳥の DNA に記録された本能が共有されることによって、その鳥たちは（一緒に南を目指せ、といった）自分たちの目標に向けて、統一を保つことができます。それでも、DNA を共有しているからといって、すべての鳥が画一的になるわけではありません。一羽一羽が南に向かう旅の中で、さまざまな方法を試し、適応しているのです。同じように、それぞれの運動にはそれぞれの DNA があります。それは、全員が共通の目標に向かって行動する中で、それぞれのメンバーが次にすべきことを決めるさいに、それを導く信念と習慣の集合のことなのです。

サンライズの 11 原則は、統一性と自律性のバランスを保つための重要なツールであり、その多くがこの章をつうじて共有されています。これらの原則は、ガードレールと車線境界線の役割を果たすものです。健全な運動文化の核となる習慣を確立する一方で、よくある落とし穴や破滅的な行動から運動を守るものです。私たちの共通の目標（「気候変動を止め、何百万件もの条件のよい雇用を生み出すこと」）を思い出させてくれる一方で、その目標に到達するための試行錯誤を促（うなが）すものなのです。

私たちの最初の DNA は、「サンライズ・ムーブメント・プラン」と題された 12 ページの文書でした。それはその後、運動が成長するのにつれて見直され、新たな形式へと更新されてきました。私たちの初期の成功は、この DNA

を、自分が住んでいる場所にサンライズを立ち上げようという何十人、何百人、そして何千人もの人々に伝えることができたことによっています。

サンライズ・ムーブメント・プランを単なる文書に終わらせず、生きた運動にするために、私たちは4つの要素からなる組織化プログラムを構築しました。これは、運動に接した人々に、最初から積極的に参加してもらい、最終的にはリーダーになってもらうための道筋を示すものです。

4つの要素とは、以下のようなものです：

- 大勢の人々の訓練、すなわち対面およびオンラインのセッションを通じて、運動のDNAを実践・防御できるように、人々を訓練することによって、運動の統合性を守ること、
- 道徳的抗議活動によって、メディアや政治家、および加入者となりうる若者の注目を集め、運動の急成長を加速させること、
- 地域の組織を作ることで、サンライズのメンバーが、日々の課題に関する仕事や、選挙関連キャンペーン、コミュニティ作り、さらには一対一の勧誘やリーダーシップ開発を行い、運動の着実な成長に向けた取り組みが出来るようにすること、
- 地元の組織につなげる活動によって、オンラインで運動に接した人々を、近所の拠点やボランティアの機会につなぐこと。

この章の残りの部分では、これらの構成要素をさらに分解し、事例を共有して、本章と前章の理論が実際にどのように適用されているかを説明します。

訓練によって多くの人々にDNAを伝達する

サラの場合

私たちの運動の始まりは、どのようなものだったのでしょうか？「DNAを伝達する」とは、実際にはどんなことだったのでしょうか？

それは、訓練につぐ訓練でした。

訓練（トレーニング）とは、私たちのDNA（運動戦略、物語、そして構造）を伝達することであり、これによって私たちはリーダーを育成し、運動を成長

させてきました。

私たちの最初の訓練は、6月の猛暑のフィラデルフィアで行われました。創設チームはひとつの家の中に集まって、大急ぎで運動のDNAを、スライド資料集と訓練プログラムの形に仕上げました。そのおかげで、35人の仲間がそれを学ぶことができました。その後、半年かけて10の州で研修を行いました。1年も前から話しあって来たことが、ついに実行できるようになったときの興奮は、スライドを編集したりカリキュラムを更新したりするために夜更かしをしたり、目を酷使したりした思い出と一緒に、よみがえって来ます。

初期の研修では私たちもたくさんのことを学びました。人々が運動に参加した動機が様々だということを知りました。それは、より大きく深いコミュニティへの憧れ、気候危機に直面したことによる無力感、何かのために行動を起こしたい、戦いたいという気持ちなどでした。私たちは、運動のDNAの説明方法に磨きをかけ、サンライズとは何なのかを伝える、最も効果的な方法を発見しました。私たちが実施している、あらゆる訓練の柱となるコアコンセプトとスキルを体系化したのです。それは、オンラインであれ対面であれ、10人規模の地域研修でも、1000人規模の地方サミットでも用いられているものです。

これらに含まれる内容は、以下のようなものです。

・戦略：　変革のための理論と、2017年から2021年の次期大統領就任までの、4年間のロードマップ、
・物語：　私たちが直面している危機や、責任が誰にあるのか、そしてそれを止めるために何をすべきなのかについて語る方法、さらには気候変動を私たちの生活や家族、そして「ふるさと」に結びつけて、安全で豊かな未来という希望に満ちたビジョンで裏付けることによって、私たちのメッセージに深い意味を与える方法、
・構造と組織づくり：　地域の拠点を立ち上げる方法や、会議を円滑に進める方法、新しい人材を採用してリーダーシップを発揮できるよう育成する方法、チームを組む方法、応援する候補者のために個別訪問する方法、そして創造的な地域行動を実施する方法。
・文化：　体験談や合唱、反抑圧実践（anti-oppression practices）を通じて、

お互いの違いを乗り越えて、健全な集団文化と強固な関係を築く方法のことであるが、ここでいう文化には11の原則が含まれる。

私たちは、「トリガーイベント」や道徳的抗議活動の際に初めて登場してきたような人々を引き留める力を最大限に高めることが、指数関数的に成長しうる運動の構築に不可欠だと考え、運動を立ち上げる際には対面式の訓練を活用しました。抗議が鎮静化した後も彼らに対して、組織づくりを続けるためのスキルを提供する必要があります。私たちの初期の訓練は、新しいリーダーを育成することだけでなく、勢いがなくなった時にも運動を続けるためのスキルを深めることにも、重点を置いていました。

成長率と定着率を最大化することは、大々的に人材を育成することを意味します。そこで「トレーナーの訓練」が必要となります〔トレーナーは、仲間に訓練を施すリーダーのこと〕。新人に対して「サンライズDNA」の研修を行ったのと同じように、積極的な拠点リーダーに「サンライズ・トレーナーのための訓練」に参加してもらい、それぞれのコミュニティで訓練を行う方法を学んでもらいました。このようにして私たちは、ベテラン指導者の数の少なさが制約条件にならないよう、指数関数的に成長しうる大規模訓練プログラムを設計しました。これは初めて熱心に地元での研修を主催している何百人何千人もの若者によって加速されています。

運動を立ち上げてからわずか半年後、2017年の秋が終わる頃には、私たちは275名の人たちの訓練を行い、トレーナーは15名となりました。この記事を書いている時点（2020年1月）で私たちは、4000人以上の人々に対面で（そして数万人以上の人々にオンラインで）訓練を行い、200人以上の運動トレーナーを擁（よう）しています。毎月その人数が増えており、若者たちの軍団が強化されているのです。

サンライズの若きリーダーたちに、この運動でどんな経験をしたのかを聞いてみれば、新しい友情や、刺激的なロールモデル、それに目的意識と強さを備えたコミュニティ意識について、語ってくれるでしょう。そして彼らの話のほとんどは、訓練のときの経験から始まることでしょう。危機に直面する世界の中で、自分の方向性を見極めようとする若者たちにとって、週末に行われた訓練は、コミュニティの仲間意識と支えを与えてくれるものだったはずです。それは、リーダーになれるなどと考えたこともなかった自分が、リーダーであることに気づかされる場所だったのです。

道徳的抗議活動

ダイアナ

サンライズの原則その４：　私たちは言葉も行動も非暴力的です。非暴力であることにより、私たちは人々の心を勝ち取ることができ、多くの人々に参加を求めることができます。目標を達成するためには最大限の参加が必要なのです。

ヴァルシニは、モラル・クライシスに火をつけ、既存の体制に反対する非協力不服従の大衆運動を起こすことが必要だと言っています（p.164）。ここでは、サンライザーズが目的達成に向けて運動を成長させるために、どんな風（ふう）に道徳的抗議活動を活用してきたかをお話します。大恐慌時代のバーミングハムのストライキには、規模も激しさも遠く及びませんが、権力者との直接対決を促す中小規模の行動によって、国民の議論をシフトさせることができました。

道徳的抗議活動は、私たちが孤立している時に感じる気候危機の恐怖や苦痛を、集団行動に変えるものです。その過程で、オーガナイザーたちが一人一人を募るよりも、はるかに多くの人々に迅速に参加を促すことができるのです。この不公正で不必要な気候危機の、目に見えない苦しみや隠された暴力について、言葉や声を与えることによって、人々と権力者に対して、「自分はどっちの味方なのか」と自問自答を迫るのです。

若者たち vs 化石燃料マネー

2018 年 7 月 19 日、ペンシルバニア州で開かれたタウンホール・ミーティング（対話集会）でのことです。サンライズのオーガナイザーで、18 歳のローズ・ストロースは立ち上がってマイクを取り、ペンシルバニア州の州知事候補である、気候変動否定派のスコット・ワグナーを見つめて、こう質問しました。

「私の名前はローズ、18歳です。この国の将来を本当に心配しています。ペンシルバニアの人々の3分の2は、気候変動は対応すべき問題だと考えています。でもあなたは、気候変動は人の体温によるものだと言って、この問題に対処することを拒否していますね。これは、化石燃料産業から20万ドル〔2200万円〕を受け取ったことと関係があるのですか？」[2]

スコット・ワグナーはローズに向かって答えた。「ローズ、あのね、よくここに来てくれたね。18歳だと言ったね、だからね、君はまだ若くて浅慮（ナイーブ）なんだよ。いいかいローズ、みんなは知事を選ぶためにここにいるのかな、それとも科学者を選ぶためにここにいるのかな？」

ローズはソーシャルメディアに動画をアップロードしました。すると、人を見下（みくだ）したような政治家の映像はウイルスのように広まり、再生回数は何百万回にも達しました。突如、若者たちはTwitter（ツイッター）で#YoungAndNaive（ヤング・アンド・ナイーブ）とタグ付けした意見を広め、そうしてニューヨーク・タイムズ紙が、ローズと話がしたいということになったのです。

私たちはこの機会を捉えて行動を起こしました。ペンシルバニアのサンライザーズは#YoungAndNaiveの集会を組織し、他の州の仲間たちにも同じ行動を呼びかけました。ティーン・ヴォーグ誌の論説記事の中でローズは、全米のスコット・ワグナーたちにこう警告しました。「私たちの世代のために立ち上がりなさい。さもないと私たちは何千件もの戸別訪問をして、11月の選挙ではあなたたちを、立ち上がった他の政治家たちに交代させますよ」。

ワグナーに対するローズの挑戦と、それに続く私たちの組織行動は、政治的な力と人々の力の両方を強化するのに役立ちました。

そして突然、この州の民主党が石油・ガス産業の汚職に反対するキャンペーンを始めました。民主党のトム・ウルフ知事の再選キャンペーンは、なんと「Young and Naive Voter（ヤング・アンド・ナイーブ・ボーター）（若くてナイーブな有権者）」のTシャツやステッカーを作りました。ウルフ知事は初めて選挙キャンペーンに、より強い気候関連のメッセージを取り入れました。

それまで関心がなかった人々も、ローズの文章に触発されて、サンライズに参加するようになりました。数百マイル離れたミシガン州のイースト・ランシングでは、18歳の若者ふたりがオリエンテーション・トレーニングに現れて、こう尋ねました。「みなさんはヤング・アンド・ナイーブですか」と。

ローズの挑戦は全米の若者に、政治家に立ち向かう方法を示し、化石燃料マネーを政治から排除するための全国キャンペーンの発展に寄与しました。彼女が用いた「bird-dogging（バード・ドッギング）〔猟犬術〕」と呼ばれる戦術は、2人いれば出来るものです。1人が鋭い質問で政治家に挑戦し、もう1人はその反応を、ソーシャルメディアやマスコミ向けに録画するのです。それは非常に可視化された方法で、どこでも同じように使える戦術です。ローズのバード・ドッギングに倣（なら）って、各地で何千人もの若者が対話集会に参加し、民主党と共和党の候補者に挑戦し、化石燃料産業からの献金は受け取らないという誓約に署名を迫りました。

若者たち vs 現状維持の議会

2018年11月にペロシのオフィスで座り込みをして1週間後、私はサンライズのリーダーたちでいっぱいの部屋に座っていました。私たちは、新たな成功に心を躍らせていましたが、「これから何をするのか」という重要な問いに迫られてもいました。

私たちは、グリーン・ニューディールをこの国の議題にすることに成功しましたが、さらに運動を高みに押し上げる必要が出てきたのです。これは、私たちがエスカレーションと呼んでいるものです。何万人もの人々が初めて、サンライズを知ってくれました。ここで、今回の栄光にあぐらをかいて人々の関心が別の事柄に移るのを許すか、ただちに彼らを行動に誘って運動のメンバーに変えてゆくか、2つに1つでした。

私たちは、より大きな行動を求める呼びかけを出しました。最初の座り込みから3週間も経たないうちに私は、千人以上の人が集まる教会で、別の訓練を実施しました。建物は若者たちで一杯で、刺激的なエネルギーにあふれていました。バルコニーには「グリーン・ニューディールを今すぐに！」と書いた横断幕が掛けられました。翌日、私たちは合衆国議会議事堂（キャピトル・ヒル）に到着し、40人以上の議員に働きかけを行うとともに、民主党の下院指導部に抗議する3つの座り込みを実施しました。

2018年11月から2019年4月までの数ヶ月間は、ワシントンでも全国の議会でも、運動の成長と非暴力的なエスカレーションによって、飛翔する宇宙船にしがみついているような感覚でした。この嵐のような数ヶ月の中で、最も記憶に残る出来事の一つは、サンフランシスコにあるダイアン・ファインスタイン上院議員の事務所で起こりました。サンライザーズは「若者 vs 大破局（ユース・バーサス・アポカリプス）」という名の地元のグループの仲間たちと共に、上院議員の事務所の外で数百人の集会を開き、彼女にグリーン・ニューディールを支持するよう要求しました。その後、8歳から14歳を中心とする20人ほどの若者たちが2階に上がり、議員を直接訪問したのです。彼らが目の当たりにしたのは、聞く耳を持たない人間が他人を見下す態度を示す、まさに典型例でした。

若い活動家の一人が「科学者たちは、この状況を転換させるのに10年しかないと言っています」と言いました。するとファインスタインは、こう答えたのです。「そうですね、10年で転換することはないでしょう。みなさんのグループのどこが可笑（おか）しいかと言うとですね…私は30年前からこれに取り組んでいるのですよ。私は、自分がやっていることを理解しています」。

ファインスタイン上院議員と、十代の若者や子供たちとの間の、わずか数分間の白熱した議論は、数時間のうちに激しく拡散されました。Twitterでは「#Feinstein（ファインスタイン）」というタグがトレンドの首位の話題となり、1週間後のサタデーナイト・ライブという番組ではこのやり取りがパロディ化されました。これは、喫緊の気候危機に対処できなかった支配層（エスタブリッシュメント）の民主党議員が、いつもこの恐れを抱いて生きる若者たちと対峙することになると何が起こるのかについて、お手本のような事例となりました。選挙で選ばれたリーダーの自己満足は、それまでは見られることも知られることも全くなかったのに、若いオーガナイザーたちが道徳的な立場を明確にし、非暴力の対決を迫ったことによって、突如として政治的な重荷に変わったのです。

オフィスでの座り込みや事務所への訪問は、今でも私たちの戦術の中心です。この戦術は、全国的にも地域的にもキャンペーンを成長させるために、連邦でも州でも市町村でも選挙で選ばれたリーダーたちにグリーン・ニューディールに賛同するように迫るために、ほぼ全ての拠点で採用されているものです。

若者たち vs 民主党全国委員会（DNC）

連邦議会でのグリーン・ニューディール決議を実現させるための2019年春の短期決戦ののち、サンライズでは大統領選に照準を向けました。

次の大統領に、10年に及ぶグリーン・ニューディールの変革を開始するよう、明確な指示を突きつける前に、私たちにはやるべきことがありました。まずは気候変動を、2020年に行われる民主党予備選挙の最重要議題にすることです。2016年には、予備選挙の公開討論会での質問のうち、気候変動に触れたものは1.5％に過ぎませんでした。多くの有権者が候補者の発言やメディアを参考にしているので、気候変動に関する言及があまりに少なかったことは、この問題は選挙を左右する緊急課題ではないという印象を強めました。2020年に、それを繰り返してはなりません。

私たちの戦略は、民主党全国委員会（DNC）に「気候危機に関する討論会（climate debate）」を開催するよう要求することでした。これは、気候危機と必要な解決策について、十分な時間をとって深く議論し、テレビ中継も行うというものです。

6月下旬、100人の若者たちがワシントンのDNC本部の玄関前に到着し、建物の中で座り込みを行う態勢を整えました。しかし、行動計画は無駄になりました。座り込みを始めるどころか、入口から入れなかったからです。建物から閉め出されたため、グループは方針を変え、玄関前の階段を占拠することにしました。6月下旬のワシントンはあまりに暑く、日が暮れるまでに、グループは30人ぐらいまで減っていました。顔は赤らみ、喉は渇き、ぐったりしていました。丸一日、私たちを無視することに成功した巨大な政治組織の建物の、レンガの階段に座ったまま、私の心は敗北感と無力感で一杯でした。

私たちがしばらく話し合ったあと、誰かが仲間たち対して、「ここに残りたい人はいるか？」と聞きました。私は、みんなおとなしく帰ってしまうのではないかと思いました。しかし、私たちの円陣を囲うように、ゆっくりと、一人また一人と手を挙げ始めました。私はその決意に胸が詰まり、目には涙が溢れて来ました。私もまた、夜を徹する覚悟を決めました。

こうして私たちは留(とど)まりました。私たちは三日三晩、DNCの建物の前のレンガの階段で、ぐったりとしながら暑さに耐え続けました。ライブストリーミング〔リアルタイムの動画配信〕を続け、何のためにここにいるのかを伝え、どこに住んでいてもこの運動に参加に参加してくれるよう、人々に呼びかけました。

DNCに対する私たちの抗議活動は、気候危機に関する議論を要求する全国キャンペーンに火をつけました。何百人ものサンライズの拠点が、地元の民主党の代議員たち（活動家の注目を浴びることに慣れていない人たち）に働きかけ、私たちの要求を支持するよう迫りました。そして、大統領候補23人のうち20人が支持を表明してくれました。夏のわずか2ヶ月間の怒濤のようなキャンペーンは、サンフランシスコで決戦を迎えました。そしてDNCの年次総会をクラッシュさせたのです。

結局、DNCは私たちの提案を222対137で否決しました。DNCとの戦いには敗れたのです。しかし、気候変動が大統領選の最重要争点にするための戦いには勝利しました。私たちの全国キャンペーンのおかげで、若い有権者の多くが、気候危機に関する討論会を見たがっていました。そしてDNC討論会の計画がなくなったので、CNNがこの機会を捉えて、ゴールデンタイムに7時間ぶっ通しで気候対話会議(クライメット・タウンホール)を放映すると発表しました。それも、主だった大統領候補者全員に対する、1対1のインタビューがハイライトだと言うのです。CNNが対話会議の放送を終えた頃には、これまでの大統領選では考えられなかったほど、気候変動の話題が全国的に報道されていました。

DNCでの3日間の抗議活動は、気候危機とグリーン・ニューディールのビジョンに注目を集めるために、いかに多くの若者たちが進んで個人的犠牲を払う覚悟が出来ているかを示しました。また、私たちそれぞれのコミュニティに依拠すべきだということも、教えてくれました。正義を求めて、ワシントンにある建物のレンガの階段の上で夜を徹する覚悟を決めた若者たちに対して、食料や水そして感情的サポートを提供てくれる人たちが、10倍以上もいることが分かったのです。

アクションの中のアート

レイチェル・シュラギス、ジョシュ・ヨーダー、サンライズ・ムーブメントのアート＆デザイン担当リーダー

Photo Credit: Nelson Klein, Sunrise

私たちが様々な道徳的抗議活動を行うさい、アートで貫いた強力なビジュアル・メッセージを用いています。それによって私たちの多様で広範な運動が、侮（あなど）ることのできない団結した力とみなされるのです。

皆さんがサンライズ・ムーブメントの象徴表現（image）を見たことがあるとすれば、それはたぶん、ペロシ下院議長のオフィスで行われた記者会見の、2枚の写真のうちの1枚でしょう。象徴表現やサイン（signs）は力強く、緻密で、規律がとれていて、私たちの運動の強さを体現しています。

Photo Credit: Rachel Warriner

最初の写真で私たちは、ペロシ議員に宛てた手紙を持っています。私たちが愛してやまないもの、気候変動で失われゆくものに関する手紙です。それらは個人的でささやかな手紙ですが、鮮やかなマニラ紙の封筒の数の多さが、私たちの集団の強さと力の象徴となりました。表面に記された「民主党の皆さん、あなたのプランは？（*What Is Your Plan?*）」というメッセージが、私たちの要求の統一性を示しています。

私たちはいつも、複製しやすいシンプルなアートを心がけています。若者たちは、全国各地の議事堂への訪問を始めたとき、マニラ紙の封筒の表面に黒インクで「What Is Your Plan?」と書いたものを自作しました。これは私たちの活動が、ローリー〔ノースカロライナ州の州都〕から、リトルロック〔アーカンソー州の州都〕やタコマ〔ワシントン州の都市〕に至る、一つの巨大な運動であることを示しています。

いくつかの研究によって、同じスローガンや合唱、視覚表現（visuals）を用いて見た目にも統一的な運動をすると、大義のための支持を集めるのに効果的なことが明らかにされています[3]。

Photo Credit, Mona Abhari and Michaelyn Mankel

各地の若いサンライザーたちが視覚的に統一されていることは、メンバーにとっても活力と勇気を与えてくれるものです。人々が運動に関わり、自分よりも大きなものの一部だと感じるようにさせてくれます。私たちがアート作品を作るのは、運動で使うためや、支持する候補者のために個別訪問をするため、ハブ〔地域拠点〕の会合やコミュニティのイベントで設置するため、そして活動拠点や自分の家の壁に掲げるためです。人々は、サンライズのＴシャツを着るたびに、自分よりも大きな物語やプロジェクトに参加するのです。アートは帰属意識を与え、それを文章化し、ソーシャルメディアで共有できるようにします。そして、私たちの価値観をシンプルかつパワフルに伝え、一緒にやろ

左から順に、ハブのロゴを示す（designer credited: Sunrise Portland, Julian Bossiere; Sunrise Boston, Jamie Garuti; Sunrise LA, Brandon Youndt; Sunrise Cedar Rapids, Jason Snell; Sunrise Durham, Andrew Meeker）

うと人々を誘い、運動を拡大させるのに役立つのです。

地元での組織化（オーガナイジング）

アル＆サラ

サンライズのハブ

サンライズの原則その２：　私たちはコミュニティとの対話を通じて、自分たちの力を高めます。近所の人々や家族、宗教的な指導者、クラスメート、先生たちに声をかけて、自分の言葉を広めていきます。私たちの強みと活動は、ともに地域に根ざしたものです。私たちは常に数を増やしつづけます。

道徳的な抗議活動だけでは運動を維持できません。活動の頂点と頂点の間の時期にも、人々を巻き込んで運動を継続させるために、私たちは友人たちや近所の人々、同級生、信徒集団、コミュニティに語りかけて参加を呼びかけるという、ゆっくりとした地道な作業を行っています。地元での組織化とは、メンバーのために頑丈（がんじょう）な構造物を作り、自分たちの住む場所に根をはることで、運動を活気付けることに他なりません。

ハブ（サンライズの地域拠点）を成長させ、新たなリーダーを育成するためにサンライザーズは、人材確保や関係構築、チームの結成、行動を起こすきっかけとなる物語、それに地域でのキャンペーンなど、コミュニティの組織化の実践に関する中核的な方法について訓練を受けています。

サンライズの11箇条の原則は、サンライズのハブを立ち上げるための最初の手引きとなります。「私たちは地域社会との対話を通じて力を養います」という原則2は、サンライズを築き、運動としての力を高めるには、自宅や地域社会から始めるのが一番だということを教えてくれます。「私たちは自発的に行動します」という原則7は、私たちの原則を順守するすべての人たちが、サンライズの名のもとに行動を起こし、仲間を集めることを奨励（しょうれい）します。「私たちは試行錯誤を許容して共に学びます」という原則8は、経験豊富なオーガナイザーでなくても参加できることを明確にし、新人たちがキャンペーンのために新しいアイデアを提案したり、それを試してみたりすることを奨励します。

急成長の時期において、ハブは新規のメンバーが気長に運動に参加できるための仕組みです。2018年11月上旬は、サンライズのハブはおよそ25箇所でした。2019年1月までには、正式なハブはおよそ100箇所に増えました。この記事を書いている時点（2020年初頭）では、350以上の活動的なハブが存在しています。

健康的なハブは、新旧の友人たちにとって、本当のコミュニティです。信頼と関係は、個人的な物語を共有したり、歌を歌ったり、スキルを共有したり、一緒にパーティーをすることによって築かれていきます。あなたの地元のハブでの会合は、運動全体の戦略の動向について学んだり、地元での計画を立てたりする場です。ハブのキャンペーンは、選挙で選ばれた政治家たちを標的として、「NO化石燃料マネー誓約書」（NFEM Pledge）にサインさせたり、グリーン・ニューディールを支持させたりするものです。ハブは、支持する候補者のための宣伝活動や個別訪問をするほか、抗議行動を組織し、資金パーティーやコミュニティ・イベントを主催し、地域の気候関連災害の慰霊祭や通夜（ウエイク）を実施し、そして重要な節目には提携団体の運動に参加して連帯の意を示します。

犠牲とコミットメント

サンライズの原則その6：　私たちは誰もが、運動に提供できるものを持っています。私たちの中には、週に1～50時間程度のボランティア活動で時間を提供している人がいます。資金を提供する人もいます。会議室や住居を寄付する人もいます。私たちは、私たちが必要とする援助を求めることによって、コミュニティを運動へと招き入れます。

歴史上の運動は、その目標の達成のために、日々の生活の中で何かを犠牲にして支えてくれた人たちがいたことで、成功してきました。私たちにふさわしい世界を勝ち取るためには、何百万人もの人々が、運動のために大小の犠牲を払わなければなりません。その犠牲は様々です。宿題を仕上げる時間を割(さ)いて会議を計画したり、愛する人と一緒にいるはずの時間を個別訪問に費やしたり、仕事や学校を休んでストライキに参加することで賃金が減ったり授業に出られなかったりなど、人それぞれです。

2018年の中間選挙の際には、私たちは運動のスケールアップのために、全てを捧げる覚悟を決めた中核リーダーたちのグループに資源を集中することを決めました。75人のリーダーが参加する「サンライズ・セメスター」と呼ばれるこれは6ヶ月間のプログラムが実施されたのです。

サンライズ・セメスターの参加者は、仕事を辞(や)めたり、学校を休んだりして、友人や家族に別れを告げ、全国各地を移動して、この運動に関わる人々の力と、政治的な力を鍛え上げました。彼らは「ムーブメント・ハウス」に一緒に住んで作業をし、コミュニティを形成するとともに、政治的に重要な地域のハブが行ってきたことを、さらに強化しました。

ムーブメント・ハウスの着想は、1964年のフリーダムサマーの際に、学生非暴力調整委員会（SNCC）がボランティアのために使用したサポーターハウスにさかのぼります[4]。フリーダム・サマーとは、米国南部で有権者に対する暴力的抑圧が行われた時期の、黒人たちの有権者登録を進める活動のことです。現代の運動もムーブメント・ハウス方式を利用しています。モビミエント・コセチャ（Movimiento Cosecha）は、米国の1100万人の未登録滞在者全員のために、恒久的な保護と尊敬、尊厳を勝ち取るための運動ですが、これも2015年からムーブメント・ハウスの試みを実践してきました。

サンライズ・セメスターに参加した75人のリーダーたちは、みなさんが予想されるようなあらゆる課題に直面しました。私たちは若者たちを束ねて訓練し、有権者との接触やボランティアの育成、抗議行動の組織化などを実践させました。私たちが学んだのは、助け合いの運動文化をはぐくむ方法（そしてそれを台無しにする方法）や、お金に関する厄介な話をする方法、運動に対する奉仕の精神を涵養（かんよう）する方法、紛争解決のための共通の手続きを作ること、そして時には、難しく考え過ぎないことでした。

トータルすれば、私たちは25万人以上の有権者に、電話かけや戸別訪問、携帯メッセージを通じてコンタクトを取りました。しかし、サンライズ・セメスターから生まれた最もすばらしいものは、その経験を通して成長したリーダーたちでした。

> 私は小さいころから怒りっぽい子供でした。この辛（つら）い世界に私を産み落とした親を恨んでいました。気候危機に直面して、自分がちっぽけで弱いと感じていることにも、腹が立っていました。基本的な生存権のために十分に戦っている人などいない気がして、周りのみんなに怒りをぶつけていました。サンライズ・セメスターで私は、いろんな難しいスキルを学びました。見知らぬ人たちのお宅を訪問して、玄関で気候危機について話す方法とか、新人を勧誘する方法、知らない人たちに電話かけをする方法などです。でも、私が学んだ最も重要なことは、周りの人々に対する怒りを、危機の張本人である億万長者へとシフトさせる方法でした。私は初めて、自分のコミュニティを激しく愛するようになり、自分のために戦うのと同じように、彼らのために戦うことを学びました。この仕事を長くやっていくためには、毎日10時間もしっかりと立っていられるためには、そして負けそうな時にも挫（くじ）けないためには、そうした愛情が必要なのです。
>
> アラセリー・ヒメネス（サンライズ・セメスターのボランティア）

結局のところ、私たちがサンライズ・セメスターの参加者たちに求めたものは、誰かに求めるには大きすぎるものばかりでした。しかし、それは大きかったからこそ魅力的だったのです。若者たちは、新たな嘆願書に署名したいと思っているのではありません。問題解決につながる大きな仕事をしたいと思っているのです。

ハブのリーダーたちは、率先して独自のムーブメント・ハウスを設立し、コミットメントとコミュニティの文化を育んできました。彼らは自分のコミュニティでお金を集めたり、学校に助成金を求める請願をしたり、学校や仕事を休むうまい方法を考えて、できるだけ多くの時間を運動のために使えるようにしました。中には、多忙な生活にも関わらず、不安感と切迫感に押されて、この戦いに全力を尽くそうと、サンライズのボランティア活動にさらに時間を割いている人もいます。ニュー・リパブリック誌のサンライズに関する記事では、ペンシルバニア州出身の18歳のサンライザーで、高校3年生の時に運動に参加した、ライス・ラミレス・サントロの話が紹介されています。

> 「学校に行ったあと、暗くなるまで4時間も個別訪問をして、それから家に帰ったら、周りの人たちにサンライズの話をしたり、奉仕活動をしたりしています。ずいぶん時間を使いました」と彼女は振り返った。「当時は彼氏がいて、大変でした。家族との関係も大変でしたし、良い成績を取る必要があったので、学校でも色々と大変でした。素晴らしいこともたくさんありましたが、気候危機の不安感や切迫感がなければ、もっとバランスよく、いろんなことができたはずです」[5]。

もっともっとたくさんの人が、それぞれの生活の中で、全力を投じてきました。複数の仕事をこなしながら有権者にメールを送るために1時間を費やしたり、幼児を連れて政治家に抗議したり、気候変動を否定する友人や家族と厄介な会話をしたり、といったことです。私たちは、人々がいろんな方法でコミットメントを飛躍させていることに、いつも驚かされています。

根底からの多人種共生運動の構築

サンライズの原則その3：　私たちは、あらゆる階層に属するアメリカ人です。私たちは肌の色も信条も様々で、それぞれが平地や山地、海岸地域の出身です。少数の富裕層は私たちを分裂させようとしていますが、私たちは違いを認めてお互いを尊重し、私たち全員のために昨日する社会を実現するために、一致団結して戦います。

気候変動を止めるための私たちの戦いは、すべての人間が生まれながらにして持っている価値と尊厳に基づいています。それは、一人の人間を、他の人間よりも高く評価する政治的・社会的な力を否定するものです。私たちが暮らす社会は、人種や民族、富、性別、セクシュアリティ、宗教、国籍などのヒエラルキーによって構造化され、分断されています。この本で他の仲間たちが言っているように、これらの差異の境目に沿って、権力や権利、そして自由の分け前を不当なものにしている不平等こそが、気候危機を推進し、深刻化させているのです。サンライズに参加する私たちの多くは、環境悪化や気候変動が、米国や国外で最も社会的に疎外されたコミュニティ（貧困層や有色人種、女性、子供、世界の南側の住民たち）に、不釣り合いに大きな影響を与えているのを目の当たりにしたことから、この運動に引き寄せられました。

私たちは、あらゆる形態の抑圧に挑戦せねばなりませんが、ここでは人種差別に注目します。それは、アメリカでは人種差別が社会の形を決めるほどの重要なものであり、それが運動づくりにも独特の課題を突きつけているためです。第 4 章でイアン・ヘイニー・ロペスは、グリーン・ニューディールを勝ち取るためには、あるいは革新派の主なアジェンダを一つでも実現させるためには、人種的・経済的不平等に対抗するための、多人種の運動を形成せねばならないと述べています。これは簡単な仕事ではありません。第 13 章でウィリアム・バーバー牧師が書いているように、分断統治のための人種差別は、何十年どころか何百年も前から、政治的支配層の戦略だったのです。アメリカ史のあらゆる古戦場には、構成員たちが人種を超えた連帯を確立・維持できなかった社会運動の、残骸が散らばっているのです。

グリーン・ニューディールのための闘いで人種差別に対処することは、道徳的な要請ですが、戦略的な必須事項でもあります。私たちは、拡大された公共投資と普遍的な社会プログラムの評判を落とす目的で、私たちの政敵が用いている人種差別的な犬笛を打ち砕かなければ、グリーン・ニューディールを勝ち取ることはできません〔犬笛については、第 4 章を参照〕。人種差別をはじめとするあらゆる形の抑圧に対抗して、黒人や白人そして褐色の全てのメンバーたちが共に立ち上がるという強い一体感（commitment）がなければ、十分に頑丈な社会運動を構築して、それを大衆ストライキのレベルまで高めてゆくことはできません。なぜなら、非暴力行動は労働者階級の人々や有色人種の人々に、不相応の不当なリスクをもたらす可能性があるからです。

では、具体的にはどうすればいいのでしょうか？　私たちは、公共の場に拡散するメッセージや、私たちが構築する同盟関係、そして私たちが支持する候補者を通じて、人種差別に反対します。また私たちは運動の中で人種差別に反対する実践に努めています。サンライズに参加するということは、人種や階級を超えた運動を構築するという試練を受けて立つということです。自分自身が変わる姿勢をもち、学習をし、人種差別の現実に屈することなく立ち向かう意思を示すことなのです。

サンライズの挑戦は現在進行中のものであり、不完全なものです。私たちは、原則その８の「悪気のない過ちの後には率直な話し合いをして学びあう」に従い、多くの過ちを犯しては、たくさんの話し合いをしてきました。その際には、有色人種のリーダーたちがこの運動をより強くするために、愛情を込めて叱咤することもしばしばでした。私たちはこれからも共に学び、試行錯誤してゆきます。ここでは、いくつかの経験をご紹介します。

大学や職場、社会運動における反抑圧教育は多くの場合、知的水準が高く、事実関係の理解に重点を置いたものとなっています。それが有効な人たちもいますが、たいていの場合、このアプローチだけでは、お互いの違いを乗り越えて、新たな関係性を育むのには不十分なのです。孤立と個人主義という支配的な文化は、私たちの社会がいまだに物理的にも隔離されていることで強化され、多くの人々にとって、人種の隔たりを越えた有意義で優しい関係を構築することを不可能にしているのです。サンライズの訓練やハブは、いくつかの重要な実践によって、メンバーたちがそうした関係を築く機会を提供しています。

私たちが広く使っているツールの一つに「語りと響き」というものがあります。これは個人的な語りと、積極的な傾聴のことです。物語を語ることは、しばしば私たちの違いが私たちの人生をいかに形づくるかを明らかにします。また、さらに多くの場合には、喜びや苦しみの共通性を浮き彫りにして、私たちをより人間らしくするのです。

歌うことも、私たちを結びつける手法として重要なものです。歌は神秘的かつ魔術的な、そして時には霊感的な感覚を与えることによって、私たちを一体化させます。歌によって私たちは、デモの最中でも冷静で毅然とした態度でいられ、怒りや絶望や悲しみを伝え、お互いの精神を向上させ、歴史や遺産や文化を共有するのに役立ちます。

これらの実践は、違いを超えた関係を築くチャンスを生みだすもので、絶対に不可欠なことですが、それで十分なわけではありません。日々、新たなメンバーが運動に参加していると、彼らの抑圧的な振るまいも一緒に入ってきます（私たちにはみんな、そういう側面があるのです！）。新旧の会員は、自分自身の態度や社会の中に潜む、人種差別をはじめとする抑圧的な傾向と、つねに戦いつづける責任があるのです。

私たちがこの仕事を支援する一つの方法は、人種差別に反対するレンズを通してリーダーシップを深めようという志のあるメンバーのために、訓練を行うことです。2018年末に、サンライズのリーダーたちは最初の「リーダーズ・オブ・カラー研修」を実施しました。これは、有色人種のリーダーたちに「投資」し、彼らの間により深いコミュニティを構築することを主眼としたものです。この研修は参加者に対して、長く続いてきた人種差別のトラウマを癒やし、白人が多数派のハブでリーダーを務めるという共通の難題に向けてお互いを支え合うよう求めました。私たちの運動はいま数ヶ月ごとに、30～40人のサンライズ・オーガナイザーたちを対象として、こうしたリーダーシップ・トレーニングを実施しています。

私たちはまた、白人リーダーのための人種差別反対の訓練も行っています。この訓練において、白人の参加者たちは、自分自身を人種差別と闘うプロジェクトの協力者や主導者として見るよう努めます。

白人リーダー向けの研修でも有色人種のリーダー訓練と同じように、白人として経験したことを活かしてゆくための助言と、他者を傷つけるような言動に適切に対処して健全なグループ文化を保つためのツールとを、活用しています。

グリーン・ニューディールを勝ち取るための唯一の方法は、何百万人もの人々を巻き込んだ大規模な、人種や階級を超えた運動を構築することです。そのためには、私たちの運動の内部でも、そして私たちが公共の場で行う物語上の戦いや戦略上の戦いにおいても、人種的・経済的抑圧に立ち向かうことが必要なのです。

分散型組織化

ビクトリア

サンライズの原則その7: 私たちは自発的に行動します。3人以上集まれば、サンライズの名のもとに行動を起こすことができます。その際にはお互いに、許可ではなく、アドバイスを求めるようにします。決断をするためには、「これで私たちの最終目標に近づけるのか？」と自問自答します。もしイエスであれば、刺激的で有意義な仕事をすればいいだけです。

ペロシのオフィスで座り込みをしたとき、その狂騒のさなかで、何百人もの若者たちは歌によって団結し、議会警察は廊下で活動家たちに警告を発していました。私は廊下の反対側で膝立ちになって、資源ごみ回収箱の上にノートPCを置き、それをスマホとバッテリーにつなぎました。私の使命は、私たちの抗議をオンラインで見ている何千何万もの人たちに、この運動のために積極的な役割を果たし続けるよう促すことでした。

道徳的抗議活動が盛り上がった時には、観衆たちがどこに居ても、それに触発されて行動を起こすことがあります。ペロシのオフィスにいる若者たちのライブストリーム〔動画中継〕に人々が接続すると、オンラインボランティア〔中継担当〕の7人からなるチームは、わずか数分でネット視聴者たちの関心と心をつかみました。私たちは何千人ものライブストリームの視聴者にメッセージを送り、翌日の夜のオンライン会議（video conference call）に参加して、運動に加わる方法を学んでくれるよう呼びかけました。その目的は、彼らにすぐにアクティブ・ベース〔積極的な運動基盤〕の一員になってもらうことです。グリーン・ニューディールを支持するコメントをしたり、「いいね！」を付けたりするだけの立場を卒業して、実際に姿を現してもらうことです。

座り込みの映像が広く拡散されたせいで、1000人以上の人がオンライン会議の参加者に登録してくれました。私たちはそれを、オンラインのデモのように運営しました。関わり始めたばかりのサンライザーたちは、参加を決断するきっかけとなった出来事や、行動を起こした時に覚えた不安や勇気について、ついて力強く語ってくれました。私たちは参加者たちに対して、グリーン・ニューディールをナンシー・ペロシや連邦議会議員たちに支持させるために、今すぐやれる一番重要なことは、地元議員の事務所を訪問することだと伝えました。地元での事務所訪問計画の参考として、Google ドキュメントを共有して、サンプルとなるスローガンや筋書き、そして丁寧な手引きを提供しました。

彼らはリツイート〔ツイートを転送すること〕以上のことをしたくてウズウズしていました。何か大きなこと、刺激的なことを呼びかけて、それをやりとげるためのサポートをすれば、きっとやってくれると私たちは確信していました。そして、200 人の若者がペロシの事務所を占拠してからわずか 1 週間以内に、若者たちは全国の 200 の議員事務所に対して、グリーン・ニューディールの要求を突きつけたのです。

これこそが分散型組織化（distributed organaizing）の作業です。オンラインで何千人もの参加前の人々とつながり、地に足がついた活動に彼らを接続することによって、運動を成長させるのです。オンラインでサンライズの活動を見た人や、ソーシャルメディアの投稿に「いいね！」をした人、メールのリンクをクリックした人は誰でも、ボランティアチームから参加を求められます。招待状はダイレクトメッセージかメールで送られます。こうして彼らがオンライン賛同者から一日も早く、実際の担い手に移行するよう支援しているのです。

サンライズの原則その七、「3 人ルール」というものは、新しい人たちが運動に参加し、勇気を出して行動できるようにするために、非常に重要なものです。大規模な運動を構築するには、すべてをコントロールしたいという気持ちを捨て、立ち上がろうとしている仲間を信頼し、サンライズの原則と DNA に従って共通の仕事を果たすことが必要なのです。

人々は誰かの許可を待っていたときよりも、自発的な行動を起こすよう背中を押された時のほうが、大きなリスクをとり指導力を発揮することが分かってきました。サンライズシカゴのポール・キャンピオンは、サンライズに参加するようになった経緯を次のように語っています。

僕は e メール・リストに登録して 1 年以上も、ソーシャルメディアをフォローするだけで、積極的なことは何もしてきませんでした。2018年中間選挙の直後に、11月の座り込みに行こうというメールが来ました。試験があったので行けませんでしたが、ライブストリームを見ていたんです。その時に、「なんてこった、自分の優先事項はいろいろあるが、これほど重要なことなんて他にないぞ！」と思ったのです。若い人たちが発揮していたパワーは、今まで見たことがないものでした。彼らが抱いていた希望は、今までに感じたことのないものでした。

次のアクションが行われる12月10日には、絶対にそこに行こうと決めました。シカゴの友人5人と、サウスベンドのいとこ、そしてミネソタの友人1人を連れて、ワシントンに行ったのです。逮捕される危険を冒(おか)したのは初めてです。何百人もの人たちと一緒に訓練を受けて、その翌日に行動を起こすまでの間に、「なんでここに来るまでに、こんなに時間がかかったんだろう？　ここは理想の自分になれる場所じゃないか！」なんて思ったものでした。そこで、シカゴに縁(えん)のある人たちと知り合って、冬休みにはまた一緒にそこに行きました。最初はハブを始めようとは思っていませんでした。自分に合っているとは思えなかったんです。でも、自分がやらないと始まらないと悟(さと)ったので、知り合った仲間たちを呼んで、発足会合を企画し、実現にこぎ着けたのです。

サンライズは若い人たちに、やろうと思ったことは何でもできるんだと、伝えるものです。よく理解できるまで待つ必要はなく、やってみて、失敗して、またやり直せばいいんです。誰もやったことのないことだから、みんなで考えるんです。そして、やってみるだけでも、正しい方向にむかう大きな一歩になるのです。

ポールと違って、現場で役割を果たすのに向いていない人や、どうしてもそれができない人のために、オンラインで役割を果たせる仕組みも設計しました。数十のボランティアチームに所属する何百人もの人々が、サンライズの重要な機能を支えています。いくつか例を挙げると、まずデータ入力チームは、ハブが組織化している人々に、迅速かつ効率的に連絡が取れるようにデータの入力と管理を行っています。また、テキスト送信・電話かけチームは、運動全般に関わる重要な情報を伝えます。他に、受信箱チームは、運動のオーガナイザーたちが、質問への回答を確実に受け取り、仕事を進めるのに必要な支援が得られるようにしています。

サンライズの信念は、日々の暮らしを送る人たちが地元で出来ることをすることが、変革をもたらす力になるということです。どの組織もネットワークも、グリーン・ニューディールをこの国の方針とするために、力を借りる必要のある全ての人々に、おカネを支払うことはできません。運動を維持し、日々それを強化する力となるのは、ボランティアの貢献なのです。

分散型組織化は、「もしかしたら私にも何かできるかもしれない、もしかしたら地元の議員に電話をかけたり、５人の友人にメールを送ったり、ハウスパーティーを主催できるかもしれない、そして数人の友人と一緒に、歴史を形作る運動に参加できるかもしれない」という勇気を引き出します。

この小さな勇気の火花こそが、私たちがサンライズを始めた時の力になったものです。そしてこれこそが、サンライズを自分の運動にしようとする仲間たちに、気づいてもらいたいことなのです。誰もが歓迎され、誰もが変化を起こすことができます。サンライズ運動の目標とビジョンを共有し、運動の原則に従えば、サンライズの名の下に行動を起こし、自分よりも先に参加していた人と同じように、これを自分の運動だと主張できます。

サンライズの原則その11：　私たちは光り輝きます。もちろん、辛い日も悲しい日もあるでしょう。これは簡単な仕事ではないからです。しかし、私たちが行う全てのことに、前向きな精神と希望で臨みます。世界を変えることは、充実と喜びに満ちたプロセスだということを示すのです。

アメリカの青空

サヤ・アメリ・ハジェビ

©Caitlin Scarpeli

私はサヤ・アメリ・ハジェビ、18歳。世界で最も汚染された都市のひとつである、イランの首都テヘランで育った。

私が小さかった頃は、一度も新聞の大気汚染予報を読む必要がなかった。私の弟が息を切らし、肌に発疹ができているのを目にしたときから、大気がひどく汚染されていることは知っていたのだ。

母が、子供の頃に見た青い空や白い綿雲の思い出に浸っていた時も、私にはそれが信じられなかった。私が子どもの頃に、空はどんな色かと聞かれたなら、自信をもって灰色だと答えたはずだ。

ある日、母は弟と私をハイキングに連れていってくれた。山頂に着いたとき、私は自分の町を覆う灰色の厚いキャンバスを見下ろした。私の頭上は、誰かが私の明るい青色のクレヨンを澄んだ空に溶かしたかのようだった。涼しく、新鮮な空気が肺に満ちるのを感じた。振り返ると、弟の胸が難なく上下に動いているのが見えた。弟が、いつまでもこのような青い空に包まれていてほしかった。

それからすぐに、サフランライス〔香辛料のサフランと共に炊いた米〕とバデンジャン〔ナスやトマトなどが入ったシチュー〕を食べるたびに響き渡らせていた家族の笑い声と、祖父母とに別れを告げて、私たちはイランからアメリカに向かった。スモッグで休校になり、命がけで正義を求める抗議の声を上げた人たちが、暴力を受けた町を、私たちは離れた。私たちは自由と民主主義、そして青い空を求めて旅立った。

私がマサチューセッツ州ボストンに住んで、もう9年になる。最初のサンライズのミーティングで私が知ったのは、民主党に属するマサチューセッツ州議会下院の議長、ロバート・デレオが、化石燃料産業から4万ドル〔440万円〕以上の選挙資金を受け取り[1]、2018年には州議会上院で可決された野心的かつ包括的な気候変動法案を骨抜きにし[2]、私たちの州や地球が必要とするものとは程遠い妥協案を作ったということだった。ロバート・デレオの選挙資金を少しばかり増やすために、私の弟の健康を脅かしているのかと、私は憤りを感じた。ところが、ヴァルシニ・プラカシュに、「今日、立ち上がって、ロバート・デレオのオフィスで発言したいという人はいませんか」と聞かれたとき、私はためらった。

小学生だった頃の、ある涼しい秋の夜のことを思い出した。テヘランで、私は寝室のドアから母が泣いているのを覗いていた。ヒジャブの下から髪の毛を見せすぎていたせいで逮捕されたという話を父にしながら、声を詰まらせていた。私が何度彼女を抱きしめて慰めようとしても、あの日に母が失ったものを返してあげることはできなかった。

ヴァルシニは質問を繰り返した。「誰が州議事堂で、私たちの運動を代表してくれる？」私は幼い頃から学んでいた。イランでは、変化を起こそうとする人々は逮捕され、辱（はずか）しめを受け、時には絞首刑にされることもあると。…でも、心に浮かぶ私の弟の姿が、澄みきった空に囲まれながら私の袖を引っぱり、私に手を挙げてほしいと言っていた。権力を持つ者が行動を起こそうとしないせいで、これからも弟が苦しい息をするのを見て、つらい思いをするのはうんざりだ。

次の日、私はサンライザーに囲まれて州議事堂の丸屋根の下に立ち、こう言った。「デレオ議長、私の世代と共に立ち上がってこの地域社会を守ってください。さもないと、私たちはあなたを引きずり下ろして、そういう人物に代わってもらいますよ」。

デレオ議長はその日、化石燃料産業からの寄付金を受け取らないという誓約（No Fossil Fuel Money Pledge（ノー フォシル フューエル マネー プレッジ））に署名しなかった。だから私たちは何度も何度も州議会を訪れた。その人数は、数ヶ月のうちに数十人から数百人、数千人へと増えていった。そしてついに、デレオ議長は13億ドル〔1430億円〕の気候変動法案を可決させた。これは決して十分ではないが、私たちは今や、自分たちに政治を変える力があることを知っている。グリーン・ニューディールを勝ち取るまで、私たちはあきらめない。もう灰色の空を恐れる必要はないのだから。

第 13 章　地球のための第三のリコンストラクション

ウィリアム・J・バーバー二世牧師

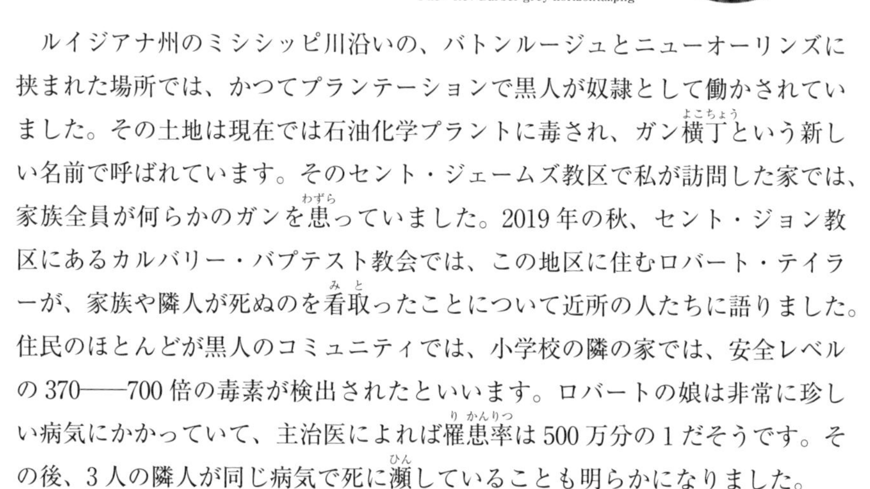

Knightopia - Own wor
CC BY-SA 4.0
File：Rev-Barber-grey-horizontal.png

ルイジアナ州のミシシッピ川沿いの、バトンルージュとニューオーリンズに挟まれた場所では、かつてプランテーションで黒人が奴隷として働かされていました。その土地は現在では石油化学プラントに毒され、ガン横丁という新しい名前で呼ばれています。そのセント・ジェームズ教区で私が訪問した家では、家族全員が何らかのガンを患っていました。2019 年の秋、セント・ジョン教区にあるカルバリー・バプテスト教会では、この地区に住むロバート・テイラーが、家族や隣人が死ぬのを看取ったことについて近所の人たちに語りました。住民のほとんどが黒人のコミュニティでは、小学校の隣の家では、安全レベルの 370――700 倍の毒素が検出されたといいます。ロバートの娘は非常に珍しい病気にかかっていて、主治医によれば罹患率は 500 万分の 1 だそうです。その後、3 人の隣人が同じ病気で死に瀕していることも明らかになりました。

ガン横丁は環境人種差別のあからさまな例であると同時に、アメリカのプランテーション経済が地球全体にもたらした恐ろしい遺産を象徴するものでもあります。盗まれた労働力と盗まれた土地の上に築かれたこのシステムは、前例のない富を生み出し、アメリカが世界の超大国になることを可能にしました。しかしそれはまた、常に破壊をともなう制度的な習慣を確立したのです。「亀の国」（Turtle Island）と先住民が呼んでいたこの土地に入植者たちが入ってきた頃から、先住民は、持続不能な採掘と搾取に警鐘を鳴らしてきました。「先住民族は植民地占領の初期から、生態系と種の崩壊が進行するのを目の当たりにしてきた」[1]と、活動家で学者でもあるニスナベグ族出身のリーン・ベタサモサケ・シンプソン氏は、パシフィック・スタンダード誌に語っています。「気候変動について私たちは、もっと長い一連の事態の一部として考えるべきです。それは、植民地主義と、富の蓄積を目的にした社会によって引き起こされた、生態学的な大惨事なのです」と。実際、フランシスコ教皇〔第266代教皇、在位2013～〕が「共同の家」と呼ぶこの地球を救うことは、当初から白人以外の人たちを無視したり疎外したりしてきたこのシステムを、リコンストラクション（Reconstruction）することなしには不可能だということを、先住民族は私たちに教えてくれています〔Reconstructionは、主に南北戦争後（1865～1877年）の合衆国の立て直しを意味する用語であり、ふうつは「再建」と訳されるが、本章では先住民や黒人を支配する体制の再建（もと通りに戻すこと）は意味的に不適当なため、そのままカタカナ語とした〕。要するに、グリーン・ニューディールは、第三のリコンストラクションなしにはあり得ないのです。より完全な連合にむかう進歩を一歩一歩実現するためには、過去のリコンストラクションの歴史から、重要なカギとなった組織化（オーガナイジング）について学び、これを第三のリコンストラクションに活かす必要があるのです。

温暖化する地球上で共に生き残れるかどうかという問題と、この国のすべての人々の自由と正義を実現する約束を果たせるかという問題とを、切り離すことはできません。聖書のノアの箱舟物語から言葉を借りるとすれば、私たちはみな同じ箱舟に乗っているのです。地下資源の抽出を続ける汚染経済から解放された未来は、白人至上主義にもとづく制度的（システミック）な搾取からの解放ぬきにはあり得ません。そしてこの未来にはリコンストラクションと変革が必要なのです。私たちは自分たちの歴史を率直（そっちょく）に見つめて、絡み合った不正の根幹を理解することが必要です。そうすると、アメリカの歴史は最初から、多人種運動の歴史であったことが理解できます。つまり、民主主義を私たちがいま享受できているのは、人種差別廃止や公正な労働慣行確立、女性参政権、公民権、ＬＧＢＴＱ＋（エルジービーティーキュープラス）の権利獲得のために闘ってきた、様々な人々の取り組みのおかげにほかなりません。ですから、第三のリコンストラクションを実現するためには、私たちが継承してきたシステムがどのようにして生まれてきたのか、時間をかけて振り返り、記憶に留めなければならないのです。

国民の誕生

400年前、オランダ国旗を掲げた軍艦「ホワイトライオン」が、イギリス人の船長と乗組員を乗せて、ネーデルランドの港から出発しました。船には、政府からスペイン船を略奪することを許可された私掠船員が乗っていました。彼らは約60人が乗船していたポルトガルの奴隷船を奪いました。私掠船はバージニア州のジェームズタウンにあるイギリス人の入植地に、アフリカ人奴隷を連れて行きました。入植地のリーダーであるジョン・ロールフェの報告によると、ホワイトライオン号は「二十数人」の奴隷を入植者に引き渡し、食料や備品と交換したということです[2]。

奴隷たちが下船したジェームズタウンでは、入植者たちはまだ自分たちが「白人」だとは考えていませんでした。たしかにホワイトライオン号で到着したアフリカ人は、普通の年季奉公人ではなかったので、それまでの入植者社会には馴染まない存在だったに違いありません。とはいえ、バージニア州のほとんどのヨーロッパ人も年季奉公人として到着し、7年間働いた後に、植民地から土地を与えられることになっていました。あの日に船から降ろされたアフリカ人の法的地位が不確かだったとしても、まだ肌の色によって「黒人」とされたわけではなかったのです。後になって奴隷制度によって、彼らの子孫の肉体に「黒人」という意味づけがなされてゆくのです。

17世紀初頭のジェイムスタウンでは、自由でない労働力には黒人も白人もいて、人種で区分される奴隷制度という「特殊な制度」はまだ存在していませんでした。しかしまもなくこの場所で、今では当たり前になっている人種による区別が生まれ、プランテーション資本主義を正当化してゆきます。それは、プランテーションを支える貧しい白人労働者と黒人労働者の団結や融合が強まり、黒人とその家族にも民主主義の大義が広まるおよぶのを防ぐためでもありました。

植民地時代のバージニア州において、権力への最大の脅威となったのは、ベイコンの反乱〔1676年にバージニア植民地で起きた反乱〕でした。それはヨーロッパとアフリカの出身で、植民地廃止のために団結した人々の反乱でした。

ベイコンの反乱を鎮圧するにはイギリス海軍が必要でした。再びこのような反乱がおきるのを防ぐために、バージニア植民地は人種差別を生み出し、人種にもとづくヒエラルキーの制度化に乗り出したのです。

皮膚の色や身分をめぐる法的構造が急速にできあがりました。1705年のバージニア州奴隷法によって、人種的・遺伝的束縛の制度が完全に確立しました。誤った生物学や、病的な社会学、政治病理学、悪の経済学、軍事的狂気、異端の存在論にもとづいて、法律が作られました。

人種化され、制度化された奴隷制度の下で展開された収奪を正当化するために、所有者階級は白人至上主義の教義を確立しました。白人至上主義は、邪悪な取り決めの柱となり道標（みちしるべ）となりました。すなわち白人至上主義は、白人支配のための政治プログラムであるとともに、私たちが肌の色にかかわらず、心に無意識に抱く優越感と劣等感の集合体となっていったのです。劣等人間と優等人間を分けることによって、プランテーション所有層は彼らの究極的な優越性を強化したのです。プランテーションの白人は貧しかったかもしれませんが、少なくとも黒人よりはマシだと感じることができました。

この歴史を知らないと、私たちは簡単に人種差別にからめとられてしまいます。つまり、人を分断するために生み出された人種差別の考え方と同じぐらいに、採掘と搾取の経済を当然のものとする嘘（うそ）を受け入れてしまうのです。そして、こうした差別が生み出されたのは、人種を越えた闘いの力を弱めるためだったということも忘れてしまいます。〔要するに〕アメリカの歴史の始まりから、代表制民主主義の約束をすべての人に平等に拡大することを要求し、搾取された人々を束ねることができる人種を越えた連合の力が、労働と土地を搾取する収奪型経済にずっと挑んできたのです。

アメリカ人は「人種」というものを、なんらかの実体のあるもので、否定しえない自然界の特質だと信じる傾向があります。そして、この人種というわかりにくい生物学的な条件によって「人種差別」が生じるのだと考えがちです。タナハシ・コーツは、こうした妄想が白人至上主義を「自然の必然」とみなしてしまうと指摘しています[3]。この混乱は、多くの人が竜巻の被害を嘆くだけで、これを解決しようとしないのと同じように、多くの人が奴隷貿易や先住民迫害を受け容れてしまう事態をもたらします。「人種は人種差別の子であって、人種差別の父ではない」と、コーツは言います[4]。

人種差別の父とは、残忍で因習的な隷属を正当化する必要のことです。その目的は、タバコやコメ、砂糖、コーヒー、綿花などをつくる農業でした。奴隷労働は18世紀と19世紀を通じて、経済社会の潤滑油でした。そして、永遠の経済成長という偽り(いつわ)の約束への要求は、現在においても存在しています。盗まれた土地と盗まれた労働力を利用してきたことを正当化してきたこの嘘から解放されないかぎり、石油への依存からも私たちは解放されないのです。

白人至上主義のもう一つの悪質な嘘は、それが白人の利益のためになるとする点にあります。しかし、白人至上主義は有色人種にとって有害であるのと同じぐらい、白人にとっても有害です。この事は気候変動の危機の問題においてこそ明らかになります。

この土地の先住民族が以前から知っていたことであり、科学者たちが最近確認したことですが、収奪的で搾取的な資本主義は、私たちが生息する青と緑の地球を、宇宙空間で自転するだけの冷たい虚無の石に変えてしまいます。海面が上昇し、火災が起こり、干ばつが来ると真っ先に苦しむのは貧しい人々です。しかし貧しい人々は、その本当の原因は褐色の肌をした移民や、怠惰な黒人の母親、イスラム教徒の隣人だ、などと人種差別的な嘘を聞かされます。人種差別は、貧困層や疎外された人々を絶えず互いに戦わせることで、アメリカの政党が地球上の生命を危険にさらしながらも、権力を維持することを可能にするのです。

白人至上主義には始まりがあったように、終わりもやってきます。その未来が、人間が住めない地球の永遠の静寂となるのか、あるいは現在よりもはるかに公正で愛に満ちた、自由で平和的な地球となるのかは、分かりません。神の裁きは公正ですが、いつも美しいとは限りません。長い間待たされていた裁きの日がやっと来ました。ですが、本当のことを言うと、私たちは陪審員であるとともに、被告人でもあります。自分たちの運命は自分たちで決めなければならないのです。

アメリカの心をよみがえらせる

自分たちの過去と率直に向き合うと、自由の思想と人種差別的な思想が、並んで歩んできたことがわかります。そして人種差別的な思想が、非人道的な奴隷制と地球の濫用（らんよう）を正当化するために、どのように利用されてきたかがわかります。民主主義の夢と制度的人種差別は共に私たちの遺産であり、英雄主義と偽善は分かちがたく絡（から）まって存在してきました。普遍的な愛のビジョンと奴隷所有者の宗教はアメリカの歴史のなかで手を取り合ってきたのです。しかし、制度的（システミック）な人種差別を解体できなければ民主主義も地球環境も存続できないことが、ますます明らかになってきています。桟橋（さんばし）にオールを置き忘れたまま、カヌーは私たちの子供たちみんなを乗せて今にも滝から落下しようとしているのに、私たちはロープをほどいたのは誰だと言い争っているのです。私たちのほとんどは、この事態は私たちのせいではないと信じているのです。

しかし、ジェームズ・ボールドウィンが言ったように、「私たちが今生きている世界を作ったのは、私たちなのだから、もう一度やり直さなければならない」のです[5]。アメリカの栄光ある民主主義の遺産は何か、私たちには1兆トンのプラスチック以外に何か世界に提供できるものがあるのかという問題は、果たして私たちには変化する能力があるのかという問題にすべて集約されます。

プランテーション経済のやり方と慣行が、私たちの共生を損なったのは事実です。ですが私たちはまた歴史を通じて、完璧な結束に向けた強力な運動を作り出してきました。アフリカ系アメリカ人はベイコンの反乱がプランテーション制度を揺るがしたことを忘れることなく、北と南の白人と手をつないで、人種を超えた連合の可能性を追求してきました。南北戦争終了〔1865年〕から4年以内に、白人と黒人の同盟が南部の全ての州議会を支配して、共に新しい指導者を選出しました。ほとんどすべての南部の議会は、黒人が優勢な同盟か、人種を超えた強力な連合かのどちらかによって統治されていました。彼らは深い道徳的な視点をもって、新しい憲法を打ち立てたのです。

このリコンストラクションの目的は何だったのでしょうか？　彼らは、民主主義を拡大するためには、選挙権を拡大するとともに、分断の線を越えた連合を構築する必要があることを知っていました。人民主義者に属する多くの貧しい白人農民は、まだ人種差別主義にとらわれていましが、黒人の共和党員は白人の人民主義者たちと団結して協力しました〔人民党 Populist Party の成立は 1891 年なので、ここでは Populist を人民主義者と訳した〕。これらの連合は南部に最初の公立学校を建設しました。新しい州憲法では、すべての人に公教育を受ける権利が認められました。ノースカロライナ州の憲法には、「貧乏人や不幸人、孤児のために有益な便宜を提供することは文明国家とキリスト教国家の第一の義務である」との規定と[6]、「労働者の権利と、自分の労働の成果を享受する権利」が含まれていました。それは、1868 年に、労働騎士団〔全国労働組合組織〕が最初に南部でキャンペーンを行うはるか前のことです。彼らは、白人と黒人の道徳的融和の観点から見ても、生活可能賃金に達しない労働は奴隷制度が形を変えたものに他ならないという事を、知っていたのです。

しかし、4 年間に及ぶ第一次リコンストラクションの実験は、人の道に外れた強力な反対に直面しました。今のアメリカを理解するためには、当時の反対運動を理解することが必要です。南部連合の元軍人たちの多くは、黒人の市民権と人種をこえた同盟（fusion coalitions）を、本質的に違法なものと考えていました。彼らが作ったクー・クラックス・クラン（KKK）は、彼らが裏切り者とみなした白人の人種融合主義者を恐怖に陥れることを目的にして、黒人指導者たちを攻撃しました〔KKK はアメリカの白人至上主義秘密結社で、1865 年に結成されたとされている〕。保守派は課税に反対して政府のプログラムを攻撃し始め、州政府が元奴隷の状況を改善することを困難にしました。彼らは、古い人種差別主義的な考えを用いて白人の人民主義者に恐怖心を植え付け、民主主義を少数の特権者からより多くの人々へと拡大させようと試みる人種をこえた同盟に攻撃を加えました。

なぜ彼らはこのようなことをしたのでしょうか？　なぜ、選挙権を制限し、刑事司法改革を挫折させ、法の下の平等を切り崩そうとしたのでしょうか？　彼らは「アメリカを取り戻す」、「我々はアメリカを救うために来た」と言いました。そして彼らは不道徳な行為を正当化するために、この国の道徳を歪めました。そして世紀の変わり目には、第一次リコンストラクション期に獲得されたものの多くが、覆されてしまったのです。

このような進歩と反発のパターンは、「公民権運動」と呼ばれるアメリカの第二次リコンストラクション期にも繰り返されました。例えば、学生非暴力調整委員会（SNCC（エスエヌシーシー））で黒人と白人が一緒になった時、彼らはジム・クロウ法下の人種隔離に挑戦しました〔ジム・クロウ法は、南北戦争後のアメリカ南部におけるアフリカ系アメリカ人差別のための法律の総称〕。しかし、彼らはまたミシシッピ州のフリーダムサマーで、選挙権法を勝ち取るためのセルマ運動に参加して、他の公民権組織と協力して活動しました。第一次リコンストラクション期と同様に、選挙権の拡大は第二次リコンストラクション期の中心課題であり、拡大した政治運動は、働く人々の真の政治力につながりました。黒人や白人、そして有色人種が移民社会を変える連合を結成して、住宅へのアクセス改善や、環境保護、貧困との戦いをすすめました。1960年代後半までに、アフリカ系アメリカ人や、貧困層の白人、南西諸島出身のチカノ、そしてネイティブ・アメリカンズを代表する数十の組織が、マーティン・ルーサー・キングジュニア牧師を中心とする、貧困層のためのピープルズ・キャンペーンのもとに団結しました。

左対右、共和党対民主党という典型的な枠を超えて、人種をこえた政治運動は公（おおやけ）の道徳的課題に一緒に取り組むことを可能にしました。私たちが決して忘れてはならないのは、第二次リコンストラクション期に環境保護運動が生まれ、全ての国民に、地球を大切にするという道徳的義務を真剣に受け止めるよう呼びかけたことを受けて、共和党政権が環境保護庁（EPA（イーピーエー））を誕生させたことでした。

もちろん、アメリカの第二次リコンストラクション期には、極端な反動もまた発生しました。新右翼の政治工作員は、白人有権者の恐怖を煽り、政治力を強めるために、人種差別的な犬笛を駆使する「南部戦略」を発展させました。大企業の利益団体は大金を投じたキャンペーンで政府を攻撃し、労働組合を叩き、人種を越えた連合にクサビを打ち込み、気候科学を否定しました。革新的（プログレッシブ）な白人との人種を越えた同盟を目指す黒人や褐色人種の潜在的な力が、現状維持勢力にとって巨大な脅威だったからこそ、これらの反動勢力は支配圏を維持するために、極端な圧力をかけなければならなかったのです。

奴隷制度を根底から支えていた政治的病理と、リコンストラクションの後の時代における反動は、現在の私たちが目撃している絶え間ない民主主義への攻撃として、いまも健在です。2010年以降、23の州が人種差別的な有権者弾圧法を可決しました[7]。人種差別的なゲリマンダリングや区割り変更法によって選挙登録を困難にし、期日前投票の期間と時間を短縮し、より制限的な有権者ID（アイディー）法を可決しました〔ゲリマンダリングは特定の政党や候補者が有利になるような選挙区割りをすること〕。2013年に最高裁が投票権法の第5節を骨抜きにして以来、ミッチ・マコネル〔共和党議員で上院の有力者〕と、彼に同調する議員たちは、投票権法をもとに戻すことを拒否してきました[8]。2016年11月の大統領選挙は50年ぶりに、投票権法の完全な保護を受けずに行われました。もし、1957年の公民権法を24時間以上も議事妨害（フィリバスター）したストーム・サーモンドを人種隔離主義者と呼ぶなら、6年以上ものあいだ投票権復活を阻止しようとした政党全体を私たちはなんと呼べばいいのでしょうか？

私たちは、現在の危機と課題を、第三次リコンストラクションの問題として考え始めなければなりません。アメリカの民主主義を拡大してあらゆる人種・信条・文化の貧しい人々を含むようにすることと、社会契約の強化によって全て人々の経済的・社会的基本権を保障することが求められています。グリーン・ニューディールのプロジェクトは、第三次リコンストラクションによって、アメリカの民主主義の精神を呼び起こすものでなければならなりません。

コーク兄弟とドナルド・トランプは、資本家と白人至上主義者との不浄（ふじょう）な同盟の、その最新版に過ぎません。それは建国前からこの国を形づくってきたものであり、私たちの現在の危険をもたらしたものです。彼らが選挙結果を乗っ取って、人種差別主義者や反民主主義者、気候変動否定論者の候補者を、〔連邦・州・自治体など〕あらゆるレベルの政府に送り込むために、何億ドルもの資金を投じている限り、そして選挙で選ばれた公僕が利益市場主義の企業の拡声器（メガホン）である限り、さらには若者や有色人種、貧困層が政治の中で発言力を持てない仕組みが続く限り、私たちが気候変動を止めるために必要な社会経済の変革を勝ち取ることは、不可能なのです。

アメリカにおける貧困の道徳的危機（モラル・クライシス）についても理解しておかなければ、気候危機と民主主義の危機がどのように関係しているのかも理解できません。アメリカには、すでに貧困に陥（おちい）っているか、陥る危険性が極端に高い人たちが1億

4千万人もいることがわかっています。世界全体では、気候危機の影響を加えれば、2030年までに1億2千万人が（主に女性と子供たちが）、さらに貧困に陥る可能性があります。黒人と有色人種の国では10億人が家を失い気候難民となる可能性があります。アメリカでは550万人もの人が、無鉛ガソリンを買うことができても、鉛に汚染されていない水道水を手に入れることはできないのです[9]。

生態系の荒廃は、アメリカ内陸部の都市からルイジアナ州の「ガン横丁」にまで拡がり、そこには政治的病理学や邪悪な経済学、それに奴隷制を支えていた病んだ社会学が残っていることを暴露しています。最初のアフリカ人がアメリカの海岸に到着してから400年がたっても、アフリカ系アメリカ人の68％が石炭火力発電所から30マイル以内に住んでいて[10]、石炭火力発電所の煙突から排出される有害な物質に晒（さら）されていると推計されています。

産業公害が最大の健康被害をもたらす場所に住む比率でみれば、アフリカ系アメリカ人は白人と比べて79パーセントも多いのです[11]。国内に1388カ所ある汚染地（スーパーファンド土壌汚染対策法の対象地）から半径3マイル以内の地域の居住人口でみても、アフリカ系アメリカ人の比率は大きいのです。また、アフリカ系アメリカ人が最も危険な化学工場の近くに住む比率も、人種にかかわらず全てのアメリカ人がそのような場所に住む比率と比べて75％も多いのです[12]。過去の罪は、今も私たちと共にあるのです。

このように、金権政治家が何世紀にもわたって人種差別的な分断の伝統を守り続けていますが、（貧困者や黒人、白人、有色人種、先住民族、アジア系アメリカ人、ラテンアメリカ人からなる）私たちは多人種・多民族で構成する多数派です。私たちには、アメリカの物語のもう片方に、つまり人種をこえた政治の誇るべき遺産に、新たな命を吹き込む義務があります。ベイコンの反乱から差別廃止論者の闘争まで、公民権運動から現在の人種をこえた運動まで、アメリカの歴史にはいつだって、民主主義の拡大のために協力しよう、制度的（システミック）な人種差別の分断を拒否しようと、闘ってきた人たちがいたのです。

私たちが決して忘れてはならないのは、差別廃止論者たちが、自由な黒人とクエーカー教徒だったことです。つまり、奴隷にされた人たちと、奴隷主の子どもたちだったことです。第二次リコンストラクションを可能にした融合体（フュージョン）には、北部の学生や、南部のアフリカ系アメリカ人の退役軍人、ユダヤ教の律法師（ラビ）とキリスト教の聖職者、労働組合、公民権団体、同性愛者の活動家、それに農業労働者たちが含まれていました。アメリカ人は人種や宗教、性別、性的指向、階級、地域などを分かつクサビによって分断されてきましたが、垣根をこえた政治はいつだってそれに逆らってきました。それが教えてくれるのは、私たちの共通の生存システムを、すべての人々に奉仕するものに変革（リコンストラクト）すべく私たちが団結するとき、「人民による人民のための政府」という約束の実現に近づくことができるということです。

現在のモラル・クライシスが異常なものと感じられるならば、思い起こしてください。壊れたシステムを擁護（ようご）している人たちも、リコンストラクションや真の変革を求める現在の運動が、本当に力を持っていると思っていなければ、これほど激しくは抵抗していないでしょう。米国では2040年までに、白人も、数多くのマイノリティ集団の一つとなります[13]。この人口動態の現実が、移民に対する攻撃や、有権者の抑圧、そして政財界における大企業や外国勢力の影響力の原動力となっているのです。アメリカからイギリス、ブラジル、ロシア、中国、イスラエルまで、奴隷化された人々が収穫した砂糖や綿花の上に築かれたグローバル経済が、貧しい人々の運動による急進的（ラディカル）な民主主義によって脅かされています。ナショナリストの指導者たちは、人種差別と外国人恐怖症に訴える反動的なポピュリズムで対応しています。プランテーション資本主義の当初から、リコンストラクションに抵抗するために使われてきた、分断支配の戦略を展開しているのです。

今こそ、かつて綿花を手で摘み取っていた人々の子孫たちは、ラテン系の人たちや、革新的（プログレッシブ）な白人たちの手を借りなければなりません。宗教家や労働組合活動家、アジア人、ネイティブアメリカン、貧困な人々、そして裕福な人々と、手を結ばねばなりません。同性愛者や異性愛者、トランスジェンダー、ユダヤ教徒、イスラム教徒、ヒンドゥー教徒、仏教徒と手を結ばなければなりません。全ての人々が、拒絶されてきた人々が手をつなぐとき、私たちの一体感が贖い（あがない）を推（お）し進めることとなるのです。私たちが違いをこえて手をつなぐとき、生存権・自由権・幸福追求権と、法の下での平等な保護、そして共同善のための配慮は、いつでも、どこでも、何人（なんぴと）からも、剥奪（はくだつ）されることはありません。

　私は、これまで実現できなかったアメリカを、実現しうる可能性が残されていると信じることに決めました。私は「貧者のキャンペーン：道徳復活のための全国的な呼びかけ（Poor People's Campaign: A National Call for Moral Revival）」を通じて、21世紀のうちに、あらゆる人種や信条、文化、セクシュアリティの人々と、違いをこえた連合をつくり上げるべく身を捧げています。これは、民主主義の心の復活に向けた大きな推進力となるでしょう。このキャンペーンの基本的な使命は「生態系の荒廃」を、人種差別や貧困、戦争経済、歪んだ道徳物語が絡み合ったものだと告発することです。私たちは、グリーン・ニューディールなしには、民主主義の心を復活させることはできません。そして、民主主義を取り戻し、ともに完全な同盟の実現に向けて前進することなしには、気候危機に対応することもできないのです。

第14章　アメリカ政治の次の時代

ギド・ジルジェンティ　ワリード・シャヒド

「グリーンドリーム、とか何とか呼ぶらしい」[1]。オカシオ＝コルテス下院議員とマーキー上院議員が、グリーン・ニューディールの決議案を連邦議会に提出したことを受けて、民主党の下院議長のナンシー・ペロシは、こう言い放った。

多くの評論家は、気候変動と戦おうとする自分の同僚の提案に、ナンシー・ペロシが泥を塗る発言をしたのに驚いた。しかし、ペロシがグリーン・ニューディールをファンタジーとしてしか考えていないことは何も驚くべきことではない。ナオミ・クラインの言葉を借りるならば、ペロシのような政治家が「炭素排出量を削減するのに必要なことを、何一つしてこなかったのは、我々が気候危機からの出口を求めて闘ってきた時期をずっと支配してきた規制緩和の思想と完全に矛盾する」からだ[2]。ペロシは1987年に下院議員に就任し、多くの二大政党の指導的政治家と同じく、新自由主義的資本主義と共和党が優位だったレーガン時代に、政治家としてのキャリアを積んできた。

この時代の政治家は、排出量を減らすために必要な行動をとらなかっただけではない。多くのリーダー候補は、進行する気候危機に対応した政策を提案したり推進したりすることはおろか、声を上げることすらできなかった。社会的・生態学的な力が、明らかにすべてを急激に変化させているにもかかわらず、レーガン時代とは全くちがう世界を想像することも非常に困難だった。

新自由主義は記録破りのことをたくさん実現してきた。金ぴか時代〔南北戦争後の好況期〕いらい最大の格差[3]、大恐慌いらいの最悪の経済危機[4]、第一次世界大戦いらい続くアメリカ人の平均寿命の低下[5]、先進国の中で最も高い刑務所収監率[6]、OECD(オーイーシーディー)の中で最も高額な医療費[7]、最高レベルの学生の借金[8]、等々だ。最低賃金が上がらない期間は最長になった[9]、労働組合加入者数はニューディール以降のどの時点よりも低くなった[10]。そしてもちろん前代未聞の炭素排出率の高さもだ。このイデオロギーが権力をつかむ道の真ん中は、最初から人種差別があり、トランプの選挙は金持ちに仕える政治家の権力を維持するために、人種差別がこれまで以上に不可欠であることを明らかにした。

気候正義と環境正義を目指す指導者たちは、気候変動の危機を止めるには、気候変動を悪化させる、貪欲(どんよく)さと人種差別の力に立ち向かわねばならいことを繰り返し述べている。二大政党の新自由主義者が化石燃料からの移行を遅らせ、トランプ大統領時代の到来で人種差別主義を一方的にあおる右派のプロジェクトが最高潮に達している今こそ、もっと多くの人々がこの事に耳を傾けるようになってくれるかもしれない。

デトロイトを拠点に活動していた故グレース・リー・ボッグス〔アメリカの思想家・活動家。1915年-2015年〕は弟子たちに、政治の日常的な争いを超えた物に目を向けることを求め、尋(たず)ねた。「世界の時計は何時を指しているのだろう？」と。ナンシー・ペロシのような政治家には時計がない。政治的な時代の終わりや始まりを感知できない。世代を区分するような大きな危機をとらえることはできない。歴史的瞬間や、人類文明の今後の百数十年にとって極めて重要な変化を把握できない。二大政党間には終わりなき交渉しかない。より大きな戦いが起こりつつあることも知らずに、チーム民主党とチーム共和党が超党派の妥協ゲームをいつまでも続けてゆくだけだ。

それでも、時は刻々と進み、変化が扉を叩いている。何百年にもわたる採掘産業は、40年に及ぶ破滅的な利益追求の高まりをもたらし、コントロールが及ばない広大な環境の変化を引き起こした。そして、それは世界中の人間社会に波及している。アメリカの政治おいて一世代にわたって支配的だった新自由主義は、日に日に意味をなさなくなってきており、アメリカの人々は代替案を受け入れる準備ができている。

では、レーガンの時代を終わらせ、新しい時代を切り開くとはどういうことだろうか？　来たるべきグリーン・ニューディールの十年の基礎となる常識を作り出すには、歴史を振り返る必要がある。

この一世紀の間に、アメリカ政治の常識は二度、大転換を遂げた。一度目はニューディールの後で、二度目はレーガン革命の後でだ。歴史家や政治学者は、これらの転換点を再編成《リアラインメント》と呼ぶ[11]。それぞれの再編成において、政治家や運動は、未解決の差し迫った国家危機に対応するために、新たな政策アジェンダを打ち立てた。再編成の指導者たちを、ここでは再編成者《リアライナー》と呼ぶことにしよう。彼らは、新しいアジェンダの背後に多数派連合を結集させ、そのアジェンダを実行し、新しい常識を固めるために、政府権力を獲得する。この連合を構築するにあたって、再編成者はこれまで結びついていなかった問題群や支持者たちを、共通の価値観によって結びつけ、新しい常識を確立するために活動する〔本章では、再編成（realignment《リアラインメント》、政治・経済・思想の大転換）と再編成者（realigner《リアライナー》、再編成を担う人々）、および次段落の政治的編成（political《ポリティカル》 alignment《アラインメント》）、すなわち再編成に向けた政治家と様々な運動とのあいだの共闘関係が最重要のキーワードである〕。

我々は、この新しい時代を形づくる一連のグループや運動を、ベテラン活動家で作家のジョナサン・マシュー・スマッカーの表現を借りて、新時代の「政治的編成（political《ポリティカル》 alignments《アラインメント》）」と呼ぶことにする[12]。政治や運動を構築する組織の中で仕事をする者にとっては「政治的編成」は、より一般的に使用されている「連合（coalition《コアリジョン》）」との区別に役立つ。「ニューディール連合」と聞くと想像できるのは、革新派グループと民主党員が少し大きめのテーブルについている状況だ。しかしスマッカーによれば、政治的編成は一つのテーブルにつくには大きすぎる。その方向を、一人の人間や一つのグループがコントロールすることはできない。つまり、政治的編成においては、その構成メンバーが「多数派の共感と支持を集める」ための作業を進めることによって、「一体となった政治的勢力とは何かを意味する境界線を押し広げてゆく」のだ。

時代を画する再編成は、おそらくアメリカ政治の中で、運動が目指すことのできる最大の目標である。それは過去100年の間に二回しか起きていないのだ。グリーン・ニューディールを勝ち取れれば、それが再び起こることになる。

おおかたアメリカの人々は、政治というものは、たんに民主党と共和党が政権交代を繰り返して、自分たちの番が来た時に支持者の利害に応(こた)えるだけのものだと教えられている。過去には確かに、赤の時代と青の時代が交互に繰り返されてきただけだ。だがこれだけでは、将来的に何が可能なのかという我々の感覚が鈍くなってしまう。こうした観点では、グリーン・ニューディールを10 年間維持できる望みはない。せいぜい、もう少し民主党色を強めようというぐらいのことしかできなくなるのだ。

想像もつかないもの、言葉で言い表せないものに向かって努力することは大変だ。再編成の観点から歴史を振り返ると、将来何が可能なのかについての我々の理解が変わる。本章のレーガン革命とニューディール時代の概説は決して包括的ではないが、再編成の力と影響の大きさを伝えるものだ。また、一世代にわたって二大政党の政策決定にどのように影響を与えるかについても、説明を試みている。

この歴史はまた、新時代のアメリカ政治の再編成に向けて我々が組織化をするための、いくつかの教訓を与えてくれる。第一に、再編成者(リアライナー)は、旧来の思想を徹底的に否定しなければならない。新常識が確立される前の時代の慣例から、政治を解き放たねばならない。再編成者は、現在の権力者のビジョンや政策では、持続的かつ緊急の危機を解決することはできないという事を示さねばならない。

第二に、再編成は厄介なものである。再編成が成功したとしても、それは一貫した完全な連合ではない。確かにそれは、国政選挙に勝つのに十分な幅広さがあり、競合する利害関係者や、互いに対立さえする利害関係者を含む支持者層を含めることもできるだろう。しかし再編成者は、いったん政権に就くと、政策を大転換させる歴史的な機会を活かすことと、多数派をひとつにまとめることの、両方を求められる。この緊張関係が、新たな最重要(ガバニング)アジェンダの優先事項や範囲を決定づける。対立を表面化させれば、政治的編成が瓦解(がかい)することもある。

第三に、再編成が成功すれば野党にとっても、新しい常識を受け入れ、新しい政策アジェンダに自ら進んで適応する以外には、選択肢がなくなる。ニューディール期の共和党は、一部はニューディール同盟を弱めようと動いたが、全体としては、ニューディールのコンセンサスの範囲内で活動した。レーガン時代には、民主党は新自由主義の常識に順応した。

我々は、どうしても戦略を「ロードマップ」と呼びたくなるものだが、歴史の流れはそれほど単純でも、予想どおりにいくものでもない。グリーン・ニューディールを勝ち取るには支持者たちの、そして時には競合する利害関係者をも含む人たちの、広範な政治的編成をつくりあげる必要がある。そしてそれを、気候変動で変化した世界において、我々の自由・尊厳・繁栄を守るための、多人種・多民族民主主義のための変革のアジェンダへと高めてゆかねばならない。そのためには新しい言語やアイデア、連携が必要となる。過去から出来合いのものを取り出すことはできないのだ。とはいえ、20世紀の再編成者たちから得られる教訓は、これから再編成者となろうとする人たちに、基礎となる不可欠な知見を与えてくれるだろう。

ニューディール、レーガン時代、そして次の再編成

1930年代の大恐慌は、アメリカと近代資本主義が経験した最悪の経済危機だった。1929年の経済崩壊から丸4年近く、アメリカ人の約4分の1は失業者のままだった[13]。建設投資額は3年間で9億4900万ドルから7400万ドルに急落した〔本書の原文ではIndustrial Production(インダストリアル プロダクション)（工業生産額）であったが、その参照元ではIndustrial Construction(インダストリアル コンストラクション)（産業用建設）であり、また工業生産額が10分の1未満に落ち込むことは考えにくいことから、原文が誤りと判断した〕。ほぼ全ての大都市で、仕事も家もないアメリカ人は、危機を作り出した大統領にちなんで名づけられた「フーバーヴィル」というテント村で暮らした。共和党はアメリカを半世紀以上にわたって支配していた。そしてフーバーは、企業による自主規制を基本とし、政府による介入は経済を歪めて危機をかえって長引かせるとする共和党の考えを頑(かたく)なに守った[14]。

「経済恐慌は、立法措置や行政命令によっては救えない」[15]と、1930年の終わりにフーバーは、議会に対して言った。「最高の政府貢献は地域社会での自発的な協力を奨励することである」と。

しかし、有権者は納得しなかった。FDR〔フランクリン・デラノ・ローズヴェルト〕の民主党は1932年の総選挙で、下院で196議席の過半数を獲得し

て地滑(じすべ)り的な勝利を挙げた。工業労働者や、カトリックやユダヤ系をはじめとする移民、アフリカ系アメリカ人、農民、そして〔かなり人種差別主義的で頑固な〕南部の民主党員や、主に中産階級の革新的な改革者たちを含む、新しい広範な連合が誕生した[16]。

ニューディール時代が始まるまでには、金ぴか時代〔南北戦争後の好況期：1865-1900年〕いらいの共和党の反政府的政策の評判を、失墜させる必要があった。FDRは就任演説で、彼の勝利はたんに共和党の政策の否定を意味するものではなく、暴落の原因となった金融屋を再起不能にし、カネの亡者が支配する経済に終止符を打つものだと述べた。ローズヴェルトは、大恐慌が続いた原因は、決して自然的な欠乏ではなく、「人々がつくった商品の取引を支配する者たちが間違いを犯したからであり、世論が決して許さないような（…）恥知らずな両替商(りょうがえしょう)たちが野放(のばな)しにされていたせい」なのだと断言した[17]。

FDRが後に明らかにしたように、「ニューディール」とは、端的に言えばアメリカ人の勤労者の「大多数に利益をもたらす新しい秩序であり」、国民が「心から嫌悪」していた「特権階級による古い秩序に取って代わるもの」だ[18]。古い考えを捨てる自由を手にした政府は、国民の苦難を受け止めて、産業の安定と人々の安全を保証する主体なのだという考えを、ニューディールの出発点とした[19]。しかし、ニューディール以前の50年と決別する、というこの考え以外には、FDRには単一の「変革のためのビジョン」はなかった[20]。その代わりにFDRは、経済を救い、新しい政治的編成を維持しようと、リベラルで革新的(プログレッシブ)な考え方を数多く取り入れることにした。

「ニューディール時代」を特徴付ける様々な考え方が、ローズヴェルトの登場によっていっぺんに、できあがった形で提示されたわけではない。それは、次の10年の対立と妥協の中から形成されたのだ。1933年の半ば、FDRは鉱工業生産を刺激し、消費者の購買意欲を高めようとして、新しい国家復興局（NRA(エヌアールエー)）を創設したが、その際、彼の政権はあらゆる有権者を満足させようとした[21]。企業はトラスト解体をやめてくれと言い[22]、労働者と議会革新派は団体交渉権を要求していた。南部民主党は黒人労働者の脅威からジム・クロウ法を守ろうとし、農業・家事労働者はNRAの管轄から除外してくれと言った（南部の黒人の大多数は、農業労働者や家事労働者として働いていた）。それぞれに対して譲歩がなされ、その譲歩によって新たな政治的編成が維持された。

しかし、NRA 自体は単なる妥協の産物ではなかった。FDR の復興プログラムの要（かなめ）である NRA は、規制と労働者の権利という革新的な考えを、経済計画に組み込んだものであった。この機関は、大きく再構築された経済秩序を体現していた[23]。その秩序とは、労使協力に基礎を置く、政府主導の産業経済であった。

産業経済における権力を抜本的に見直し、安定した労使関係を引き出すための譲歩を基本とした、NRA の調整の試みは長続きしなかった。1 年も経たないうちに、社会主義者はサンフランシスコとミネアポリスで 2 度のゼネストを組織し[24]、1934 年の中間選挙を前にして、労働争議の波が全国を騒がせた[25]。選挙では、ローズヴェルトの人気と大規模な革新派の動員により、民主党の議会での多数はさらに大きくなり[26]、大統領より左に位置する革新派の新人が登場した。FDR の党は勝利したが、「新しい議会は彼が考えていたよりもはるかに急進的な方向に彼を追いたてた」と、ウィリアム・ルクテンバーグは書いている[27]。

再編成者たちは、街頭と議会における新しい革新主義をチャンスととらえた。左翼的なニューディール推進派でローズヴェルトの親友であったハリー・ホプキンスは、自分のスタッフを叱咤激励（しったげきれい）した。「俺たちは欲しいものは何でも勝ち取るんだ。雇用保証プログラムとか、社会保障（Social Security（ソーシャル セキュリティ））、公正な賃金、それに労働時間規制とか、とにかく全部だ。いま手にいれられなかったら、永遠に無理だぞ[28]」。ロバート・ワグナー上院議員は 1935 年 2 月に全国労働関係法案を提出した[29]。ローズヴェルトは社会保障法を提案したが、それは下院を通過しなかった[30]。そこで彼はすぐに、攻撃にさらされていた NRA を復活させて、分裂の危機にあった政治的編成を維持することに焦点を当てた。

1935 年には、NRA の失敗は明らかだった。消費者は企業が人為的に価格をつり上げていることに不満を表明した[31]。団体交渉権は労働者のストライキと組織化を強化したものの、労使紛争を減らしたり賃金を上げたりすることはほとんどなかった。中小企業と大企業は価格設定と市場シェアを巡って争った[32]。FDR は財界の支持を保ち続けるのに失敗した。NRA に決定打を食らわせたのは最高裁だった。1935 年 5 月 25 日に、NRA に対して違憲判決が下されたのだ。

ローズヴェルトは旧秩序を否定し、弱体化する連合をひとつにまとめて、1934年の選挙では民主党の議席をさらに増やした。しかし、企業の反対と最高裁によって第一次ニューディールの心臓がえぐり取られたとき[33]、第二次ニューディールの大改革（労働組合の合法化と、初の全国的社会保障制度の実現）を可能にしたのはストライキの波と、議会における革新的な再編成者の果敢さであった。

すでに社会保障と労働権のための法案がまとまっていたので、革新派は大企業に対抗して労働権と普遍的社会保障、そして人種的平等のための新政策を具体化することを、ローズヴェルトに求めた[34]。NRAが無効になってから6週間後に[35]、議会は全国労働関係法〔ワグナー法〕を成立させ、それから一月ちょっと後に社会保障法（Social Security Act）を可決させた。ただし、南部民主党が重要な集票組織であり続けたため、ニューディール推進派は再びジム・クロウ勢力と妥協して[36]、農業労働者や家事労働者を新政策の対象者から除外した。

これらの勝利によって、ニューディールはより革新的な方向へと開かれたかのように見えた。労働運動のなかの再編成者たちも、大規模な組合組織化と、労働者の社会的・経済的権利の更なる拡大の機が熟したと信じた[37]。〔労働運動家の〕ジョン・L・ルイスとシドニー・ヒルマンは、未熟練労働者の組織化に消極的なアメリカ労働総同盟（AFL）に反対して、「未組織労働者の組織化」のために、1935年末に産業別労働組合会議（CIO）を設立した。ルイスは鉄鋼産業や自動車産業、ゴム産業で戦闘的な組合を確立するために、何十人もの共産主義者と社会主義者を雇った[38]。CIOはローズヴェルトと同盟を結んで、ニューディールの政治的編成の勢いを維持した。1936年半ばに、CIOは労働者無党派連盟（Labor's Non-Partisan League）を結成して、FDRの大統領選挙のために60万ドルもの巨額の資金を集めた[39]。

CIOは、FDRに資金援助することでニューディールの政治的編成の継続を支えただけでなく、アフリカ系アメリカ人労働者を組合に加入させたことでニューディール連合内部のパワーバランスを変化させた。彼らもすぐに民主党の重要な構成員となった。CIOは、人種的正義と労働権の思想を「ニューディール・リベラリズム」に融合させて[40]、20世紀半ばの公民権革命が開花する種を蒔いたのだ。

ヒルマンとルイスは、どちらもローズヴェルトの支配する多数派を維持しながら、ニューディールが変容する可能性を追求した再編成者だったが、この均衡を保つための行動をかなり異なった形で実践した。ヒルマンは1938年の公正労働基準法の成立を成功させ[41]、政府の中で有効に働く労働者代表者であることを証明した。FDRは間もなくヒルマンを、第二次世界大戦遂行に備えて準備中の総動員組織の労働者代表に任命した[42]。ヒルマンは、労働者が戦後経済の構築に関与したければ、ローズヴェルトの戦時プログラムを支持することは不可欠だと信じた[43]。ストライキによって戦時生産が脅かされる可能性が生じた時には、ヒルマンはAFLやCIOと交渉してノーストライキ誓約を引き出し、全国戦時労働委員会（ＮＷＬＢ）の設立を支援した。NWLBは労働者が大企業や政府と対等に交渉できる場となった。だが翌年、ルイスはNWLBの賃金抑制に抗議してノーストライキ誓約を破棄し、鉱山労働者を動員してストライキを実施した[44]。

ヒルマンとルイスはともに急進的な再編成者として出発し、多人種労働組合の勢力を伸ばすことによって、ニューディールの政治的編成をより左派へと拡大させていった。だが、戦時中の労働運動を「ヒルマンではなく、ルイスのような指導者が作り上げていたなら」、おそらく第二次世界大戦後の政治は違ったものになっていただろうと、歴史家のアラン・ブリンクリーは述べている[45]。ニューディールから袂を分かったのは、ルイスだけではなかった。1940年代の半ばまでには、革新的な改革者と急進的な労働指導者は、ニューディールのアジェンダを拡げるための戦いの大半で負けていた。南部民主党員は、「労働者の組織化は（…）公民権運動を刺激している」と懸念しはじめた[46]。そこで、FDRが第二次世界大戦に勝つための味方として必要とした企業家階級と同じように[47]、南部民主党員たちもニューディールの成果を、私的資本の権力を保ちつつ、成長してきている消費者経済を管理する事に制限した[48]。

終戦までには、ニューディール合意の核心となる思想は堅固となり[49]、1970年までアメリカの政策形成の常識を決定づけた。それは、連邦政府が産業を規制することで、制限されない資本主義の残虐さから人々を保護し、完全雇用の目標を追求し、社会保険により経済的安定性を保障し、公的資金を公共財に投入する、というものだった。安定した経済や、賃金の引き上げ、そして大企業との対立の調停には、労働組合と団体交渉が不可欠だった。ローズヴェルト大統領の第1期終了前に、ニューディールの抹殺を画策した一部の裕福な実業家たちの反対もあったが、戦後経済の成長自体が、ニューディール合意の有効性を証明した[50]。

ニューディールの政治的編成は支配的な常識を確立し、それに反対する共和党の政治家でさえ、その常識の範囲内で政治を行うことを余儀なくされるほどだった[51]。1954年、アイゼンハワー大統領は、「どんな政党であっても、社会保障や失業保険を廃止し、労働法や農業プログラムを撤廃しようとすれば、その党は米国政治の歴史から消え去ることになるだろう[52]」と言って、ニューディール政策を解体できると考えていた保守派を叱りつけた。アイゼンハワーは、ニューディール政策を解体する提案は、主流の保守主義の中ではあり得ないと言ったわけだ。その理由として、反ニューディールの「ちゃちな分派」には、「テキサスの大富豪が数人と、バカな政治家がぽつぽついるだけで（…）あいつらはアホ」だと彼は語った。しかし、右派の反ニューディーラーは、批判をやめなかった。

1960年の著書 *The Conscience of Conservative*（ある保守政治家の良心）の中で、アリゾナ州の上院議員バリー・ゴールドウォーターは、主流派の共和党員が公然と「小さな政府の原則」を否定したことを非難した[53]。その中で、アイゼンハワー政権の役人が、「人々のニーズを満たすために何らかの仕事をしなければならない場合、他の誰もそれを行うことができないなら、それを行うのが連邦政府の本来の機能である」と述べたことを非難している。4年後にゴールドウォーターは、1964年の共和党大統領候補予備選挙で、公民権擁護派の穏健派共和党員ネルソン・ロックフェラーを破った。〔大統領選挙で〕地滑り的な勝利をおさめたのは〔民主党の〕ジョンソン候補だったが、ゴールドウォーターの選挙運動はニューディール同盟を権力から追放する方法を模索する、保守的な再編成の先駆けとなった[54]。

その間にも、ニューディールの連合と政策によって可能となった、革新的な改革が続いた。リンドン・ジョンソン大統領の「偉大な社会」は、メディケアとメディケイド、連邦教育資金、連邦反貧困プログラムを確立して、ニューディールが最初に作り出したソーシャルセーフティネットを拡大した[55]。1930年代半ばCIOの多人種組織化として始まった取り組みは、公民権の民主的受容として広く受け入れられるようになった。早くも1940年代半ばには、政治学者のエリック・シクラーは以下のように書いている。「リベラル連合は公民権を経済的・社会的革新のための戦いの最前線として認識していた。リベラルは、南部のジム・クロウ擁護者を倒すことが、リベラリズムの将来にとって不可欠であることを理解していた[56]」。

ニューディール時代は黄金時代では決してなかった。軍拡とベトナム戦争の惨禍（さんか）は民主党政権下で続いた。アフリカ系アメリカ人に対する人種差別は、ニューディールと戦後社会保障制度によって固定化され、今日に至るまで続いている。とは言え、ニューディール時代の運動と政策は、正義と平等に向けて国家を動かした。1947年から1970年代初頭までに、貧困生活にあるアメリカ人の割合は半減した[57]。アメリカ人の最貧困20%層の所得が二倍以上になり、経済成長は金持ちよりも貧乏人の方に恩恵をもたらした。公民権や投票権、公正住宅法などは、人種差別に対する法的保護を制定し、差別からの防波堤となった。

しかし、公民権運動の勝利後の10年間で、ニューディールの秩序が崩れ始めた。白人の反発と景気低迷に乗じて、保守派による反革命が始まった。ニクソン大統領はニューディール合意の範囲内で統治を行い[58]、環境保護庁（EPA）と労働安全衛生庁を設立したが、彼は〔人種差別的な〕「南部戦略」の創始者でもあった。それを、保守派の再編成者たちが以後数十年にわたって、微修正を続けながら活用してゆくのである。

ニューディール連合の中心にある矛盾とは、一方では公民権擁護（ようご）の左派労働運動を強化することで公民権勝利の条件を作りながら、他方では、多数派を確保するため南部のジム・クロウ勢力との妥協（だきょう）に依存していたことだ。ベイヤード・ラスティンのような労働運動や公民権運動に積極的な再編成者は、南部の民主党員を党外に追放するように積極的に働き、一方で、マーティン・ルーサー・キング牧師は、あらゆる人種の貧しいアメリカ人を、自身の「貧者の行進」の中に組織化（オーガナイズ）しようとした[59]。しかし、民主党の中で労働者と公民権の同盟を実現するという希望はかなわず[60]、他方では右派の台頭が始まっていた。民主党は、新たな多数派を確保できないまま、南部で着実に敗北していった[61]。

公民権運動は、単に反動的な有権者を保守的な連合に押し込んだだけではなかった。右派の再編成者たちは、ニューディールの政治的編成の瓦解に付け込んで、新たな右派同盟のもとに支持者をまとめるように、たゆまず動いていた。組織を束ねたポール・ウェイリッチよりも明確に、自分の役割を自覚して、それを効果的に実行した再編成者はいなかった。レーガン革命がはじまる 2 年前の 1980 年には、ウェイリッチは自分の仕事の手本が何なのかをよく理解した上で、「私たちは（…）40 年前のニューディーラーに非常によく似ている[62]」と言った。1979 年の戦略メモには「古いニューディール連合は死んで、そこには真空がある」として、右派の再編成者の任務を「個人の自由と責任という哲学に導かれる新たな同盟の内実を明らかにし、それを実現し、［そして］その同盟が政治権力を握ることだ[63]」と説明した。

ウェイリッチは、この連合を維持するために必要な機関を設立した。右派のシンクタンクであるアメリカのエンタープライズ研究所が、必要な機敏さと力をもってリベラルなブルッキングス研究所に対抗しえていないと彼は考え、ヘリテージ財団を共同設立した[64]。内国歳入庁（ＩＲＳ（アイアールエス））が人種隔離をなくす手段として、白人教会が設立した学校から非課税の地位を剥奪（はくだつ）した時に、ウェイリッチは、宗教的な右派と「政府はあまりにも強力であるという長年の保守派の見解[65]」とを結びつける好機を見出した。彼はバプテスト派の牧師ジェリー・ファルウェル・シニアに「道徳的多数派（モラルマジョリティ）が組織化されるのを待っている[66]」と言った。同じ年、ファルウェルとウェイリッチは、キリスト教右派の卓越した組織である「モラル・マジョリティー」を共同で設立した。

ウェイリッチのような再編成者は、問題やグループを横断して重要な機関を設立したが、他の人間たちは特定の問題と支持者とを結びつけて政治的編成をつくることに専念した。ウェイリッチはこれを奨励した。政治学者のダニエル・シュロスマンとサム・ローゼンフェルドによれば、彼は「連合政治（coalition politics（コアリション ポリティックス））が……妥協政治や政党政治のいずれかを意味する必要はない[67]」と信じていた。どの団体も「バラバラな有権者ブロックを、彼らにとって最も重要な単一課題のもとに動員できる」ということだ。例えば反フェミニスト運動家のフィリス・シュラフライのような「単一課題」主義の再編成者は、選挙での多数派維持を優先するロナルド・レーガンのような国民的リーダーよりも、運動の価値観や支持者に対する責任を引き受けるケースが多い。シュラフライのような再編成者が苦労したのは、自分たちの運動の要求をしっかり守りつつ、それをより広範な政治的編成の優先事項に組み込むことだった。

シュラフライは、レーガン同盟の初期の社会的保守主義の旗手となり、レーガンを支持することと、自分の運動の目標をレーガンの主要課題（ガバニング・アジェンダ）に組み込む事とのバランスをとった。男女平等憲法修正条項（ERA（イーアールエー））を阻止するための戦いで、シュラフライは６万人を超える、家族を大切にする保守系の女性のための強力な組織「イーグル・フォーラム」を作り上げた[68]。レーガン陣営の戦略家たちは、宗教的・社会的保守派を活性化させるシュラフライの才能に感銘を受け、レーガンの自由市場イデオロギーと、中絶問題や反フェミニズム、学校での礼拝といったテーマとのリンクを強め[69]、彼らの選挙運動における政策と論調をそれに合わせて修正していった。シュラフライは、ゴールドウォーターから始まった「保守運動の正しさを証明する」のがレーガンの立候補だと信じて、レーガンを支持した。レーガンは選挙運動ではERAと中絶に反対したが、これらの主張が穏健派女性の票を減らしすぎることを避けるために、1980年選挙の２ヶ月前に、２人のERA賛成活動家が実権を握る女性政策委員会の設置を発表した。そこでシュラフライは数千人のイーグル・フォーラム活動家に「緊急電報」を送った[70]。その内容は、レーガンが個人的にシュラフライを指名して、社会保守派が率いる家族政策諮問委員会の設立を発表するよう、レーガンに求めるものだった。

ウェイリッチやシュラフライ、そして新右派が勝利のための同盟を紡（つむ）ぎだそうとしている間に、ニューディール・コンセンサスの理想はすでに信頼性を失っていた。リベラル派は、ニューディール政策の根拠だったケインズ主義的な考え方では、1970年代の経済停滞を解決することも説明することもできず、そのコンセンサスに対する財界からの攻撃は強まっていた[71]。企業利益は減少[72]し、CEO達は新たな仲間を見いだすべく共和党に走った[73]。

1980年のロナルド・レーガンの地滑り的勝利によって、自由市場主義者や外交政策強硬派、白人人種差別主義者の反動派、社会的保守派が、政権を握るようになった。ワシントン・ポストのコラムニスト、デビッド・ブローダーは、今回の選挙は「一つの時代の終わりと、新しい時代の始まりをはっきりと示している」と述べた[74]。

ブローダーは正しかった。かつてのローズヴェルト大統領と同じように、レーガンも、自分の勝利は反対政党を倒したことよりも、これまでの時代を規定した思想を完全に否定したことだと説明した。彼の就任演説は、「この危機にあって、政府は問題の解決策ではなく、政府こそが問題なのだ」と宣言している。その就任式の様子を歴史家のスティーブ・フレイザーとゲイリー・ガーストルは「思想と公共政策と政治同盟の、支配的秩序としてのニューディールの終わりを示している」と記した[75]。

レーガン時代の経済常識は、しばしばレーガノミクス、つまり新自由主義と呼ばれる。この常識は、アメリカ政治を半世紀近く支配してきた。それは、あまりにもお馴染みになってしまったものだが、「自らを制御する市場」や私有化（民営化）、規制緩和、減税、労働組合バッシング、そして自分自身の向上を目指す個人主義などで思考を拘束するものだ。レーガン主義全体に織り込まれているのは人種差別の犬笛（暗号化された言葉）であり、それは右派の革命の奥に存在する白人至上主義を隠蔽するものだ。「アメリカ人とは白人のアメリカ人であり、本当のアメリカ人は自分のために働いて納税している。有色人種は、私たちの国と経済を暴力と怠惰で脅かしている」というメッセージだ。レーガン主義は、新自由主義や戦略的人種差別、福音主義的右派の文化的基盤である反フェミニズム、中絶反対、世俗主義への不信感などを織り交ぜ、「小さな政府」という単一の物語に統合したのである。政府に問題があると思うなら、市場を信頼するようにとレーガン派は言った。

右派の再編成者たちは、反政府的なレーガン革命を形づくる政策や思想を研ぎ澄まして、権力獲得のための準備をしてきた。ウェイリッチの申し子であるヘリテージ財団は、「リーダーシップのための指令」と題した千ページに及ぶ新自由主義的な政策マニュアルを、就任式までに次期大統領に手渡すべく急いだ[76]。ヘリテージ財団は後に、レーガン大統領は二期にわたって任期中にこのマニュアルの三分の二近くを実現させた、と主張した[77]。ヘリテージ財団やその他の新自由主義者の支援を受け、レーガン政権は減税を行い、最低賃金を時給 3.35 ドル〔約 801 円〕に据え置き、公共部門の大幅な削減を行った。ニューディール協定の中枢を撃ち抜くこと狙って、レーガンはストライキを起こした 1 万 1000 人以上の航空管制官を解雇した[78]。こうして政府は、既存の労働法制を執行するつもりはないというメッセージを、使用者たちに送ったのだ。ストライキの数は激減し、ワグナー法違反の報告数は激増した[79]。1979 年から 1988 年の間に、貧困ライン以下で生活するアメリカ人の数は 2600 万人から 3150 万人に増加した[80]。一方、上位 1%の人々の所得は毎年増加し、80 年代の終りには国富の 39%を保有していた[81]。レーガン派はウォール街と連携して、家族に過度の家計負担を負わせないためのニューディール時代の保護を撤廃し[82]、他方では、大銀行が行うリスクの高い投資に対する制限は撤廃して、その後の住宅市場崩壊と 2008 年の金融危機への道を開いた。

財政支出削減と規制緩和が様々に行われたが、レーガン派の「小さな政府」理念は決して、介入を慎む弱い政府を意味するものではなかった。政権は大企業や富裕層に有利なように経済のルールを書き換えつつ、米軍や刑務所を拡大し、有色人種をターゲットにした法執行プログラムを強化したのだ。1982 年に発表されたレーガンの対麻薬戦争は、爆発的な勢いで法執行機関の支出を増加させた。1981 年から 1991 年の間に、国防総省の麻薬対策プログラム予算は 3300 万ドル〔約 78 億 8700 万円〕から 10 億 4200 万ドル〔約 2490 億円〕に増加し[83]、麻薬取締局の麻薬対策予算配分は 8600 万〔約 206 億万円〕ドルから 10 億 2600 万ドル〔約 2452 億円〕に増加した。これらのプログラムを国民に売り込むにあたって、レーガン派の犬笛は鳴り止むことがなかった。レーガンのチームは「福祉の女王たち」という物語と、1980 年代半ばの「クラックコカイン蔓延」の話を流布し、メディアの報道が黒人のクラック中毒者のイメージで満たされるよう注力した。レーガン大統領の時代には、米国の刑務所収容者数は 31 万 5974 人から 73 万 9980 人に倍増し[84]、その後も増加を続け、2010 年から 2020 年のあいだは 150 万人前後で横ばいとなった。

レーガン政権下では、新自由主義と「犯罪に厳しい」政治が行われたが、新しい政治的編成の中で、すべての人々を満足させることはできなかった。社会的な保守派は、自分たちの問題が優先事項とされるように戦い続けた。レーガンは、反 ERA 運動を受け入れたにもかかわらず、再び穏健派の女性の支持離れを食い止めようと、「州レベルで」、「残存している女性差別的な法律」を特定し、撤廃するための「五十州計画」を立ち上げた[85]。シュラフライはこのプロジェクトに反対し、「女性差別的な州法の廃止」を拒否するよう政権に求めた[86]。レーガンは、新自由主義者と社会保守主義者は統治同盟の中で対等な位置を占めていること示そうと、最善を尽くした。「私たちは別々の社会的目標を持っているわけではありません、目標は一つです。私たちは財政を健全化させようとしているのと同じように、胎児を保護しようとしているのです」と[87]。しかし、女性を指名するという選挙公約を実現させて、穏健派のサンドラ・デイ・オコナーを最高裁判事に指名したことは、レーガン政権が「ロー対ウェイド判決」を破棄する最高裁判事を指名してくれるだろうと信じていた妊娠中絶反対派を、激怒させた[88]。「私たちの運動は混乱している[89]」と、1981年に妊娠中絶反対派はニューヨーク・タイムズ紙に語っている。連合内の力学を常に注意深く観察していたウェイリッチは、レーガン時代の政治的編成の中での利害対立について、「富裕層(カントリークラブ)にとっては、社会的な問題は重要ではないようだ」と述べた[90]。

右派の再編成派は、以前のニューディーラーと同じように、連合の構築と政策の大転換を苦労して両立させた。ニューヨーク・タイムズ紙は、レーガン大統領の1期目の終わりに彼らが「国家目標の再構築」に成功したと記した[91]。政府の縮小や、市場の自由化、犯罪の取締り、伝統的な家族的価値観の防衛といったような目標が、賢明な政治の目標とされた。二大政党が公転していた円軌道の中心は、以前に比べてはるかに右に移動していたが、レーガンはそれを知っていた。退任演説の中で彼は、評論家たちがレーガン政権の功績を「レーガン革命」と称していることについて、「私にはそれはむしろ、偉大なる再発見のようなものでした。私たちの価値観と常識の再発見に過ぎないものでした」と述べた[92]。

この常識は長続きした。政治科学者のスティーブン・スコウロネックは、レーガンの勝利から20年後に「レーガンの後継者たちはみな、レーガンが設定した政治的期待に応(こた)えざるをえなかった」と記した。「政治的に言えば、アメリカはまだレーガン時代の中を歩んでいる」のだ[93]。

1980年の選挙でジミー・カーターが4つの州を除いて全ての州をレーガン

にとられて以来、民主党はレーガン時代のアメリカにおいて、とるべき進路を決める必要があった。民主党の一派は、ニューディールの原則とニューディールへの忠誠に背（そむ）く戦略を準備し始めた。こうした運動の知的指導者たちの中には、亜流の新自由主義を受け入れた者もいた。雑誌編集者チャールズ・ピータースは、1982年に広く読まれた「ネオ・リベラルのマニフェスト」という記事で、次のように述べた[94]。「私たちは労働組合や大きな政府を、もはや自動的には支持しない。軍と大企業に反対はしない」と。こうした考え方はビル・クリントンが議長を務めた1980年代後半の民主党指導者会議に取り入れられた。革新派の人々はさすがに尻込みをした。彼らはジェシー・ジャクソンの「レインボー連合」のような人種融合（フュージョン）政治キャンペーンで、新時代の労働運動と公民権運動を活性化させて権力を獲得しようとした。ジャクソンのような革新派は、民主党内部での戦いに敗れたので、民主党内の新自由主義者は、まもなく自らを新民主主義者（ニューデモクラッツ）と称し、革新的な政策と保守的な政策の間の「第三の道」を模索するようになった。

ビル・クリントンを指導者として、新民主主義者たちは1992年にホワイトハウスに入った。そして、アイゼンハワーがニューディールを受け継いだように、新民主主義者たちはレーガン時代の常識を受け継いだ。この第三の道は、右派の「犯罪に厳しい」政策を採用する事を意味した。1992年のニューハンプシャー州の大統領予備選挙の前に、ビル・クリントン知事は、リッキー・レイ・レクターの処刑を執行した[95]。障害をもった黒人のレクターは、法学者のミシェル・アレクサンダーによると、「自分に何が起ころうとしていたのかをほとんど理解していなかったので、彼は最後の食事のデザートを、後で食べるために取っておいた」。クリントンは処刑後に「私が犯罪に甘いとは誰にも言わせない」と言った[96]。2年後、クリントン大統領は「暴力犯罪取締り及び法執行法」に署名して、3度目の有罪宣告者に死刑を宣告するよう義務づけた。クリントン大統領の2期の間に、米国の刑務所人口はほぼ60％増加した[97]。

クリントンの第三の道はまた、ニューディール以来の消費者保護や金融規制、そして社会福祉を解体するレーガンが行ってきた作業を、受け継いだ。1996年の一般教書演説では、クリントン大統領は「大きな政府の時代は終わった」と宣言した。七ヶ月後、彼はFDRの社会保障法によって作られた、要扶養児童家庭扶助（AFDC）を解体して[98]、厳格な就労条件に縛られた限定的な生活保護に置き換えた。クリントンは、「私たちが知っているような福祉を終わらせる」と公約してから 3 年後には、FDR が 1933 年に成立させた、商業銀行と投資銀行の区別をするグラス・スティーガル法の廃止を承認した。この決定により、さらに大きな銀行が台頭することとなり、2008 年危機を「より広く、より深く、より危険」なものにした[99]。

さらに次の 10 年には、レーガン主義は、減税と戦争挑発のジョージ・W・ブッシュに受け継がれた。だが、ブッシュは自らが招いた失政に脅かされていた。ハリケーン・カトリーナに対する犯罪的なほどに怠慢で人種差別的な対応から、むごたらしいイラク戦争、社会保障を私有化する（失敗した）試み、2008 年の金融危機に至るまでの、一連の事態で明らかになったのは、「小さな政府」や「帝国主義的な軍事介入」、「自由市場」にのめり込む政治家たちが国を破滅に追いやろうとしている、ということだ。

これらの災害の後に当選したバラク・オバマ大統領は、世代を画する変化の言葉を、すなわち「ニューディール」を拾いあげた[100]。ジャーナリストのアダム・コーエンは、「最近ではどこに行っても、2009 年のバラク・オバマと 1933 年のフランクリン・デラノ・ローズヴェルトとの比較がなされている」と語った。しかし、オバマはレーガン・コンセンサスを破棄し、新しいものに置き換えるつもりはなかった。オバマの基本姿勢はクリントンに非常に近かったのだ。オバマは、クリントンが第三の道で試みたことを、イデオロギー的対立を超越しようとしたことを称賛した[101]。「市場経済と財政規律は、社会正義を促進するのに役立ち（…）貧困と闘うには、社会的責任だけでなく、個人的な責任も必要だ」という認識を、肯定的に捉えたのだ。オバマは勝利後すぐに、テレビ番組「シックスティ・ミニッツ」に出演して、「『これは保守的かリベラルか』などと、あまりイデオロギーに囚われないことを望んでいます」、「FDR が出したアイデアであろうと、（…）ロナルド・レーガンが出したアイデアであろうと、時代に合ったものであれば、それを適用するつもりです」などと述べた[102]。

大恐慌いらい最悪の経済危機のなか、ウォール街が苦悶する状況下での就任となり、下院と上院の両方を民主党が支配していたことから、オバマはアメリカ経済を作り直す機会を手にしていた。しかし、クリントン政権のベテランと経済学者のラリー・サマーズが率いるオバマのチームは、レーガン＝クリントンの経済政策からあまり外れるのは良くないと考え、経済・金融システムを危機以前の状態に復旧させようとした。残された内部行政メモが明らかにしているように、内政としての景気刺激策の目的は「責任ある予算」を守り続け、銀行を安定させ、「過剰な景気回復策で、市場を恐怖に陥(おとしい)れることなく」不況を終わらせることであった[103]。

政権移行チームの経済学者のクリスティ・ロマーが、危機以前のレベルに雇用を回復させるのに十分な大きさの、1.7兆ドル〔187兆円〕の景気刺激策を提案した時には、サマーズは、そのような高い数字を提示しないと明言した[104]。ロマーは次に1.2兆ドル〔132兆円〕に彼女の提案を下げた。彼女にしてみればこの数字は、オバマのチームが政治的に現実的だと信じていたことと、経済回復のために必要な金額との、賢明な妥協点だった。しかし、サマーズは再びオバマが受け取った最終案から、この数字を削除した。1兆ドル〔110兆円〕を越える提案はすべて、彼の頭の中では現実的ではなかったのだ。政権移行チームのメンバーの一人が、クリーンエネルギー開発への資金供給のために、新たなグリーン銀行の認可を提案したことに対しても、サマーズは拒否を突きつけた。「問題は、あなたが国の借金を増やす話をしていることだ」と[105]。景気刺激策を国民に受け入れてもらおうと、オバマが月面探査に匹敵する事業をみつけて、再生可能エネルギーを拡大するために国家の電力網の大改善するよう提案した時にも、サマーズはこれを市場構造への介入だといって否定した。「政府の仕事は邪魔(じゃま)な規制を取り除くことであり」、改革にカネを出したり、それを実行したりする事ではなない、とサマーズは助言したのだ。オバマが政権移行チームの経済政策策定作業を開始したときには、ティモシー・ガイトナー財務長官がガイドラインを設定した[106]。銀行家を処罰したくないし、彼らのボーナスが減るのもイヤだという内容だ。

「月面探査」はあきらめて、2009年の景気刺激策（総額8310億ドル〔91兆4100万円〕）は、反貧困プログラムを拡大し、クリーンエネルギーの分野では900億ドル〔9兆9000万円〕の投資を行い（これは当時においては、国の太陽光発電と風力発電に対する大きな支援だった）、法人・個人向けに2880億ドル

〔31 兆 6800 万円〕の減税を行うものとなった[107]。しかし大不況の中で、3000 万人以上のアメリカ人が職を失い[108]、930 万人のアメリカ人が自分の家を失った[109]。

不況から経済を救おうとしつつも、第一期オバマ政権は、前のクリントン政権のように、レーガン主義を基本的に受け入れていた。もっとも、時おり新しい革新的な時代精神を反映させてはいたが。彼の刺激策は、2 つの時代に挟まれた政権の象徴だった。規制緩和と企業の不正によって引き起こされた危機に対処することを迫られ、オバマの景気刺激策は福祉プログラムを拡大し、グリーンジョブに投資した。しかし、レーガン・コンセンサスからあまりにも遠ざかることは拒否した。それは、金融市場を怖がらせるな、赤字を増やしすぎるな、リストラしないで銀行を安定させろ、そして減税しろ、ということを意味した。同じように、オバマ民主党は医療制度改革を追求し、ニューディールの看板プログラムであるメディケイドを拡大する一方で、保険会社が個人に保険を売り込む機会を増やそうとした。これは右派のヘリテージ財団から借用した政策アイデアであった。

共和党の議会での妨害と、民主党内のクリントン中道派の妨害のことも考慮に入れれば、医療費負担適正化法（Affordable Care Act〔オバマケア〕）とその関連法が、本当に革新的であったかについては、議論をいつまでも続けることが可能だ。しかし、我々には真実は分からない。なぜならオバマのアプローチは、革新的で根本的な変革のためにレーガン派や、民主党内のクリントン的中道派と戦うことではなかったからだ。彼の目標はレーガン時代を終わらせることではなく、党派関係を超えることにあった。彼の意図とは関係なく、彼を支援する大きな社会運動もなければ、革新的な法律の制定をめざす血の気の多い幹部たちもいなかった。サンライズ・ムーブメントの表現を借りるならば、2009 年には、オバマより左にいる革新派には、民衆の支持も政治力もほとんどなかったのだ。一方、右派はまだ FOX ニュースを持っており、企業のロビイストの大群や、保守的なシンクタンクのネットワークを有していた。そしてすぐ後にはティーパーティー運動が生まれ、すべてが大統領を攻撃する戦闘配置についた。

医療制度改革が実現し、気候変動対策法案が右派と企業の反対によって阻止されると、オバマは、レーガン革命の中心目標である財政赤字削減と「社会保障給付の改革（entitlement reform）」に向かった。2010 年に、彼は社会プログラムの削減と、定年年齢の引き上げを推奨する「財政的責任と改革に関する全国委員会」を設立した[110]。2011 年 7 月の予算交渉では、オバマは社会保障やメディケア、メディケイドの削減と引き換えに、富裕層への課税強化を共和党に提案した。8 月には、ウォール街のクラッシュから 3 年も経たないうちに[111]、オバマ大統領は、「国の借金」の削減のための「犠牲を分かち合う」ことを求めた。彼の努力にもかかわらず、均衡財政と超党派の妥協に対する国民の関心は続かなかった。

同じ夏、キーストーン XL オイルパイプライン建設を拒否するよう、ホワイトハウスの外からオバマ大統領に要求した 1000 人以上の活動家が、逮捕された。一ヶ月後に発生したウォール街占拠運動によって、国民の論調は「債務削減」から「1％への課税」へと変わった。翌年、黒人の命のための正義を要求して、トレイボン・マーティンの殺害に抗議する大規模なデモ行進が行われた。未登録移民たちの運動「ドリーマーズ（Dreamers）」は、オバマ大統領の選挙事務所に座り込んで、子どもの頃に入国した未登録米国人の保護を、大統領に約束させた。労働者は最低賃金 15 ドル〔1650 円〕を要求してストライキを続けた。ブラック・ライブズ・マター運動は、非武装の黒人アメリカ人を警官が殺害する事件が頻発したことによって、大きくなっていった。

オバマ時代の抗議運動の中に、我々はアメリカ政治における新たな革新的勢力の種を見出すことができる。2013 年半ば頃にはすでに、ジャーナリストのピーター・ビーナートが「新しい新左翼の台頭」を指摘していた。金融危機の中を育ったミレニアル世代は、他のどの世代よりも資本主義を支持する度合いが低いが、これがアメリカの最大投票勢力となるのは間違いない。「レーガン＝クリントン時代の扉は閉ざされつつある」とビーナートは予測した[112]。

それから 3 年後の、2016 年の民主党大統領予備選では、70 代の民主社会主義者が民主党票の 43％を獲得した。一方、元テレビタレントの人種差別主義者が共和党の指名を獲得した。この人物が指名に至るまでの道のりは、レーガン連合の分裂の可能性を示していた。自由市場主義者は、給付削減と不公正な自由貿易協定を望んでいたが、トランプは NAFTA に対して激昂し、メディケアと社会保障を保護することを誓った。外交タカ派は国外に介入するアメリカの権利を守ろうとしたが、トランプは同輩の共和党候補者とは違って、イラク戦争を猛烈に批判した。レーガン派の経済政策や外交政策を否定する一方で、トランプはレーガン時代の犬笛を、外国人恐怖症のメガホンに変えて、人種差別的ナショナリズムを煽った。

政治学者たちは、レーガン時代の大企業と人種差別的ポピュリズムの政治的編成が瓦解したことで、トランプの指名が党の「再編成」をもたらすものかもしれないと考えた[113]。政治学者のジュリア・アザリは、2016年の選挙後に「トランプ大統領の誕生はレーガン時代の終わりを告げている」と書いた[114]。とはいえ、トランプは就任後も、共和党主流派に抵抗したり、レーガン主義に代わる新しい常識を作り出したりしたようには見えない。それでも、レーガン主義はかつてないほどに弱くなったように見える。

1980年にレーガンが地滑り的に勝利して以来、それに続く共和党大統領は全員、得票率を下げてきた。トランプの得票は46％に過ぎず、得票数ではヒラリーに敗れたのだ。トランプも共和党も、選挙運動の中心に新自由主義を据えないことによって、何とか辛勝できたのだ。2017年に下院・上院・ホワイトハウスをすべて支配した共和党には、前進できるような広範な大衆的なアジェンダはなかった。〔富裕層の〕減税を進め、オバマケアを廃止しようとして失敗したという、不人気な政策しかなかったのだ。彼らがこの40年の間に、そうした政策の多くを実行してきたこともあって、彼らのビジョンはネタ切れになっていた[115]。労働運動を衰退させ、中絶の権利も縮小させ、様々な産業で規制緩和を行い、金ぴか時代を彷彿とさせる経済格差をもたらし、人種隔離政策を復活させた結果として、もはやレーガン派が新たに提案できるものはほとんどなくなったのだ。

一方で、民主党はその魂を追求する闘いのまっ只中にある。サンダースの「革新的」なアイデアである、すべての人々のための医療保険（Medicare for All）や大学無償化、グリーン・ニューディール規模の気候変動対策などは、もはやサンダースだけのものではなく、議会で拡大を続ける革新的な派閥の主張であり、全国の民主党の政治の中核となっている。2020年の民主党大統領候補は、全員が、サンダースのアイデアに対して回答するよう期待された。クリントンの第三の道を支持しているかどうかを聞かれた者は誰もいなかった。2020年の民主党予備選挙の有力候補3人のうち2人が、「大きな構造的変化」や「政治的な革命」といった言葉で、レーガン時代からの脱却を呼びかけた。また、最有力候補のジョー・バイデンが、クリントンの第三の道を象徴するような政治家としてのキャリアを積んできたにもかかわらず、自由市場や財政規律、小さな政府という立場をとっていないことも重要である。むしろ、バイデンの選挙公約は左派にシフトしていて、公共部門を強めることや、17兆ドル〔1870兆円〕のクリーンエネルギー投資のような政策を採用している[116]。

レーガン合意（コンセンサス）が連邦の表舞台から姿を消しつつあることは、左傾化する有権者の意思を反映している[117]。ジャーナリストのマット・イグレシアスは、主要な経済問題に対する世論をはかる新たな研究の後で、「政府の規制や増税、社会的サービスの拡大を進める、大きな政府に対する国民の支持は、記録上の最高レベルに達している」と述べた。その研究によれば、政府の規模や税金、規制といった経済問題に関して、国民の雰囲気（ムード）は1961年以降で最もリベラルになった。特にミレニアル世代は革新的な世代であり、今後数年のうちに重要な有権者集団となるだろう。1984年には、レーガンは楽々と若者の票を得ていたが[118]、現在では、我々のような若いアメリカ人は、社会主義者と革新派に投票し、グリーン・ニューディールを愛している。

民主党主流派は「改革」に警戒しており、依然として強力であり、下院での動きのほとんどを支配している。しかし、一部の新自由主義者たちは、新しい時代には新しい政治が必要だと認めるようになってきている。1990年代に新自由主義改革に取り組んだクリントン政権の経済学者ブラッド・デロングは、第三の道がレーガニズムに順応したことは失敗だったと言って、「私たちは過去25年間、共和党内の連携相手を引きつけることに失敗し、自分たちの足元の活性化にも失敗した。政治の中央に、耐久性のある統治連合を実現させるのに十分な、大規模で明らかな政治的勝利を実現することにも失敗した」と述べた。メディアと不誠実な共和党員は非難に値するが、「彼らにも責任があるということは、我々の責任を軽減させるものではない」とデロングは記した[119]。「私たちのバトンが左派の仲間に渡るのは当然だ。私たちはまだここにいるが、もはや私たちがリードする時代ではない」とも述べた。1980年代後半に、（クリントンの第三の道を誕生させた）民主党指導者会議で副議長を務めたエド・キルゴアは、「左派の勝利を目指す、民主党中道派の新たな役割」と題した記事の中で、「民主党中道派の新たな役割は、左派の勝利を支援することだ」と、デロングと同じようなことを記した[120]。ジャーナリストのジョージ・パッカーは、アトランティック紙でこの点を強調し、もはやアメリカの人々は、「著しく不公正な経済と腐敗した政治システムの微調整」では満足できず、「革新的な解決策を聞きたいと願っている」のではないかと書いた[121]。彼は、もしそうならば、「おそらくこれは民主党とこの国にとって、左派の再編成を意味するものかもしれない」と記した。

アメリカ政治において、こうした変化が早まり始めた一方で、世界をリードする科学者たちは警鐘を鳴らしていた。世界の温暖化を2度以下に抑えるためには、世界の重要な分野で「前例がない規模で、急速で広範囲にわたる変革を」実現する必要があるのだ[122]。もう一つの報告書は、温暖化を1.5度以下になるように抑えたければ、「世界の温室効果ガス排出量は、2020年から毎年7.6％ずつ削減してゆかなければならない。これは、今のところ実現不可能に思える数字だ」と述べた[123]。この報告書が発表される数ヶ月前に、ニューヨーク市のクイーンズ地区出身の若い民主社会主義者が、ウォール街の金融屋たちと親しい民主党員を打ち負かした。そしてそれから間もなく、急速に発展する若者の運動とともに、グリーン・ニューディールを国の重要課題へと押し上げたのだ。

では、次に何が起こるのだろうか？

再編成者（リアライナーズ）になる

次に何が起こるかは、我々の時代の危機に対応するビジョンを持って、権力を獲得することができる新しい政治的編成を、誰が形成するかにかかっている。

レーガン主義は復活しそうにない。政治学者で憲法学者のジャック・バルキンが2019年に書いたように、「［レーガン］体制は死に瀕しているが、新しい体制（レジーム）はまだ生まれていない。それがどのような姿になるのかは、まだ不明である」と書いている。気候危機は政府主導の大規模な変革を要求しているが、だからといって必ずしも革新的な再編成（リアラインメント）が実現するわけではない。ヨーロッパでは極右政党も気候危機を認め、それに乗じて、EU 諸国はヨーロッパ出身の人々だけを保護すべきであり、それ以外の人間たちは締め出すべきだと主張している。「国境は環境の最大の味方だ」と、フランスの極右政党・国民連合の若いメンバーが 2019 年 4 月に豪語した[124]。こうした主張は、革新的な再編成に対する恐ろしい代案だ。熱波と高潮が頻発する時代に合わせて、金権支配や白人至上主義、帝国主義を再構築するための、よくできたトランプ主義だ。バルキンは、右派の再編成が「第二の風」を起こすことは、前例のないことではないと指摘している[125]。金ぴか時代の共和党が、ウィリアム・ジェニングス・ブライアン〔1860-1925〕らの革新的な人民党の台頭を挫（くじ）いて、1932 年にフーバーが敗北するまで、30 年間にわたって支配を続けた例が、まさにそれだ。

グリーン・ニューディールを勝ち取るためには、瀕死のレーガン体制を終わらせ、革新的な再編成（リアラインメント）を実現せねばならない。再編成は厄介で、まれにしか実現しない大きな仕事である。一人の個人やグループが完全に舵（かじ）を握っているわけではないし、成功するためにはステップ・バイ・ステップの方法をとるしかない。

再編成のためのロードマップがない中で、我々は歴史からいくつかの教訓を得ることができる。第一に、我々はアイデアを戦わせることを避けるわけにはいかない。前世紀の大規模な二度の再編成はいずれも、それ以前の時代を支配していた思想を、直接的に公の場で拒絶することから始まった。議会での革新的な再編成者（リアライナーズ）や、組織化された労働者たちは、法案や大衆ストライキを通じて、労働権や国民皆保険といったアイデアをローズヴェルト大統領にもたらした。それも、ちょうどローズヴェルト政権が NRA の廃止によって行き詰まっている時にだ。他方、ポール・ウェイリッチは、大規模な右派連合を結成し、ニューディールの諸要素を受け入れることを拒み、その代わりにヘリテージ財団のような機関を構築して、次の時代の方向を指し示そうとした。

第二に、アメリカ政治において人種と人種差別の問題を避けることはできない。ニューディールの政治的編成は、公民権の問題についての意見の違いによって瓦解した。右派の再編成者（リアライナー）たちは、人種がアメリカ政治の中心であり続けることを理解しており、彼らは動員の道具として、そして、連合の構築（や破壊）の手段として、人種差別を利用した。グリーン・ニューディールに勝利するためには、政治的な常識と、右派の戦略的な人種差別利用によって引き裂かれることのない政治的編成とが必要だ。右派の人種差別主義を打ち負かすためには、すべての違いを越えた社会的連帯の更新が必要なのだ。連帯は、我々を結びつけ、特に人種的分裂の力に対抗して、運命を共有している感覚を与えてくれる紐帯（ちゅうたい）だ。革新的な新同盟に、人種的正義の重要性に疑問を抱く指導者が含まれる場合には、我々はCIOの再編成者（リアライナーズ）や、公民権運動の指導者たちの手本に倣（なら）うべきだ。つまり、より多くの人種を含む運動を組織し、多人種の労働者からなる組織を作って、政治的編成の力のバランスを変えるべきなのだ。

最後に我々は、過去の再編成者たちとおなじように、二つの課題の両立に努める必要がある。すなわち、政権を取るために十分な規模の政治的編成を維持しつつ、政策の大転換の機会をつかむことだ。あるいは、至高の原則を守りつつ、新しい仲間を説得することだ。しかし、ウェイリッチの洞察によるならば、連合政治は自動的に妥協につながるものだと考えるべきではない。ウェイリッチは、幅広い運動や、新たに活性化した支持者たちの（たとえば道徳的多数派（モラル・マジョリティ）において新たに政治化した福音派などのグループの）要求を、小さな政府の首尾一貫した右派のアジェンダに織り込むことによって、政治的編成を拡大した。しかし、レーガンとローズヴェルトは二人とも、選挙連合が崩壊することを恐れて特定の政策を棚上げにしたり特定の公約を破ったりして、草の根運動のリーダーたちを失望させた。政治的アジェンダの可能性を広げて、妥協を許さないための運動が、常に必要だ。

様々な組織や指導者が、様々な役割を果たすことになるだろう。一方では、イーグル・フォーラムをまとめたフィリス・シュラフライや、産業別労働組合会議（CIO）をまとめたジョン・L・ルイスのように、何人かの再編成者たちは、草の根の支持層を組織してできるだけ大きくしようと努めるだろう。彼らは、これらの支持層を動員して、同盟関係にある政治家を当選させ、自分たちの要求に向けて政策アジェンダを動かし、時にはローズヴェルトやレーガンのような国のリーダーを、ストライキやボイコット、批判記事などで脅すこともある。他方では、1940年代のシドニー・ヒルマンのような道を選ぶ者も出てくるだろう。支配的な政治的編成の中で、運動の位置づけを守ろうとして、グループ間の対立を解消しようとする人物のことだ。シドニー・ヒルマンをジョン・L・ルイスが批判したように、我々も、仲間の再編成者が複数の課題を両立させるために下した選択を、批判すべき時が来るかもしれない。我々は、こうした問題に直面することを歓迎するべきだ。これらは、権力を勝ち取った政治的編成を待ち受ける問題なのだから。

第15章　抵抗運動から予備選挙へ

アレクサンドラ・ロハス　ワリード・シャヒド

正義民主党の創設：アレクサンドラ

私の祖父母は、ペルーとコロンビアからアメリカに移住してきて、コネチカット州のイーストハートフォードで私を育ててくれました。私の最初の思い出の一つは、リマの家族を訪ねた時のことです。歩いてその家まで行きました。それは未完成の薄っぺらいコンクリートの建物でした。いとこの寝室には防水シートが張られていて、私は罪悪感を覚えずにはいられませんでした。いとこと私はどうしてこんなに違うんだろうと、不思議に思いました。祖父母が私たちに安心や安全を与えるために一生懸命働いてくれているのは知っていましたが、祖父母が子どもの頃にはそんなものはなかったのだと知りました。

高校卒業後、カリフォルニアに移り住んだ私は、コミュニティカレッジの費用を賄うために3つの仕事をしました。私が買えないような服（タイツ一足89ドル〔9790円〕！）を売るオシャレな店の売り子のような仕事が二つ、弁護士の書類を整理する仕事が一つです。私の目標は、カリフォルニア州で数年間働きながらGPA〔5点満点の学業成績〕を4.0以上に保って、のちに州内出身者用の優待授業料でカリフォルニア大学のバークレー校やロサンゼルス校に通い、家族に誇りを持ってもらうことでした。

2015年秋、友人からバーニー・サンダースの選挙運動の宣伝動画が送られてきました。バーモント州のシャンプレイン湖の岸に立って、バーニーが語った言葉は、この国の他の政治家からは一度も聞いたことがなかったものでした。私は、友人たちが教育ローン地獄に陥(おちい)り、学位を取得したにもかかわらず、家族を養うのに苦労するのを見てきました。私自身の家族が病気にかかって、おカネがなくて治療を受けさせられなかった時の無力感も、私は覚えていました。ただの大統領選挙ではないと感じました。それは、私の家族のような働く人々の生活を変えるために、政治の方向性をリセットするためのものだと思ったのです。

それから数週間、私はバーニーのために、できる限りのボランティア活動をしました。オレンジ郡の別の大学にもテーブルを設置して、情報を広めました。「地方遊説(ゆうぜい)（barnstorm(バーンストーム)）」という言葉の意味を、そこで知ることになりました。

そしてある日、私はロサンゼルス校やバークレー校の優待授業料の資格がないことを知りました。他の州に住んでいる親に扶養されているとして、失格となったのです。州外出身者用の授業料として、予定していた額の２倍の学費を支払う状況に陥りました。

そこで私は出てゆくことに決めました。2016年１月に仕事を辞め、大学を休学してバーモント州バーリントンに移り住み、バーニーの選挙運動のためにフルタイムで働きました。

幸いにも、バーニーと一緒に戦うために全てを捨てて来たのは、私だけではありませんでした。バーやレストラン、コミュニティカレッジの教室、工場、そして大型店舗を後にして、アメリカ全土から何千人ものリーダーたちが集まりました。高齢の民主社会主義者のための選挙運動に、こんなにも多くの人が集まるのかとびっくりしました。

バーニーの歴史的な草の根キャンペーンは、民主党予備選挙（primary(プライマリー)）のあらゆる予想を覆(くつがえ)して勝利寸前の所までゆき、働く人々が立ち上がって戦えば、何が可能なのかを示しました。でも、全国の支援者と話をすると、次はどうなるのかと深刻に心配していることがわかりました。疑問はいつも、「誰が大統領になったとしても、議会は何か一つでも前に進めることができるのだろうか」ということでした。民主党内の支配層(エスタブリッシュメント)は、共和党と一緒に法律を作り、フォックスニュースに対抗するふりをするだけで、革新的なアジェンダを一つも推進しないかもしれません。サンダース陣営の私たちのグループは、革新的なアジェンダを勝ち取るために、全く新しい顔ぶれの連邦議会を選出することに焦点をあて、バーニーの選挙運動を中心に、人々を団結させるチャンスがここにあると考えました。

全米のあらゆるコミュニティから、本当に社会と経済のあらゆる部分を代表する多様な候補者のリストを作ることができれば、民主党を変革することができるはずです。

そこで私たちは正義民主党（Justice Democrats〔ジャスティス デモクラッツ〕, JD）を創設しました。企業献金をする富裕層のためだけでなく、すべての人々のために働く民主党を作る唯一の方法は、議会で解決すべき様々な問題にぶつかっている女性や有色人種、労働者階級のリーダーたちに「投資」をすることです。これらの候補者は、民主党の基盤となりつつある有権者たちを代表しています。革新的なアジェンダのための彼らの政治活動とコミットメントは、彼らのコミュニティと運動から生まれたもので、それがキャンペーンに命を吹き込んだのです。

当初は、人々に刺激を与えるカギは「量」だと考えていました。何百万ドルもの資金を集めて、何百人もの現職議員に挑戦しようと、高い目標を掲げました。私たちはクレイジーだと、みんなに言われました。「何十人もの議員を当選させるなんて無理だ」というのです。結局、正しかったのは彼らでした。

難しいのは、労働者階級の人々を、特に有色人種の女性を説得して、連邦議会議員選挙に出馬させることだけではありません。複数の選挙キャンペーンを運営し、人を集め、支援することは、信じられないほど困難なことでした。

2016 年のことです。正義民主党の推薦（すいせん）用紙に、ある男性が姉の名前を書いて提出しました。それが、ブロンクスの労働者階級の家庭の出身で、ヒスパニック系の 27 歳のバーテンダー、アレクサンドリア・オカシオ＝コルテスでした。彼の推薦状を読んだ時のことを、今でも覚えています。私たちのチームは、彼女がどれだけ家族を大切にしているのか、どれほど献身的に、私たちみんなのためのアメリカを建設しようとしているのかを、知ることができました。

アレクサンドリアは、ネット上でも地元選挙区でも、信じられないほどの草の根のエネルギーを発揮しました。彼女は、在職 20 年の下院議員で、民主党で 4 番目の実力者であるジョー・クラウリーに対抗して、出馬していました。

クラウリーは、アレクサンドリアの家族のような、ブロンクスやクイーンズの労働者世帯を苦しめる不動産開発業者や大企業に買収されていただけではありません。彼は選挙区の多様性を反映せず、事態の緊急性を認識していなかったのです。その点、アレクサンドリアは理想的な候補者でした。民主党の革新的な支持基盤を動員できただけでなく、たいていの中間選挙の予備選では投票に行かないような有権者にもつながることができたのです。

バーニーの選挙運動と同じように、この予備選は民主党の魂を、ひいてはアメリカの魂を問う住民投票のように思えました。私たちは、キャリア政治家に挑戦する候補者を、ミレニアル世代の労働者階級の中から見つけ出しました。あの無関心な政治家が、企業寄りの政治を行ってきたことで、彼女の家族やコミュニティがじかに損害を受けてきたのです。アレクサンドリアは、何が地域の問題なのかを知っていましたし、失うものもありませんでした。

彼女の勝利は地震のように、私たちの党と国とを揺さぶりました。誰も想像できなかった勝利でした。民主党にコネのなかった彼女が、この国で最も強力な民主党幹部の一人に挑戦し、彼を打ち負かしたのです。

この時の選挙で、さらに3人の正義民主党員が当選しました。アヤンナ・プレスリーは多くの選挙区で白人男性の現職議員よりも多くの票をとり、イルハン・オマルとラシダ・タリーブは二人して、史上初のイスラム教徒の女性連邦議会議員となりました。「四人組（Squad（スクワッド））」はワシントンに向けて旅立ちました。彼らの勝利は予想外でした。しかし、民主党は底辺から変わってきているのです。

多様性に富む、労働者階級の新世代のリーダーたちが、連邦議会入りしました。アレクサンドリアが言ったように、私たちの一人が成功するためには、100人が挑戦しなければなりません。それを成し遂げるには、全米の各選挙区で、多人種・多世代の大衆運動が必要です。いま、ようやくその可能性が見えてきました。私たちは勝ちました。そしてこれからも勝利するでしょう。

私たちに必要な民主党とは：ワリード

私たちは、変化を求め、変化に急いでいる世代です。オバマ時代には、オキュパイの後にキーストーンXLパイプラインに反対する闘いがあって、Dreamers や Black Lives Matter のような運動も起こりましたが、私たちの運動は、各地の戦場で勝利しても戦争には負けたような感じでした。様々な問題で、世論の支持を獲得しても、それを法律に変えたり、継続的な政治的な力にしたりはできませんでした。

あらゆる問題で、私たちが戦っていたのは、固定化された民主党の支配層でした。彼らはウォール街から資金をもらい、パイプラインの建設を望み、労働組合が反対する貿易協定を推進し、未曾有の強制送還が行われた時にも見ないふりをし、腐敗した警察に手をつけようとはしませんでした。

民主党が現状維持の党ならば、私たちの党はどこに行ったのでしょうか。

後に私は「インサイド・アウトサイド戦略（抗議活動と選挙活動の組み合わせ）」の重要性を実感することになりました。大学卒業後の最初の就職先で、このアプローチの力を目の当たりにしたからです。最終セメスターの就職活動で何十件もの応募先から断られたのち、私は AmeriCorps、〔青年を全米各地のボランティア奉仕活動に動員する連邦プログラム〕に参加し、低所得の移民に無料で法律的・社会的サービスを提供する非営利団体で働きました。

この団体では週に2回、夕方に「オープン・オフィスアワー」を開催し、移民に無料で法律相談をしていました。私は彼らに対してアンケートを行い、いつアメリカに来たのか、どうやって来たのか、どこで働いているのか、家族はいるのか、何語を話すのか、といったことを質問しました。

私は10年前からここにいます。ここで生活を始めたので、ビザをオーバーステイしてしまいました。私は農場で働いています。家族は妻と子供だけです。先住民のキチェ語とスペイン語を話します。

アンケート用紙の全ての四角にチェックを入れ終わると、来てくれた人たちの8割に対して、言い慣れたセリフを伝えなければなりません。「ごめんなさい、ここでできることはほとんどありません。現行法ではあなたが救済や登録を受ける道はないのです。CNNを見ていてください。オバマ大統領は今年こそ、新法を成立させてくれるかもしれませんよ」。

膠着状態の議会で、ますます両極化する両党が、1100万人の未登録移民に法的地位が得られる道を与えるか否かをめぐって、作業をしていました。2013

年6月、14人の共和党議員が民主党側につき、ついに移民制度改革法案が上院で可決されました。しかしジョン・ベーナー下院議長〔共和党〕は、ティーパーティー運動と組んだ保守派の圧力に直面し、上院を通った法案の採決を拒否したのです。

「非常に多くの〔共和党〕議員たちが、〔賛成票であれ反対票であれ〕移民法案に対する自分たちの投票行動が、共和党の中間選挙でティーパーティー運動の対抗馬によって、あるいは11月には民主党によって、自分たちに対する攻撃に使われるのではないかと心配している」とタイム誌は伝えています[1]。

2008年いらい、Dreamers（ドリーマーズ）（両親によって米国に連れてこられた未登録移民の若者たちの運動）がかなりの成功を収めてきましたが、それにもかかわらず、包括的な移民制度改革案は細い糸で宙づりになってしまいました。

非営利団体の仕事が終わりに差し掛かったころ、移民制度改革の議論はすぐに急に立ち消えになりました。ティーパーティーの活動家たちは中間選挙で、下院多数派〔共和党〕のリーダーであるエリック・カンターにたいする対抗馬を支持していました。FOX（フォックス）ニュースのアンカーで、トークショー・ラジオの司会者でもあるローラ・イングラハムは、「#VA07　下院議員選挙は「アムネスティ（恩赦）」をストップさせる爆心地です。デイブ・ブラットはあなたの雇用と賃金を守るために戦います」とツイートしました。2014年の6月10日、エリック・カンターは挑戦者の25倍ちかい資金を投じたにもかかわらず、デイブ・ブラットに衝撃的な敗北を喫しました[2]。

翌朝のPolitico（ポリティコ）紙は、「カンターが敗れ、移民制度改革も死ぬ」という見出しを掲げました。

カンターは550万ドル〔6億500万円〕を投じ、23人の有給スタッフを抱えていました。他方ブラットが使ったカネは20万ドル〔2200万円〕にも満たず、選挙運動本部長は若干23歳でした。この小さな選挙が、共和党とアメリカ全体の、移民に関する政治の行方を大きく変えたわけです。私がCNNを見ているよう助言した家族は、誰もデイブ・ブラットなど知らなかったでしょうが、その影響力は感じていることでしょう。

保守派の運動は、移民制度改革を打破し、オバマ大統領の政策に反対する目的を達成するために、まんまとインサイド・アウトサイド戦略を成功させたのです。標的を絞った抗議行動と、いくつかの予備選挙での勝利を組み合わせることによって、共和党の政治家たちが党の支持基盤を無視できないようにしたのです。

その1年後には、民主党の中で地震が起こっていました。民主社会主義者を自称する、バーモント州出身の白髪の上院議員が、選挙運動を開始したのです。私はサンダースの「政治革命」の呼びかけに感銘を受け、何千人もの同世代の人たちとともに、彼の選挙運動に参加しました。

戸別訪問の訓練のとき、私はボランティアたちに、なぜこんな勝ち目のない選挙運動を支持しているのかと聞いてみると、答えは次のようなものでした。

・〔最低賃金〕15ドル〔約1650円〕のための戦いを支持しているから、バーニー支持なんだ
・キーストーンXLパイプラインに反対だからです
・ブラック・ライブズ・マターを支持していて、ヒラリー・クリントンの「スーパープレデター」発言に驚愕（きょうがく）したからです〔黒人は略奪者だという主旨の、1996年の発言が2016年に問題となった〕
・オバマ大統領は移民を強制送還しすぎだと思うし、ドリーマーを応援しているよ
・バーニーはウォール街の金（カネ）を受け取らないから支持しているんだ

何か、大きなことが起こっているのが分かりました。このボランティアたちは、オバマ時代に育ってきた社会運動に触発され、そのエネルギーを選挙運動に持ち込んでいたのです。

ただし、私がサンダースのキャンペーンで一緒に働いていたボランティアたちは、運動に触発されただけで、社会運動団体に所属していた人はほとんどいませんでした。むしろ、彼らは投票したり、選挙運動を手伝ったりして選挙政治に参加する、何千もの普通の人々の一部でした。例えば、私の両親は抵抗の座り込みには参加しそうにない人たちですが、彼らは2008年の大統領選でヒラリー・クリントンを抑えてバラク・オバマを勝利に導くのに貢献した、新しいイスラム系移民有権者たちの一部だったのです。

2016年にサンダースが火付け役となった大連合を、ダウンバロット（down ballot）の民主党予備選に持ち込んで、これを拡大することができれば、大企業の献金者ではなく、支持者の声を聞く民主党を作ることができると考えました〔ここでいうダウンバロットとは、大統領選挙候補者を決める予備選よりも重要度が低いとされる、連邦や州、自治体の議員候補者を決める予備選を指す〕。

これはティーパーティーが共和党で成し遂げたことに似ています。運動に賛同する候補者を予備選候補にして、党外の抗議や思想を党内に持ち込むのです。革新派にとって、ティーパーティーの戦略から学ぶべき最大の教訓は、彼らが共和党のために働かなかったということです。むしろ彼らは、共和党を、自分たちのために働かせるようにしたのです。

ティーパーティーは人種差別と企業貪欲という共和党の最悪の側面を開花させていましたが、サンダース陣営は民主党に、ニューディールや「偉大なる社会」の時代の再分配志向を、いくらか取り戻させようとしていました。何十年も前から民主党には「新自由主義的コンセンサス」が定着していました。それは、ビル・クリントン大統領の「大きな政府の時代は終わった」という有名な主張に現れています。サンダースの選挙運動は、大企業ではなく政府の方にアメリカの諸問題を解決する能力があるという、新たな信念を表明しています。のちにアレクサンドリア・オカシオ＝コルテスが言ったように、「私たちを左に行きすぎだと非難する人がいます。でも私たちは、この党を左に動かしているのではなく、元の場所に戻そうとしているのです[3]」。

サンダースは大統領選に出馬し、全国的に多くの支持者がいることを見せつけました。これはオキュパイにはできなかったことです。座り込みに来る人の数は限られています。しかし、座り込み運動が知らしめようとする問題に取り組んでくれる候補者のために、戸別訪問や電話掛けをしてくれる人の数は多く、投票にゆく人はさらに多いのです。選挙戦が終わる頃には、民主党予備選挙に参加した有権者の43％近くが、医療や住宅、教育、生活可能賃金などの権利を含む、フランクリン・デラノ・ローズヴェルト大統領の「第二の権利章典」の復活を求める民主的な社会主義者を支持していました。

彼の選挙運動でさえ、民主党を長期にわたる社会変革の道具に変えるために、私たちにできることの限界を示すものではありません。全米で最も白人の多い州の一つから出て来た70代のサンダースは、トランプとクリントンを合わせたよりも多く、ミレニアル世代の票を獲得しました。その中には女性や45歳以下の有色人種の票が多数含まれていました。サンダースが40年前からメッセージを変えずにそれを実現できたのなら、民主党の成長基盤（有色人種や女性、生活が苦しくなってきているミレニアル世代）を代表する若いリーダーが革新的なビジョンを掲げたら、それは大ウケするに違いありません。

選挙戦は続き、2016年の夏頃に入ると、サンダースは民主党の主要な支持者たち、すなわち高齢のアフリカ系アメリカ人有権者の支持を得るのに苦労することになりました。2020年の選挙戦では、彼はこの弱点をかなり克服していました。しかし、民主党が若返りし多様化していく中で、選挙運動の参謀たちには、イデオロギー的にも年齢的にも、拡大する革新的な党基盤を代表できる、新世代のリーダーたちを送り出せる可能性が高まってきました。

党を動かすのは誰か？

民主党が銃撃戦にナイフを持参するのに対し、共和党はロケットランチャーを抱えてくる。こう言ったのは、ジャーナリストのメフディ・ハサンです。ティーパーティーの反乱が移民制度改革を葬（ほうむ）ったことは、その好例です。実際のところ、過去20年のあいだ、保守派の方が革新左派よりもはるかに多くの予備選挙〔で有力政治家〕にチャレンジしてきました。このことが、学者が非対称的両極化と呼んできた、連邦議会の共和党が劇的に右傾化したのに比べて民主党の左傾化が進んでいないという現象の、原因の一つなのです。

プリンストン大学の政治学者ノーラン・マッカーティは、「両党が両極端に動いたと広く信じられているが、両党の乖離の大部分は、共和党の右への動きである」と述べています[4]。

ティーパーティーに所属する候補者は、予備選挙での挑戦の大部分で、現職の共和党議員を倒すことに失敗しました。それでも、穏健派の共和党員にとって、彼らの挑戦は死ぬほど恐ろしいものでした。挑戦者が、現職の得票率を例えば100％から60％に引き下げることができれば、予備選挙の投票者の40％

がより保守的な議員を求めていることが明らかになるのです。今や共和党の政治家の多くが、総選挙よりも予備選挙を恐れています。しかし、民主党の政治家たちは、オカシオ＝コルテスが勝利するまでは、予備選挙を全く恐れていませんでした。

ティーパーティー運動の圧力は共和党指導者に、オバマ大統領に対して理不尽な要求を突きつけ、より攻撃的な戦術を使用するための、政治的な大義名分を与えました。しかしその政治力学の中で、民主党指導者たちが一生懸命やったことは、極右の反乱の懸念を和らげることでした。オバマ大統領は、ティーパーティーのインサイド・アウトサイド戦略の激しさを感じ、2013年に社会保障とメディケアを2000～3800億ドル〔22～41兆8000万円〕削減するという共和党のような案を打ち出したのです[5]。

革新的な社会運動が人々の心を掴むためには、ティーパーティーにたいする対抗軸を打ち立て、民主党を動かし、この国の大問題を解決するための良識あるアジェンダを打ち出させる必要がありました。しかし、大富豪の資金や支配層の妨害で腐敗したシステムの中で、民主党に影響を与えようとしている若者たちや革新派は、どうやって声を届ければよいのでしょうか？

実のところ、民主党とは何なのか？

民主党に影響を与えるには、キャンパス内のカレッジ・デモクラッツに加入したり、地元の政党組織に参加したりするのが一番だと思われるかもしれません。しかし、民主党の権力は、「公式の」民主党組織の中に収まっているわけではありません。

実のところ、民主党が一枚岩で一貫性のあるものだという想定を捨てる必要があります。民主党はチームではなく闘技場なのです。

民主党を支配し、方向性を決めているのは誰なのでしょうか？　バラク・オバマでしょうか？　下院議長のナンシー・ペロシと、上院少数派リーダーのチャック・シューマーでしょうか？　民主党全国委員会のトム・ペレス委員長でしょうか？　トム・スタイアーやジョージ・ソロスのような大口献金者でしょうか？　労働組合や家族計画連盟のような主要組織でしょうか？　デビッド・

アクセルロッドやジェームズ・カービルのような腕利きのコンサルタントでしょうか？　アメリカ進歩センターのようなシンクタンクでしょうか？

実は、民主党を単独で牛耳っている組織や個人は存在しない、というのが真実です。政治家や組織、献金者はみな、さまざまな問題に関して、党の方向性に影響を及ぼすために、お互いに競い合っています。これは、政治学者がしばしば「弱政党システム（weak party system）」と呼ぶもので、公式の政党組織が政党の方向性を限定的にしかコントロールできないことを意味します。政党とは、競技が行われる場所なのです。そして、組織や運動、献金者、そして政治家たちはみな、スタートラインに立つために競争する選手たちなのです。

なぜ予備選挙が重要なのか

米国の政党政治は、他の多くの国々の政党政治とは全く違っています。米国の政党には実際のところ、集まって会議をして（民主党員であれ共和党員であれ）みんなが従うべき方向性を決めるような「メンバー」がいないのです。イギリス労働党やブラジル労働者党を代表する政治家たちは、綱領に賛同しないと党の推薦を受けられませんが、アメリカの政治家は、党の予備選挙で勝利さえすれば、民主党員や共和党員を名乗ることができるのです。

いずれの党においても、その方向に影響を与える上で、予備選挙が重要なのはそのためです。著名な政治学者、E. E. シャッツシュナイダーが言うように、「指名できるものが党の所有者」なのです[6]。そして、民主党の候補者たちが討論し、正式な指名を受けて「民主党のトップ（the Democrat）」を自称できる人物を決めるのが、予備選挙なのです。「大統領選の民主党候補者」になってしまえば、その人の政策や提案が、党の政策や提案になるわけです。

予備選挙はまた、運動が築いた人々の力をさらに強くする道でもあります。運動とは、外部から変化を求めるものであり、多くの場合、世論を変え、問題を国の政策の争点へと押し上げることに注力しています。変化を法律にするのは政党の役割です。しかし、政党は抗議や世論を無視するか、運動の要求を妥協で薄めることもあります。

とはいえ、運動の要求が党の支持基盤に人気で、無策な政治家たちに予備選挙で対抗馬がぶつけられるのなら、すぐにも政治家たちの態度は変わるでしょう。その手の政治家たちが数人でも、運動と歩調を合わせる挑戦者に打倒されるようなことがあれば、突如として権力の殿堂には、人々の感情や運動の抗議を法律に変えようという政治家たちが増殖するでしょう。

運動に賛同して予備選挙に勝利した政治家たちは、議会の中で運動に力を与えるだけではなく、運動自体の基盤をも拡大します。それは、「オキュパイ（ウォール街を占拠せよ）」の参加者よりも、バーニー・サンダースの選挙運動に参加した人たちの方が、何千人も多いことを考えれば理解できるでしょう。予備選挙はまた、運動により大きな政治的な力を授けてくれます。選挙のおかげで候補者たちは、各種の社会運動につながる多様な支持層の要求を織りまとめ、各部の総和よりも大きな統治ビジョンに変えることができます。そして、そのビジョンを掲げて選挙に出ることで、候補者は運動の要求を「政治化」し、運動に反対する対立候補には、予備選挙に負けるという形で責任を負わせるのです[7]。

エリック・カンターがデイブ・ブラットに〔共和党の〕予備選挙で敗れたことで、私は、自分の党の有力議員の議席を奪った候補者は、民主党の方向性を明確に語る上で、巨大な影響力を持つことになるだろうと考えました。アレクサンドリア・オカシオ＝コルテス（AOC）がクラウリー下院議員に勝利したことで まさにその通りのことが起こりました。

私が初めてAOCと出会ったのは、正義民主党に加入して数週間後、彼女がバーテンダーをしていた店から数ブロック離れたタイ料理店でのことでした。AOCが挑戦したクラウリーは党のベテランで、ナンシー・ペロシの次に下院議長になるだろうと広く報じられていました。彼女は、勝利は難しそうだ、不可能かもしれないと思いつつも、一撃を見舞ってやろうと考えていました。党組織が募集した全ての候補者の中で、実際に最高の一撃を食らわせたのは、彼女だと思います。なぜなら、カンターを引きずり降ろしたティーパーティーと、同じような大地震を引き起こしたのですから。

クラウリーは、銃や中絶などの問題で共和党と投票行動を共にするような隠れ共和党員（ニセ民主党員）ではありませんが、白人男性の現職議員で、多様な労働者階級の地区を代表しているにもかかわらず、ウォール街の大企業の献金者から数百万ドルを受け取っていました。クラウリーはドッド・フランク法案〔金融規制法案〕に、巨大銀行の職員自身が書いた条項を含めることで、金融規制を弱めさせたのです。彼は、他ならぬプエルトリコを破産させた人たちから選挙資金を受け取り、移民の大量送還に対しても、「移民税関捜査局廃止（Abolish ICE）」の要求が草の根で高まっていることについても、ほとんど何も発言しませんでした。ミット・ロムニーに90ポイント近い差をつけてバラク・オバマに投票した選挙区を代表しているにもかかわらず、クラウリーは、ミレニアル運動やバーニー・サンダースの選挙運動が揺るがすこの時代に、革新派を突き動かしている問題にひとつも取り組んだことがなかったのです。選挙運動の中でAOCは徹頭徹尾、「企業献金者ではなく、有権者のために戦う民主党の時代です」という正義民主党のモットーで、クラウリーを叩きつづけました。

相手候補を倒した直後、AOCは「私が選挙に出たのは、『左から』ではなく『下から』です」とツイートしました[8]。

サンダースは民主党を押し上げる数多くの運動を思想的に代表していましたが、AOCはそうした運動を、世代や人種の側面からも代表していました。彼女はミレニアル世代の有色人種の女性であり、アメリカで最も多様性のある地区の一つで、多人種民主主義のためのポピュリスト的な呼びかけをすることに長けていました。

オカシオ＝コルテスは勝利から数ヶ月の間に、正義民主党やサンライズ・ムーブメントと手を組み、ナンシー・ペロシのオフィスの前で、グリーン・ニューディールのキャンペーンを開始しました。そしてデイブ・ブラットと同様に、彼女は現職のベテラン民主党議員を打倒し、民主党の指導層にあからさまに戦いを挑んだのです。その結果、オカシオ・コルテスと、彼女が手を組んだ運動は、民主党が進むべき方向性について発言する場を手に入れたのです。

切迫した世代にとっては、予備選挙での挑戦によって変化を早めることができるだろうという仮説は、正しいことが証明されました。

現職議員の議席を奪うことは、私たちの運動が私たちの政治力を投票で示すことができる最も明確な方法です。時には、画期的な人士を議会に送り出すこともできます。全米で、ますます多くの予備選挙において、社会運動と連携した革新的な若い反逆者たちが、大企業の献金者や支配層の利益供与ネットワークとズブズブの現職議員たちと、対決することが増えています。クラウリーに対するAOCのキャンペーンが成功したのは、まぐれではありません。私たちの運動は、民主党の魂（たましい）をめぐる戦いに参加していたのです。

2016年3月にはキム・フォックスが、イリノイ州クック郡でアニータ・アルバレスを破り、ブラック・ライブズ・マター運動と足並みをそろえました。2017年初頭にはバージニア州知事選に向けて、トム・ペリエッロが左派候補として、ラルフ・ノーザムとバージニア州の民主党支配層に挑戦しましたが、惜しくも敗れました。ラリー・クラスナー（フィラデルフィア）やレイチェル・ロリンズ（マサチューセッツ州サフォーク郡)、それにチェサ・ブーディン（サンフランシスコ）は、しばしば社会運動やサンダース選挙運動のオーガナイザーたちと協力し、アメリカで最も革新的な地区検事長になりました。

そして2018年の予備選挙シーズンを通して、革新派の草の根の候補者たちは、政党が支持する候補者たちに挑みました。オカシオ＝コルテスとアヤナ・プレスリー、イルハン・オマール、ラシダ・タリーブ（通称「四人組（the（ザ） Squad（スクワッド）)」）など、何人かは勝利をとげました。ティファニー・キャバンやアブドゥル・エル・サイードなどは敗れましたが、忠実な支持者たちのネットワークに活力を与え、それぞれ刑事司法改革と医療政策について、民主党をより革新的な方向へとシフトさせました。

党の精神をめぐる派閥どうしの争い

アメリカの政党は非常に大きいので、民主党にもその魂をめぐる戦いがあります。異なるイデオロギーを持った人たちが大きなテントの下に集まり、党のアジェンダの方向性を決めるために、派閥どうしが争う必要があります〔本書でいう派閥はfaction（ファクション）の訳語であるが、政策や思想が近い政治家のグループのことであって、党内での利権配分を行う日本の派閥とはやや意味合いが異なる〕。多党制をとる諸外国には、3つ以上の政党があります。そういう国々の典型的な政党構成は、移民排斥政党や、企業寄りの保守政党、自由主義政党、社会民主主義政党、民主社会主義政党などからなります。しかし、アメリカの二党制では、これらの競合しあうイデオロギーはすべて、共和党や民主党を構成する幅広い連合の中でぐちゃぐちゃになっています。例えば、共和党の連合の中には、ネオコンのタカ派や、自由市場主義者、宗教右派、トランプ派の外国人排斥論者などの派閥が含まれています。

いま民主党に台頭しつつあるイデオロギー的派閥は、より若くて多人種の支持基盤と、多様な社会運動との両方と手を組んでおり、全米の予備選挙のなかで力を示しています。他の派閥はどうかというと、民主党の支配層には、核となる信念を持たずに大口献金者や党の指導者たちの言いなりになっている人間たちや、レーガン時代に「クリントン的第三の道」を採用した人たちがいます。

政治学者のダニエル・ディサルボが言うように、派閥は「新しい思想を発展させ、実行可能な政策に磨きをかけ、議会を通過させるための、変化のエンジン」です[9]。

アメリカの政党はたいてい、いかなる問題に対しても明確な一個の立場を示さず、「大きなテント」と呼ばれています。「民主党の気候変動政策はどんなものですか？　医療制度政策は？　不平等に取り組みますか？」といった質問に、ほとんど答えられないのはそのためです。民主党の支配層に聞いてみても、最高指導部から、共和党批判に加えて「価値観」や「機会へのアクセス」といった、言葉だけの曖昧な答えが返ってくるだけです。しかし、台頭する革新派の派閥に問うてみれば、グリーン・ニューディールやメディケア・フォー・オール、富裕税、大学の無料化など、まったく違う答えを聞くことができるはずです。

民主党支持者たちは、反対のために活動するだけの党ではなく、賛成していることを実現するための党を求めています。西部開拓時代いらいの開放性をそなえた米国の政治システムでは、どんな派閥にとっても、明確なビジョンのもとに団結して戦う用意があるかぎり、自分たちの党の方向性を大きく変える可能性があるのです。

法案を通すのに必要な過半数を得るために「中道派（centrists）」と交渉できるようにするために、大統領や党の指導者たちに自分の政策的立場を押し殺せという圧力がかかる政治システムにおいては、派閥には常に影響力を発揮する余地があるものなのです（発揮させる気があれば、ですが）。

まとめ：予備選挙とインサイド・アウトサイド戦略

ほとんどのアメリカ人は気づいていないかもしれませんが、イデオロギー的な派閥と手を組んだ社会運動が、政党の方向性を決めています。派閥は、予備選挙の戦いを通じて、党の方向性を決めてゆき、それが政党のあり方や、政党の立場を決定づけるのです。政治学者のダニエル・シュロズマンは、成功した社会運動が政党を「繋留（アンカー）」すると言います。「彼らは、気に入った候補者に資源（リソース）を与え、今までにない（オルタナティブな）支持基盤である自分たちの要求に答えることを迫る（…）［運動は］その人数と力で党内に賛否両論を巻き起こす」のです[10]。

うまくいくと、次のような動きが起こります：

1. 運動が始まる

オキュパイ・ウォールストリート運動や、キーストーン・ダコタ・アクセス・パイプラインに対する反対運動をへて、経済問題や気候変動問題に対する民主党の立場に対して民主党支持者の多くが不満を抱いていることを受けて、サンライズ運動が始まる。

2. 運動は問題に対する関心を呼び起こす

サンライズは組織化と抗議活動を通じて気候危機への関心を高め、ミレニアル世代の人々の物語を広める。彼らは、選挙で選ばれた議員たちが、自分たちから住みよい安全な未来を略奪するのを目（ま）の当たりした人たちである。

3. 派閥が運動の大義を採用して中間選挙に勝利する

正義民主党はオカシオ＝コルテスを候補に立てて、クラウリー下院議員を倒す。民主党内で新派閥が成長する。オカシオ＝コルテスは11月の座り込みで、サンライズと手を組み、まもなく決議案を提出して、ナンシー・ペロシや民主党指導者に対し、党内の新勢力や新思想に応（こた）えるよう要求する。

4. サンライズ運動の要求が民主党の優先事項となる

サンライズと正義民主党が、グリーン・ニューディールを支持するように民主党に圧力をかける。多くの現職議員は予備選挙で挑戦を受けることを恐れ、党の支持基盤からズレないようにする。気候変動は、民主党予備選挙の投票者の関心事のトップ 3 に浮上する。民主党の主な大統領候補はほぼ全員がグリーン・ニューディールを支持していると述べ、100 人以上の連邦議会議員がその決議に賛同する。

5. 勝利する

派閥は新たな支持者たちにエネルギーを与え、民主党は共和党を倒し、議会とホワイトハウスを制覇する。民主党に圧力をかけて、この問題への対策を立法化させるために、運動は準備を進めている。2021 年に会おうじゃないか！

これは新しい戦略ではありません

我が国の歴史の中で、政治的または経済的危機の時には、派閥が出現してきました。自由の会（Freedom Caucus（フリーダム コーカス））はティーパーティーの排外主義と同調し、共和党を動かして、オバマ大統領に対して憲法上の強硬手段をとるようにさせました。ビル・クリントンの民主党指導部会議を本部とする 1980 ～ 1990 年代の「新民主党指導部」は、ニューディールや偉大なる社会といった「大きな政府」型の党政策方針を捨て、福祉プログラムの削減やウォール街の規制緩和など、より「市場に優しい」思想に移行しました。1970 年代には福音派の人々が共和党を、臆面もない社会的保守主義にシフトさせました。1930 年代には、産業別労働組合会議（CIO（シーアイオー））はロバート・ワグナー上院議員など、議会内の忠実なニューディーラーたちと同盟を結び、労働組合の強化や公共インフラ事業への投資を行うよう、党を動かしました。

アメリカ史上最も有名な派閥は「急進的共和党」です。リンカーン大統領をはじめとする多くの共和党員が穏健派に傾倒していたのに対し、彼らは全米で拡大する奴隷制廃止論者の運動と手を組んで、奴隷制の廃止と南部の復興を目指したのです。

彼らは、自分たちの派閥がリンカーン大統領の漸進（ぜんしん）主義に妥協しなければ成功できないことを悟りましたが、リンカーン自身の奴隷解放へのアプローチの矛盾を指摘し、リンカーン政権に政策や人事面での譲歩を求めることが、自分たちの責任だと考えました。

リンカーンは、奴隷制の漸進的な廃止と引き換えに「境界州」の政府に連邦補助金を提供するという法案を超党派で提出しましたが、急進的共和党の辛口の指導者であったサディアス・スティーブンスは、「これは、これまでにアメリカ国民に与えられた中でも、最も薄められた、牛乳と水のお粥のような提案だ」と批判したのです[11]。

リンカーンは1863年になって「〔急進派〕は個人的には辛辣に敵対していますが、思想や情緒では、他の勢力よりも私に近いのです。彼らは全くの無法者で、世界で最も扱いにくい悪魔ですが、結局のところ彼らの顔はシオン〔エルサレム〕に向けられているのです」と言いました[12]。

急進的共和党の派閥は、常に一枚岩ではありませんでしたが、このグループの議員はしばしば自分たちの役割を理解し、共通の目標のために集まりました。急進派は共和党内の小選挙区で政治力を発揮しました。急進的な奴隷制廃止活動家のオーウェン・ラブジョイが、イリノイ州の予備選挙で穏健な共和党員を破ったとき、リンカーンは言いました。「そこにいた人々を、ラブジョイに熱狂している人々を見て、彼らがこれから彼とともに［総選挙で］どんな熱心な活動をするのかを考えると……目の前が真っ暗になった[13]」と。

派閥が台頭してきたら、その派閥以外の人がどう反応するかに注目することが大事です。バーニー・サンダースや四人組（スクワッド）のように、最も純粋にイデオロギー的に派閥を代表する人たちがいます。しかし、党のベテランのエド・マーキー上院議員のような人たちは、風向きの変化を感じて、党の支持基盤で広がる運動に味方するのです。マーキーのような指導者は、活動家たちがエネルギーを高めて、民主党にもっと大きな要求をぶつけ、可能性の限界を広げないかぎりは、気候危機の規模に見合った解決策を勝ち取ることはできないことを知っているからです。

1850～1860年代の急進的共和党や、1970年代の新右派（ニューライト）と同様に、現在の革新的な派閥も、次世代のアメリカ政治を定義し、その大義のために多数派を獲得しようと頑張（がんば）っています。歴史家のバーバラ・ランズビーは四人組について、こう書いています。「彼らは、彼らの世代がいずれそうなるはずの、人種的・世代的・政治的多数派を代表して、賢明に行動しています。彼らは民主党だけの未来だけではありません。未来とは、彼らのことなのです[14]」。

彼らはグリーン・ニューディールなど、私たちが直面している危機の規模に見合った解決策を提唱することで、多人種的で社会民主主義的なビジョンを民主党に提供しています。民主党はあまりにも長い間、共和党のほうへ寄ってゆき、企業献金者に認めてもらった中途半端な施策を有権者に提示すれば、勝てると考えていました。今や民主党員たちは、エリートから金（カネ）と権力を取り上げ、あらゆる背景を持つ労働者に与える政策を掲げて戦うことが、勝利への道だということを学んでいます。

勝つためには、私たちみんなのためのアメリカというビジョンを、堅持しなければなりません。

結び：グリーン・ニューディール法を成立させる

私たちは浅慮（ナイーブ）ではありません。アレクサンドリア・オカシオ＝コルテスのような正義民主党員を議会に送り込むだけでは、グリーン・ニューディール法の成立につながる決定打にはなりません。また共和党の考えが変わって、気候法案について民主党との協力を決断することなど、きっとあり得ないでしょう。私たちは、実際にグリーン・ニューディール法を成立させられるような政府を作るために、行き詰まりを打破するために、民主主義の大規模な構造改革を必要としています。

四人組のようなリーダーを議会に送ることによって、両極化と混乱が進むという意見もあるでしょう。しかし、それは間違っています。なぜなら第一に、米国の二つの党の間では、すでに両極化が進んでいるからです。共和党が両極化を開始させたのです。四人組のメンバーは単に、その対抗勢力になっただけです。彼らは恐れることなく、すでにここにある両極化に光を当てています。それは、少数者のためのアメリカと、私たちみんなのためのアメリカという、根本的に異なる２つのビジョンです。第二に、政党は明確なビジョンのために、戦うべきものだからです。他の多くの国々の政党はふつう、自分たちの価値観を裏切って「党の垣根を越えて」、いずれの党の支持者も軽蔑するような法案を通すようなことは、期待されていません。

この国の分断は、消えることはないでしょう。グリーン・ニューディール派はいつか、「オヴァートンの窓」をくぐって、飛躍をせねばならないでしょう。〔オヴァートンの窓は政治学の用語で、その時代に常識的で現実的なものとみなされる考え方の範囲のことである。そこから外れた急進的な考え方は非常識で非現実的なものとみなされるが、それがオヴァートンの窓そのものを動かすことがある〕。

第16章　ニューディールによる労働権の確立と、グリーン・ニューディールによる労働者の復権

ロバート・マスター

ニューディールの思想は、40年にわたってイデオロギー的にも政治的にも蔑ろにされ、無視されてきた。しかしこれが予期せぬ形で、若者が牽引し急成長する気候保護運動によって復活した。グリーン・ニューディールの呼びかけは、初代ニューディールの記憶を呼び起こす。ニューディールは、経済を復活させ、自由放任されていた企業権力を制限し、国家の歴史上最悪の経済危機下で社会的セーフティーネットを構築するために、連邦政府の資源と権力を前例のない形で展開した。これは、アメリカの労働運動が諸手をあげて歓迎すべき進歩である。

何と言っても、近代的な労働運動を生み出したのは、1930年代のニューディールであった。ほんの一握りの組合が、保守的なアメリカ労働総同盟に反旗を翻し、脱退して産業別労働組合会議（CIO）を結成した。そして何百万人もの自動車・鉄鋼・ゴム・電気産業の労働者の署名を集め、アメリカ経済の中核を成す産業部門の労使関係を一変させたのである。それまで70年におよぶ対立関係は、しばしば武力衝突にまで発展したものであったが、それが変化した瞬間であった。アメリカ政府はついに、暫定的とはいえ労働者側の主張を認める法令を定めた。全国労働関係法〔ワグナー法〕の言葉を借りるなら、「団体交渉という慣行と手続き」と、「組合結成［と］自己組織化の完全な自由」という労働者の権利が、「合衆国の政策」になったのである。

だが、産業組織の黄金時代のノスタルジーを超えるものが、労働者にグリー

ン・ニューディールを受け容（い）れるよう迫っている。何をおいても、私たちにはグリーン・ニューディールが必要である。なぜなら、500年に一度の洪水や、壊滅的な火災、沿岸の洪水や北極圏の氷の亀裂など、気候危機の恐るべき緊急性がますます明らかになっているからである。労働者と組合の第一の使命は、職場における経済的公平性と尊厳を求める終わりなき闘いである。だが私たちが、そして子どもや孫たちが闘い続けるためにも、地球が居住可能な星である必要がある。グリーン・ニューディールと、それに伴う米国経済を徹底的に変革するための野心的な提案は、私たちが直面している緊急の危機に見合った社会全体の対応を求めているという点で、他に類を見ないものである。グリーン・ニューディールは、我々の国家が過去に大規模な社会的・経済的危機に対処してきたことを思い出させてくれる。そして、我々がイデオロギー的な制約を捨て、地球環境を維持するために必要な大規模な社会的動員を行う意思があるならば、再び危機に対処できることを思い出させてくれる。

しかし、労働者たちがグリーン・ニューディールを受け入れるべき、もう一つの重要な理由がある。それは初代ニューディールから導かれた教訓にある。1930年代のニューディールは、経済危機に政府は何もしないという慣例を破っただけでなく、人々の日々の生活のニーズを満たすために、連邦政府が果たす役割を大幅に拡大した。ニューディールはまた、南北戦争からの再建（リコンストラクション）期以降の革新主義時代（プログレッシブ エラ）（Progressive Era、1896～1916）の短い時期を除いた長きにわたってアメリカ社会における政府関与を制限していた社会ダーウィン主義や自由放任主義からの脱却という、イデオロギーの決定的な転換を体現した。ニューディール期には、アメリカの自由の概念そのものが変容したのである。「欠乏からの自由」が「契約の自由」に取って代わり、「産業民主主義」という新しい体制が、金ピカ時代の冷酷な企業家的個人主義に対抗するものとなった[1]。この変化は、産業別組合主義の土壌に種をまく上で、不可欠な役割を果たした。この変化は、新しく登場した労働運動にイデオロギー的な根拠と自信を与え、産業貴族たちに大胆に挑戦できるようにした。新しい労働運動はニューディールの精神と強くシンクロしていたため、歴史家のマイケル・デニングはこの時代を「CIO（産業別労働組合会議）の時代」と呼び、1930年代の「産業別組合主義」は、「単に組合主義の一種ではなく、社会再建のビジョンであった」と記している[2]。

今日の労働運動には、それに匹敵する思想と価値観の革命がどうしても必要である。近年、労働運動は潜在的な復活の兆しを見せているものの、二世代にわたるイデオロギー的な攻撃によって大きな打撃を受け、長らく労働者の疎外と脱落を許してきた。ここに、労働者がグリーン・ニューディールを支持する第二の重要な根拠がある。グリーン・ニューディール（GND）は単なる気候変動対策の枠組みではない。この国の政治論議に不可欠な介入であり、80年前のニューディールと同等の規模で、イデオロギー的な転換を促す試みでもある。グリーン・ニューディールは、1％の支配層の強欲と自己利益よりも、労働者と地域社会の利益が優先されるような、新しいグリーン経済を構築することを、そして組合に結集した労働者たちがそこで中心的な役割を果たすことを、呼びかけているのである。

このビジョンが生まれたのは、グリーン・ニューディールを推進する若きオーガナイザーたちの功績だ。彼らは、労働者との間に架け橋を築くために長い時間を費やした。グリーン・ニューディール決議は、組合労働者を将来のグリーン経済の第一線に配置し、高炭素部門から移行する労働者に、移行前と同等の賃金と福利厚生を保証するとしている。それは気候危機に対処するための、あらゆる計画の中心に労働者の権利を明確に位置付け、「グリーン・ニューディールの総動員は、労働組合に加入できる質の高い雇用を創出し、一般的な賃金（prevailing wage）を支払い、地元の労働者を雇用し、訓練と昇進の機会を提供し、移行の影響を受ける労働者の賃金と福利厚生を保証する」と約束している。そして「強制や脅迫、嫌がらせを受けることなく、組織化・組合化・団体交渉ができるよう、全ての労働者の権利を強化し保護する」ことが、総動員の中心的な目的であると述べている。グリーン・ニューディール派（Green New Dealers）は、環境と人間に対する企業の攻撃によって、気候危機と、人種的・経済的公正の深刻な危機とが同時に生み出されたことを知っている。1970年代半ば以降、支配階級が繰り広げてきたのは、規制緩和や自由貿易、社会保障の削減、富裕層のための減税、そして労働者や労働組合への攻撃だった。グリーン・ニューディール派によれば、これらの政策は、地球を危険にさらしているだけでなく、貧困層や労働者、そして労働組合に対する攻撃とも不可分のものなのである。

私は40年以上にわたって組合職員として、また活動家として、ほとんどの期間を全米通信労組の北東部地域の指導部で過ごしてきた。そして、企業による労働者への攻撃がエスカレートしていくさまを目の当たりにしてきた。1981年、レーガン大統領はストライキ中の連邦航空管制官1万1000人以上を解雇した。これが民間部門におけるストライキ破壊時代の幕開けとなった。ストライキに敗北し、組合は破綻し、労働運動はバラバラになった。労働者に敵対的な裁判所や、国家労使関係委員会（NLRB）に共和党が送り込んだ委員たちによって、労働者の交渉権と団結権は着実に侵食されてきた。保守党系の司法活動家たち（legal activists）は、何十年もかけて公共部門の組合主義を弱体化させることに成功し、共和党の州知事たちは2010年の選挙後、公共部門の団体交渉権の解体を最優先アジェンダとした。民主党はこのような動きに対して、どっちつかずな態度をとるのがせいぜいだった。民主党は政権を担っている間にも、労働法制の強化を優先させることができず、労働者の流出を食い止めるチャンスも逃した。また、カーターからクリントン、オバマに至るまで、歴代大統領は新自由主義者であり、「底辺への競争」となる自由貿易協定や、通信・輸送・航空などの産業の規制緩和を支持し、結果として労働組合の力をひどく毀損した。政治家は選挙期間中は、男女の勤労者のニーズに合った巧言を口にするくせに、労働法制を支持することはほとんどなかった。

1978年、自動車労働者組合（UAW）のダグ・フレーザー会長は、収入の低迷や、不平等の増大、重すぎる個人債務、所得と機会の根強い人種別・性別格差、不安定雇用の拡大など、今では一般的になった経済的帰結を、「一方的な階級闘争」と呼んだ[3]。これらの変化は、民間部門の組合組織率が6.4％という第一次世界大戦開始以前の水準まで低下したことの原因でもあり、その症状の現れでもある。

この40年にわたる労働組合への攻撃は、かの洗練された知的プロジェクトにも組み込まれていた。すなわち、ニューディールのイデオロギー的基盤を破壊するための多面的なキャンペーンである。1971年に、バージニア州を拠点とする企業弁護士ルイス・パウエル（ニクソン大統領によってまもなく最高裁判事に指名される人物）は、全米商工会議所に向けて悪名高いメモを書いた。

そこには、反企業的な新左翼がもたらす深刻な脅威に経済界がどのように対応すべきかが概説されていた。パウエルのメモは、「我々が自由企業システムと呼ぶものの存続」が危機に瀕していると警告するものだが、これが政治的言説の転換をはかる実業界の計画の青写真となった。シンクタンクや大学の学部、協調のとれた立法運動、そしてマスメディアはすべて、老朽化したニューディールの合意に対抗する武器として使うべきものとされた[4]。フォーチュンやビジネス・ウィーク、ウォール・ストリート・ジャーナルのような企業寄りのマスコミは、1970年代から1980年代の米国経済の不調を、組合労働者の制約的な就業規則と、過度に寛大な契約上の賃金や福利厚生のせいにしていた。

これらの労働組合への攻撃に加えて、「中産階級」の税負担やインセンティブを殺してしまう「死の税」に対する懸念や、「(キャデラックを運転する) 福祉の女王」に対する怒りが煽られるとともに、「サイレント・マジョリティー〔静かな多数派、白人〕」のために「法と秩序」を守るというアピールがなされた。歴史家のナンシー・マクレーンが指摘しているように、「白人至上主義」と「富裕層至上主義」は、ニューディールに対する企業の攻撃と密接な関係があった。また、イアン・ヘイニー・ロペスが本書の第4章で述べたように、新右派の犬笛的人種差別は、企業の労働者攻撃や、勤労者が頼りにしている社会保障制度から、労働者階級の注意をそらすのに役立った[5]。ある評論家が述べたように、レーガンやサッチャー、クリントン、ブレアの数十年で、新自由主義は「世界史上最も成功したイデオロギー」に成長した。人々は市場と企業を賞賛し、労働組合のことなどほとんど思い浮かべもしなかった[6]。

労働者は20年もの間、いわば瓦礫の中で運動を復活させ、組合員数の減少を逆転させるための戦略を議論してきた。復活には、リスクを冒し、法律を打ち破り、ピケラインを歩き、組織化戦略を革新するための、より大きな意欲が必要となるだろう。しかし究極的には、労働運動は組織的であると同様に政治的、イデオロギー的なプロジェクトである。労働運動はより幅広く、社会に湧き上がる熱望と共鳴し、労働者の組織が個々の職場を超えて、根本的な社会的・政治的問題に対応することができたときに、発展をとげるのである。例えば、1960年代に公共部門で爆発的に組織化が進んだことで、黒人の自由や女性の活動にかかわる公民権意識が公共部門にも及んだ。そこでは多くの有色人種と女性労働者が、1940 年代から 1950 年代にかけて、（主に）白人男性の労働者が勝ち取った「中産階級」の生活水準と勤務中の保障を、自分たちにも与えるよう要求したのである。

労働者の復活には、政治と経済における支配的な考え方の転換と、社会的・政治的・道徳的な権威と目的を組合に与える変革が必要である[7]。この文脈において私たちは、労働運動の命運にとってグリーン・ニューディールが潜在的に持つ意義を理解することができる。グリーン・ニューディールは、歴史に残る戦いに労働者が参加するチャンスである。ひとつは、反労働思想と右派連合の支配に終止符を打つことであり、もうひとつは国民生活の柱となるグリーン経済を構築する上で、労働者と労働組合が主導的な役割を担うことである。気候変動運動は将来を担う草の根の反乱であり、危機が激化するにつれ、その規模と影響力が大きくなることは明らかである。労働者は気候変動活動家と手を組むことで、自らの使命感と妥当性を回復することができる。

ニューディールの歴史は、思想が重要であり、運動は戦意の強さだけでは成功しないことを示している。労働者の反乱や、政治・経済に対する支配的な見方の変化、政府の権力の活用などが複雑に絡み合って、労働者が常設の産業別組合の設立を勝ち取ることを可能にしたのである。大恐慌初期の経済的荒廃に呼応して、あらゆる産業の一般労働者の間で爆発的に闘争意識が高まったことが、産業別労働組合会議（CIO）の台頭に不可欠な前提条件であったことには疑いがない。ノースカロライナ州のガストニアからメーン州のビデフォードまで、ケンタッキー州東部の炭鉱地帯からサンフランシスコの港湾まで、そしてトレドやアクロン、デトロイト、シカゴ、クリーブランドなどの工業地域では、賃金削減と大量解雇に対する怒りが、労働者と当局との間の過激な対立に火をつけた。しかし、大恐慌初期の闘争意識だけでは、あらゆる産業部門にまたがる恒久的で強力な組合の設立を勝ち取ることはできなかった。

産業における混乱は、企業のエリートたちや評論家たちの心に恐怖を投げかけた。彼らは、職場紛争の拡大を封じ込めるため、議会が動くよう圧力をかけた。だが 1934 年の選挙では、民主党が圧倒的な多数派を獲得し、1935 年には進歩の頂点であるニューディールの舞台が整った。1934 年に選出された議会は、それ以前でもそれ以降でも、おそらくアメリカの歴史の中で最も急進的なものであった。「今こそ我々の時代だ」と、ローズベルト「顧問団」の最も革新的なメンバーの一人、ハリー・ホプキンスは言った。「我々は、ほしい物を全て手に入れなければならない。労働プログラムも、社会保障も、賃金と労働時間も、全てをだ。チャンスは今しかない」[8]。

ニューヨークのロバート・F・ワグナー上院議員が提唱した全国労働関係法は、社会保障や農村部の電化、累進課税、独占禁止のための公共事業持株会社法とともに、いわゆる「第二次百日攻勢」と呼ばれる1935年の注目すべき立法アジェンダの中心的な柱となった。その後、1947年のタフト・ハートリー法の可決や、制限的な裁判所の判決、1970年代から1980年代にかけての悪質な組合潰し産業の台頭などにより、全国労働関係法は最終的に空洞化し、労働者の団結権を保護する薄っぺらい足がかりだけを残すことになる。だが、ワグナー法が成立したときには、労働者の団結権と、団体交渉に応じる法的義務を資本家に課したその内容に、産業界は愕然（がくぜん）とし、激怒したのだった。ある経済誌は、この法律を「これまでに議会に提出された法律の中で最も不愉快なものの一つであり、革命も同然だ」と評し、オクラホマ州のある企業団体は、ワグナー法は「ソビエトも真っ青だ」と異議を唱えた。法学者カール・クレアは、「国家労働関係法（ワグナー法）は、おそらく米国議会がこれまでに制定した法案の中で最も急進的なものであった」と記している[9]。

しかし、この驚くべき立法的成果があっても、一朝一夕（いっちょういっせき）にしてCIOの興隆と、大規模な組織化キャンペーンにつながったわけではなかった。歴史家のスティーブ・フレーザーが記しているように、1936年の選挙はこの国の歴史上、最も階級闘争が激化した選挙のひとつだった。そして、ローズベルトが地滑り的な勝利を収めたことは、「前例のない戦意と戦術的な大胆さを持つ大衆運動を解き放」った[10]。フレイザーは、ネルソン・リヒテンシュタインや、ロナルド・シャッツ、ピーター・フリードランダーといった、新左派のCIO史研究者たちとともに、説得力ある主張を展開している。彼らによると、1936年の歴史的な選挙運動で、何百万人もの（移民の）第一世代および第二世代の半熟練産業労働者が文化的・政治的に変容したことが、最終的に、基幹産業の企業専制政治に挑戦する自信を産業労働者階級に与えたという。この分析は、一般労働者の闘争心と大規模なストライキが労働者復活の鍵となった、などという単純化された説明に、重要な要素を加えるものである。

1936年秋にローズベルトが中西部を遊説した際、何十万人もの自動車労働者がフリントやポンティアック、デトロイトなどの自動車製造センターに集結し、大統領を応援した。彼らの多くは主に南欧や東欧からの移民で、設立されたばかりの自動車労働者組合（UAW）のメンバーではなかった。リヒテンシュタインによれば、「[ウォルター]・ロイターのような活動家たちには、市内の労働者地区を席巻していたローズベルト支持の熱狂が、久々の大躍進（ブレイクスルー）への鍵かもしれないと思われた（…）1936年の選挙は他ならぬ移民労働者層を動員し、樹立されたローズベルト政権の力を決定的に示した」[11]。大統領の勝利後、CIOは、このエンパワーメントの感覚を投票箱から職場に伝えるため、迅速に動いた。「1936年末、組合のオーガナイザーたちはミシガン州の労働者に言った。『君たちはニューディールに投票し、自動車貴族を倒した。今すぐ職場にニューディールを導入しろ』、と」[12]。

CIOの出現は、複数の展開が交差した結果であった。一般労働者の過激さが生産を混乱させ、全国の職場に耐えがたい緊張感を生み出し、エリートを恐怖に陥れ、産業危機に対処させるべく議会に強い圧力をかけた。ワグナー法は労働者の交渉権と団結権が正当だと政府に認めさせた。共産主義者や社会主義者など、あらゆる左翼活動家が労働者を教育し、職場委員会を作り、ストライキ戦略を練るためにたゆまぬ努力をした。そして1936年の選挙は、何百万人もの労働者の意識を変え、アメリカ政府の指導者が労働者の側に立っているという、前代未聞の感覚を生み出した。「南部のある工場労働者が言ったように、ローズベルトは『オレの上司がクソ野郎だということを、ホワイトハウスで初めて理解した男』なのだ」と、リヒテンシュタインは記した[13]。これらの動きが合わさって、CIOの膨大な成果が生み出されたのである。「この国の人権のための歴史的闘争の中で、最も偉大な章の一つ」というのが、デイヴィッド・モンゴメリの言葉である[14]。

ニューディールについてのこれらの言説は、グリーン・ニューディールと労働運動家にとっての教訓である。第一に、CIOの勝利の舞台となった一連の出来事において、思想的・イデオロギー的な変革の重要性がはっきりと認識できる。わずか数年の間に、社会的連帯感に根ざした大きな政府のビジョンが、長年に及ぶ小さな政府と自己責任の教義に取って代わったのである。グリーン・ニューディールはニューディールと同様に、労働者の権利を明確に強調し、気候的公正と、人種的公正や職場の公正のアジェンダとを融合させている。労働問題と経済的不平等の問題を、新しいグリーン経済のビジョンの中心に据えることで、グリーン・ニューディールの推進者は、労働運動の復活に必要な社会的使命感を労働運動に与えている。

2019年10月中旬にニューヨーク・タイムズ紙が指摘したように、グリーン・ニューディールは決して、このイデオロギー的空間をこじあける唯一の要因ではない。2020年の、民主党予備選挙の当初の数ヶ月の間に、ほとんどの民主党有力候補が、団結権の強化や、独立請負（うけおい）業者の定義の制限、二次的なボイコットに従事する組合の権利の回復を含む、広範囲に及ぶ労働者寄りの基本政策（プラットフォーム）を受け入れた。このような変化は、過去40年間における組合主義の衰退が、所得格差の急拡大に大きく寄与してきたことを、学識者やエリート層が認識しつつあることを反映している。タイムズ紙特派員のノーム・シャイバーは記事の中で次のように述べている。「アメリカは組合や団体交渉に対してオープンになりつつある（…）これは1980年代から90年代にかけての市場寄りの政策アプローチからの脱却と、国内におけるより広範なイデオロギー的シフトを反映している。これは、不平等が拡大したことで、以前のアプローチやイデオロギーが信頼を失ったからである」[15]。

2008年の金融危機から10年の間に、「われわれは99%だ！ウォール街を占拠せよ」と、「ブラック・ライブズ・マター」という2つの重要な社会運動が生まれた。2016年のバーニー・サンダースの選挙運動や、2020年のサンダースとエリザベス・ウォーレンの選挙運動、そして多数の州や地方の選挙運動では、破綻した新自由主義のコンセンサスにはっきり異議を唱えるような、政治的な躍進も見られた。このような政治的言説の変化は、すでに労働運動に有益な影響を与えている。2016年には、3万6千人を超えるベライゾン〔通信会社〕の労働者が7週間にわたってストライキを行った際に、サンダースは各地のピケラインを訪れた。そして彼は、ニューヨークで行われた民主党大統領予備選の討論会から、テレビ中継で全国向けに同社のCEOを糾弾（きゅうだん）したのである。2018年と2019年にはストライキが急増し、過去30年間のどの時期よりも多くの労働者がピケラインに立った。新聞社やデジタルメディア、そして最近ではコンピューターゲーム会社などで、特に若手労働者の組織化活動が急増している。2019年には、ロサンゼルス教職員連盟とシカゴ教職員組合が「共通の利益のため」に前例のないストライキを行った。そして、賃上げやクラスの少人数化だけでなく、学校を基盤とした社会サービスの改善、チャーター・スクールの制限、またシカゴの場合は生徒と教師両方のための住宅への投資を増やすことを要求した。

労働者の運勢が決定的に好転したとか、1930年代や1940年代のような急速な組織拡大が起こりつつあると見るのは時期尚早である。しかし、1935年のワグナー法や1936年のローズベルトの選挙のような規模ではないにせよ、イデオロギー的情勢が大幅に左にシフトしたことが、労働運動へのカンフル剤となったことは疑いの余地がない。

気候活動家と労働運動家がニューディール時代から酌むべき第二の教訓は、政治と政府が決定的な役割を担っているということである。確かに、構造改革のための闘争において、政府に出来ると考えられていることの範囲を変えるために、訴えかけと大衆動員が決定的に重要なことは間違いない。例えば、黒人差別廃止論から労働運動へ、1960年代の黒人自由闘争からブラック・ライブズ・マターへ、15ドルの最低賃金要求運動から気候正義運動へ、同性愛者解放から、〔ダコタ・アクセス・パイプラインに反対するスー族の〕スタンディング・ロック・スタンドオフ運動に至るまで、私たちはこの事実を、社会正義のための闘争で、何度も何度も目にしてきた。しかし過去のいずれの社会運動も、統治能力（ガバニング・パワー）の欠如によって勝利に手が届かなかったということも、また事実だった。

1830年代半ばに運動をはじめた奴隷制廃止論者のほとんどは、道徳的な十字軍とでも呼ぶべき人たちであった。憲法で認められた奴隷制度に加担することになるとして、投票という行為そのものを忌避していたのである。しかし、フレデリック・ダグラスや、ウェンデル・フィリップス、ウィリアム・ロイド・ギャリソンのような奴隷制廃止論者たちが、奴隷制廃止という十字軍の目標を達成するためには、サディアス・スティーブンスや、チャールズ・サムナー、サーモン・チェイスのような急進的な共和党議員や、最終的には〔共和党の〕エイブラハム・リンカーン大統領が必要だった。同様に、CIOは団体交渉の新しい枠組みを作るために、ワグナー上院議員や仲間の議員たちを必要とした。1960年代半ばには、マーティン・ルーサー・キング・ジュニアが公民権法や投票権法、公正住宅法を勝ち取るための伝説的な腕前を発揮するには、ジョンソン大統領の存在が必要であった。

デモだけでは、気候危機を食い止めるために必要な法的規制を勝ち取ることはできない。私たちは統治能力を獲得しなければならないのである。これこそが、グリーン・ニューディール決議の画期的な意義であり、街頭の抗議を、ニューディールに匹敵する野心的な公共政策提案に変えるために、必要な取り組みなのである。

グリーン・ニューディール決議に対しては、あまりにも曖昧で、非現実的なほどに野心的だという批判もある。しかし、ニューディールもローズベルトの就任の時から、バラバラになった米国経済を復活させるための、革新的政策として完成していたわけではない。これが1930年代からの第三の教訓である。ニューディール政策は偶発的で矛盾を含んだものであり、立法手続きにおいては固陋な南部の「バーボン民主党」の有力議員との妥協を避けられず、その内容は損なわれていた[16]。また、ローズベルト自身のイデオロギーも革新的ではなかった。彼は1932年に財政保守派として選挙運動を行い、政府支出を25％削減することを公約にしていた[17]。しかもこれは、単なる選挙運動のレトリックではなかったのである。就任からわずか6日後に、彼は経済法を議会に提出し、連邦職員の給与を15％削減し、退役軍人の年金をさらに何億ドルも削減することを承認した。この法案は提案の翌日に可決された。これはローズベルトの予算局長ルイス・ダグラスの仕事であった。彼は、猛烈な反組合主義者であり、財政的にも保守的であり、フェルプス・ダッジ鉱業会社のCEOウォルター・ダグラスの甥でもあった。ダグラスは、1917年にストライキを行った世界産業労働者組合の組合員1000人以上を列車に乗せ、アリゾナの灼熱砂漠に移送したことで悪名高い人物である[18]。

しかしローズベルトは実利主義者であり、折衷的な助言者たちに囲まれていた。彼はすぐに、より革新的な経済危機対策に転じた。その中には、農業調整法（AAA）や資源保存市民部隊（CCC）、全国産業復興法（NIRA）、テネシー川流域開発公社（TVA）、連邦取引委員会（FTC）、グラス・スティーガル法（Glass-Steagall Act）など、「第一次百日攻勢」と呼ばれる時期に実現した機関や政策の、アルファベット・スープが含まれる。しかし、彼のプログラムの輪郭は、常に政権内外の闘争の種となっていた。1934年に労働者・農民・高齢者の動員が激化したことで、1935年の社会民主主義の頂点であるワグナー法と第2次ニューディール法の成立が実現した。同じように、グリーン・ニューディールの実体は、街頭での、投票での、そして議会での継続的な闘争によって形作られるであろう。若者の運動の成長が、気候に関する議論に強力な影響を与えることは、すでに明らかである。しかし、グリーン・ニューディールの中身を明確にし、現実のものとするためには、もっともっと多くのことが必要となる。

スティーブ・フレイザーは、20世紀の最初の数十年における「労働問題」が、すなわち「新産業秩序」の中で拡大し、ますます搾取されていく労働者階級の運命が、この時代の「本質的な道徳的、政治的、社会的ジレンマ」であったと記している。1930年代のニューディールは、この問題に対する資本主義システムの答えとなった[19]。20世紀前半の「労働問題」と同じように、気候危機は私たちの時代の決定的な問題である[20]。労働運動は、地球を守るための闘いから離れてはならない。実際のところ、気候の問題を取り上げない労働運動は、社会的に無用のものとなる危険性がある。

この点で、ニューディールの参考事例としてふさわしいのは、1930年代のアメリカ労働総同盟（AFL）の行動かもしれない。AFLの指導者たちは、恐慌時代における多くのアメリカ人労働者の考え方の変化と、階級制度の崩壊を把握することができなかった。移民労働者を組織化する努力を軽視し、ワグナー法の制定に猛烈に反対した。ほとんどのAFL組合は熟練労働者を代表しており、通常は職場慣行と採用の両方を厳しく管理していたが、長きにわたって人種排斥も実践してきたのである。熟練労働の仕事に就けるかは、誰とコネクションがあるかによって決まり、縁故主義と人種差別が熟練労働への参入障壁となっていた。事実、1940年代半ばには、100のAFL加盟組合と独立組合のうち17組合が、「組合員を明示的に『白人』または『白色人種』に制限する［規約上の］条項」をまだ有していた[21]。

その結果、AFL はニューディール時代に生じた革新的で変革的なアイデアや制度の登場を活かすことができなかった[22]。今日の労働運動が、目先の雇用の保護に焦点を絞って、グリーン・ニューディールのような大衆的なイニシアチブに反対し、防御的な拒否権を行使するだけでは、以前の二の舞になる危険性がある。重要なのは、グリーン製造業や、ソーラーパネルの設置、建物の改修などで、何千万人もの新しい雇用が創出されることに焦点を当てることである。

同時に、労働運動は、若者が世代を超えて最も労働組合に肯定的であることを認識しなければならない。彼らは、革新的な運動を支える最大の希望であり、その運動こそが労働運動復活のための素地(そじ)を作り出すのである。彼らは、気候変動を現実のものとして恐れている。もしグリーン・ニューディールによって到来したチャンスを労働運動が掴(つか)めなければ、私たちは新興の左派連合から永久に疎外され、意味のない存在になってしまう。それは、労働者と左派の将来を暗澹(あんたん)たるものにしてしまうであろう。

気候危機は、大恐慌と同様に、我々が有する資源と創意工夫を総動員することを求めている。グリーン・ニューディールは、1930 年代のアメリカにおける総動員の経験を思い起こさせる。ニューディールは完全ではなく、限定的であったかもしれないが、それでもアメリカ社会における政府の役割を変え、社会対策の範囲を劇的に拡大し、アメリカ初の恒常的な産業労働運動を生み出した。その成功の柱は、労働者が組織化して団体交渉する法的権利を確立したことであった。

グリーン・ニューディールは、気候変動の悪影響を封じ込め改善に向かわせるために必要な社会変革の中心課題として、人種的正義の実現とならんで労働者の権利確立を掲げている。そうすることで、労働者を 40 年にわたって攻撃してきたイデオロギーを否認するとともに、気候変動に対する大規模なキャンペーンへの参加を効果的に呼びかけている。それは、労働者階級の力の構築を再び社会の中心に据(す)える、いま進行中のイデオロギー的変化を補強するものである。そしてそれは、革新的で幅広い運動の成長を促し、労働運動が再び台頭する素地を作り出すものである。これら全ての理由から、労働者はグリーン・ニューディールを受け入れるべきなのである。

終章　組織化しよう、投票しよう、ストライキしよう

ヴァルシニ・プラカシュ

私は子どもの頃、地球環境の破壊を何とかしようと考えました。14歳の時、私はリサイクルが世界を救うと信じていたので、学校のリサイクルクラブに入りました。ただ、それだけでは納得がいかなかったので、私は社会運動に参加しました。何百人、何千人もの人々と一緒になって、声を合わせて社会の変化を求めました。しかし結果的に私たちが手にした変化は、本質的な気候危機を防ぐのに不十分でした。私たちは、化石燃料産業の経済力を弱め、私たちの活動を強くし、政治の場で戦う必要があることに気づいたのです。私は政治が嫌いで、政治とは関わりたくないと思って育ちました。しかし、目の前の危機の巨大さを理解したとき、人類が生き残るためには、100年に一度の政治的・社会的・経済的な体制の大変革が必要だと悟りました。

この本こそが、気候変動や社会運動、社会正義、経済、そして政治について明らかにするものです。事実の一面を解明したければ、全体像を見なければなりません。

正直に言うと、私たちはまだそれを解明できていません。私たちの活動は、2010年代に飛躍的に進歩しましたが、相手の勢力が依然として権力を握っていて、私たちは外野のままです。それでも私は、本書のすばらしい共著者や寄稿者のおかげで、汲み上げることができた教訓がいくつかあると確信しています。

1つ目は、気候危機はあなたが思っている以上に深刻であると同時に、グリ

ーン・ニューディールが、適切な解決策であるという点です。中途半端な価格規制や個々人のライフスタイルの変化だけでは、決して目標は達成できません。今こそ連邦政府が大々的に行動する時であり、再生可能エネルギーや持続可能な農業、低炭素交通への移行を促進するために、すべての人々に対する雇用の保証が必要なのです。連邦政府は戦時中のように、責任を怠（おこた）った企業を罰する一方で、産業活動を直接調整してもよいのです。

２つ目は、私たちの目標は統治能力（ガバニング・パワー）を獲得することでなければなりません。それは大統領職だけでなく、連邦議会だけでなく、州議会だけでなく、全土の市役所だけでもなく、それ以上のものです。そして、独立した社会運動が限界に挑み続け、政治家や官僚たちに説明責任を負わせるのです。権力とは行動する能力のことであり、真の統治能力があってこそ、私たちはグリーン・ニューディールを実施することができるのです。

３つ目に、私たちの活動が成功すればするほど、富と権力を持つ者たちは私たちを阻止しようとすることです。彼らはあらゆる手段を使って、私たちの仲間を分断し、お互いに敵対するように仕向けるでしょう。私たちの間にある最大の違いは人種と階級です。私たちを団結させるものは、私たちを分断させるものより強力なものだと自覚し、お互いの違いを超えた誠実さと真の連帯感を持って、この輪を広げていきます。そうして初めて私たちは、化石燃料のおかげで富を得た世界の億万長者やドナルド・トランプが持つ最も効果的な武器を、すなわち「分断支配」を克服することができるのです。私たちは、階級を超えた多人種の運動を構築しなければなりません。それ以外に方法はありません。

私は以上のようなことを知ることができました。しかし、私が知らないことは、これよりもたくさんあります。みなさんには、私に出来なかったことを補（おぎな）って、たいまつをもっと向こうに運んでほしいと思います。この活動を実行に移してください。これらの政策をもとにして、より良い政策を立案してください。成功と失敗の両方から学び、より強力な社会運動へと変えていきましょう。

私たちの命の源である海は日に日に荒れていき、水平線には嵐が吹いています。私たちがこの本の最終原稿を執筆している現在、COVID-19（コヴィッド）（新型コロナウイルス）が数万人以上の命を奪い、そしてウイルスの拡散を遅らせるためとはいえ、私や皆さんの2020年の予定や計画をあざ笑うかのように、社会的孤立へと人々を追い込んでいます。

最初にこの文章を書いたとき、私は何百万人もの若者たちに街頭に出て、大規模な反乱をし、グリーン・ニューディールを求める否定しようのない要求を政治家たちに突きつけようと呼びかけるつもりでした。今ではその計画は、控えめに言っても疑問の余地があるものとなりました。私たちの「変革の理論」（人々の力と政治的な力）は間違いではありませんが、実現に至るまでの詳細な方法は、批判的検討の余地があります。

今回のパンデミックにより、危機的状況には、有能な政府が絶対的に必要であることが明らかとなりました。私たちは、政府が産業政策を発動して人工呼吸器の生産を推進した場合と、そうしない場合との違いを、実際に目撃しています。その差は、救われた命と失われた命の数によって測定されるものです。気候変動についても、これと同じことが当てはまるでしょう。

このパンデミックは、私たちがそもそもお互いに依存していることを明らかにしました。うちの窓から外のサムナー通りに目をやると、隔離された隣人のために、食料を配っている人達が映ります。また、これまで出会ったこともない人たちのために、疑うこともなく毎日、自らの命を危険にさらしている看護師や医者の方々の事を思い浮かべます。そして世界中の何十億もの人々が、他の人たちに近づかないという奇妙な犠牲を払っていることも知っています。少なくとも今この瞬間は、かつてない、全世界がお互いに協力し合うべき時代です。このコロナ禍が過ぎ去ったとき、私たちは、いくつかの教訓を学んでいるのではないでしょうか。

世界は、急速に変化しています。この本が出版される頃には、私がコロナ禍の初めの頃に抱いた考えも時代遅れになっていることでしょう。しかしこの点こそが重要なのです。私たちは、今後の歴史の転換点を明確に特定することはできません。それでも確かなのは、パンデミックが起きる前の経済状況や政治状況に戻ることはないということです。この物語がどのように幕を閉じるのかを、私もあなたも予告することはできません。私たちは共にこの物語を生きて、その終幕まで、これを一緒に作り上げるほかないのです。

それでも私には言えることがあります。この物語の勝者は、夢を曇（くも）らせず、敏感な心を失わず、未来へのビジョンを捨て去らない人たちです。正義への激しい愛情が色あせることを、決して許さない人たちです。詩人オーローラ・レヴィンス・モラレスの不朽の詩「V'ahavta（ヴェアハフタ）」には、こうあります。

> *Don't waver. Don't let despair sink its sharp teeth into the throat with which you sing. Escalate your dreams. Make them burn so fiercely that you can follow them down any dark alleyway of history and not lose your way. Make them burn clear as a starry drinking gourd over the grim fog of exhaustion, and keep walking. Hold hands. Share water. Keep imagining. So that we, and the children of our children's children may live.*
> 動揺してはいけない。歌をうたうための喉（のど）を絶望に噛（か）み切らせてはいけない。夢を高めなさい。暗黒の歴史の細道でも道に迷うことのないように、夢を激しく燃やしなさい。のどがカラカラに渇いて、暗黒にのみこまれてしまいそうになっても、星の瓢箪（ひょうたん）のようにその夢をみずみずしく輝かせて、歩き続けるのです。手を繋（つな）ぎなさい。水を分け合いなさい。想像し続けなさい。そうすれば、私たちも、子どもたちも、その子どもたちの子どもたちも、生きてゆけるのです。

新しい世界は、新しい社会は、そして新しい生き方は、私たちそれぞれが夢を高めてゆけば、きっと手に入れられるものです。

謝辞

本書に寄稿してくださった方々と、編者の二人だけでは、この本を完成させることはできませんでした。このプロジェクトを実現させてくださった全ての方々に感謝を申し上げます。

サンライズ・ムーブメント：グリーン・ニューディールがアメリカ政治の新たな重心となるまで、信念を貫き、オーガナイズをしてくれた何千人もの若者たちがいなければ、私たちはそもそもグリーン・ニューディールに関する各章を編纂することもできなかったでしょう。全国各地で私たちの運動を発展させるために、日々実践を重ね、リスクを冒して活動してくれる、何百人ものサンライズのメンバーに感謝します。

私たちの運動が取り組んでいる全ての野心的なプロジェクトと同じように、この本も献身的なボランティアのおかげで完成しました。Irene Henry は、運動戦略に関する文章を、北極星のような輝きにまで磨き上げました。Ben Gilvar-Parke は、この本で共有されている物語の鼓動を伝えてくれました。Zea Marty は、Mikhaila Bishop や Victoria Hsieh、Laís Santoro、Carly Gray、Jessica Finkel、そして Tara Benavide たちの参考文献チームを率いて、すべての引用文献を探し出してくれました。また特に Sarah Abbott と、Aggie Agreros、Lauren Black、Jeremy Brecher、Erin Bridges、Rebecca Conway、Sam Eilertsen、Karthik Ganapathy、Libby Gatti、Miles Goodrich、Naomi Hollard、Aracely Jimenez、Emily LaShelle、Mattis Lehman、Ilana Master、Lauren Maunus、Emily Mayer、Greta Neubauer、Stevie O'Hanlon、Alex O'Keefe、Alice Oshima、Zina Precht-Rodriguez、Sam Quigley、Deirdre Shelly、Howie Stanger、Brian Stillwell、Jacob Surpin、Evan Weber、

Courtney Wise、そして Seth Wood に感謝します。

　最後に、本書のアイデアは、グリーン・ニューディール運動に関わる革新派の組織、特に Working Families Party、Climate Justice Alliance、Indigenous Environmental Network、Sierra Club、Indivisible、It Takes Roots、Center for Popular Democracy、People's Action、Greenpeace、US Climate Action Network、SEIU、N Y Renews、Frontline Detroit、No Fossil Fuel Money coalition、Justice Democrats によって、そして世界中の若い気候変動活動家たちによって育て上げられたものであることを記します。ここに名前を記さなかった方々にも、私たちは皆さんを愛しています、大切に思っています、そして一緒に仕事ができたことを光栄に思いますと、お伝えいたします。

編集チーム：慣れない出版の世界を忍耐と的確なアドバイスで支えてくれた、エージェントの Anthony Arnove には、言葉では言い表せないほど感謝しています。編集者の Eamon Dolan は、初めて編集者と著者となった私たちにチャンスを与えてくれ、私たちが論文・エッセイ集の編纂で壁にぶつかった時には、時間を惜しまずに解決策を教えてくれました。編集者としての彼の技量は、著者にとっても運動にとっても貴重な贈り物であり、彼と仕事ができたことを光栄に思います。また、出版案から印刷にいたるまで、Tzipora Baitsch が丹精込めて詳細に、全ての文言を確認してくださったからこそ、この本が形になったのです。そして Janet Byrne も全ての単語を確認し、不適切な単語を修正し、事実の何重にもチェックしてくれました。

　私たちが夜遅くまで仕事をしていた時には、夜明けまでに仕事が終わるよう知恵と力を貸してくれた人たちがいました。サンライズの共同創立者であり、生涯にわたるオーガナイザーでもある Will Lawrence は、この本の立役者です。誰よりも早くこの本の価値を認め、執筆のプロジェクトを始動してくれました。そして、いわば私たちの船の底の穴を塞いで、沈まないようにしてくれて、荒波を乗り切るための舵取りまでしてくれたのです。Aaron Jorgensen-Briggs は、ほとんど全ての章に目を通して悪文を整え、著者陣の悩みを解消してくれました。Garrett Blad は、何千人もの若者たちに、運動の構築のためのツールとして、物語を語ることを教えてくれました。彼の指導のおかげで、この本には読者と共有すべき物語がいくつも含まれることになったのです。Marcela Mulhollandはアメリカ政治の全体像を決して見失うことなく、執筆陣がユーモアと希望をもって大きな問題に答えられるように後押ししてくれました。Max Bergerの政治学的な知識は、私たちが「再編」の意味を理解するのを助けてくれました。彼がつねに献身的に疲労困憊の編者（Guido）をサポートしてくれたことで、この本が完成にこぎ着けたのです。

二人の編者の両親（RamaaとPrakash、SergioとMonica）は、あまりにも多くの編集会議を自宅で開かせてくれて、しかも美味しいインド料理やイタリア料理をごちそうしてくれました。彼らは、私たちの情熱と信念をあらゆる場面で支えてくれました。またVarshiniは、フィアンセのFilipeが応援してくれて、〔NBA選手の〕Allen Iversonをダシにして叱咤激励をしてくれなかったら、2019年を生き延びることはできなかったでしょう。そしてGuidoは、Saraの寛大さと愛情がなかったら、この本を完成させることはできなかったでしょう。

恩師と先人たち：何世代にもわたってグリーン・ニューディールへの道を歩んできた数え切れない数の活動家や歴史家、そして作家たちに感謝します。その全員を紹介することは難しいですが、とくにここ数年の私たちの組織化と執筆に直接的な影響を与えてくれた人たちを、何人か紹介させていただきます。Betámia Coronelと、Cristina DuQue、Cathy Kunkel、Katie McChesney、Becca Rastは、運動がサンライズと命名される以前から、サンライズのビジョンを示してくれた人たちでした。Momentumと、Training for Change、The Ayni Institute、Relational Uprising、People's Action、そしてThe Wildfire Projectは、私たちにムーブメントを構築する方法と、リーダーシップとは何かということを教えてくれました。私たちの戦略が失敗したとき、Mark EnglerとPaul Engler、Daniel Hunter、Yotam Marom、Carlos Saavedra、そしてJonathan Matthew Smuckerは、私たちに前進の道を示してくれました。Ted Fertikは親身になってニューディールの歴史学を説明してくれました。Movimiento Cosecha、IfNotNow、Dream Defenders、United We Dreamは、運動の種まきに必要なツールを提供してくれました。350.org

は、サンライズがGoogleドキュメントを内輪で使うだけの小さな取り組みだった頃に、重要な支援をしてくれました。私たちが何度も何度もお手本としたのは、公民権運動の指導者Martin Luther King Jr.やElla Baker、そして学生非暴力調整委員会の革新とビジョンでした。それからMichelle Alexanderや、Dr. Robert Bullard、Frances Fox Piven、Barbara FieldsとKaren Fields、Michael C. Dawson、Corey Robinの著作は、私たちが米国における正義の問題と、民主主義の変革に取り組んでいる間じゅう、かけがえのない支えとなってくれました。

最終的なテキストに含まれる誤りについては、全ての責任は私たちに帰せられます。

原　注

序章

1) Eliza Barclay and Brian Resnick, "How Big Was the Global Climate Strike? 4 Million People, Activists Estimate," *Vox*, September 22, 2019, https://www.vox.com/energy-and-environment/2019/9/20/20876143/climate-strike-2019-september-20-crowd-estimate.
2) Anne Barnard and James Barron, "Climate Strike N.Y.C.: Young Crowds Demand Action, Welcome Greta Thunberg," *New York Times*, September 20, 2019, https://www.nytimes.com/2019/09/20/nyregion/climate-strike-nyc.html.
3) Olivia Rosane, "7.6 Million Join Week of Global Climate Strikes," *EcoWatch*, September 30, 2019, https://www.ecowatch.com/global-climate-strikes-week-2640790405.html.
4) John Della Volpe, "Midterms Saw Historic Turnout by Young Voters," *RealClearPolitics*, November 8, 2018, https://www.realclearpolitics.com/articles/2018/11/08/midterms_saw_historic_turnout_by_young_voters__138591.html.
5) Jonathan Watts, "We Have 12 Years to Limit Climate Change Catastrophe, Warns UN," *The Guardian*, October 8, 2018, https://www.theguardian.com/environment/2018/oct/08/global-warming-must-not-exceed-15c-warns-landmark-un-report.
6) David Roberts, "The Green New Deal, Explained," *Vox*, March 30, 2019, https://www.vox.com/energy-and-environment/2018/12/21/18144138/green-new-deal-alexandria-ocasio-cortez.
7) Blain Roberts and Ethan J. Kytle, "When the South Was the Most Progressive Region in America," *The Atlantic*, January 17, 2018, https://www.theatlantic.com/politics/archive/2018/01/when-the-south-was-the-most-progressive-region-in-america/550442/.
8) Olivia B. Waxman, "How FDR' s New Deal Laid the Groundwork for the Green New Deal—in Good Ways and Bad," *Time*, February 8, 2019, https://time.com/5524723/green-new-deal-history/.
9) Greta Thunberg (@GretaThunberg), Twitter, October 21, 2018, 12:36 p.m., https://twitter.com/gretathunberg/status/1054048784844505098?lang=en.

第1章

1) V. Masson-Delmotte et al., eds., "Summary for Policymakers," in *Global Warming of 1.5℃: An IPCC Special Report on the Impacts of Global Warming of 1.5℃ Above Pre-industrial Levels and Related Global Greenhouse Gas Emission Pathways, in the Context of Strengthening the Global Response to the Threat of Climate Change, Sustainable Development, and Efforts to Eradicate Poverty*, IPCC, 2018, https://www.ipcc.ch/sr15/chapter/spm/.
2) Jeremy S. Hoffman, Peter U. Clark, Andrew C. Parnell, and Feng He, "Regional and Global Sea-Surface Temperatures During the Last Interglaciation," *Science*, January 20, 2017, https://science.sciencemag.org/content/355/6322/276.
3) Andrew Freedman, "The Last Time CO_2 Was This High, Humans Didn't Exist," Climate

Central, May 3, 2013, https://www.climatecentral.org/news/the-last-time-co2-was-this-high-humans-didnt-exist-15938.
4) "Climate Change Indicators: US Wildfires," WX Shift, Climate Central, https://wxshift.com/climate-change/climate-indicators/us-wildfires.
5) "The Age of Western Wildfires," Climate Central, September, 2012, https://www.climatecentral.org/wgts/wildfires/Wild fires2012.pdf.
6) Elizabeth Davis and Katie Walsh, "WWF Report Reveals Staggering Extent of Human Impact on Planet," World Wildlife Fund, October 29, 2018, https://www.worldwildlife.org/press-releases/wwf-report-reveals-staggering-extent-of-human-impact-on-planet.
7) Mary Hoff, "As Insect Populations Decline, Scientists Are Trying to Understand Why," *Ensia*, October 30, 2018, https://ensia.com/features/insects-decline-armageddon-biodiversity/.
8) Noah S. Diffenbaugh and Marshall Burke, "Global Warming Has Increased Global Economic Inequality," National Academy of Sciences, April 2019, https://www.researchgate.net/publication/332581715_Global_warming_has_increased_global_economic_inequality.
9) Fiona Harvey, "Greenland's Ice Sheet Melting Seven Times Faster Than in 1990s," *The Guardian*, December 10, 2019, https://www.theguardian.com/environment/2019/dec/10/greenland-ice-sheet-melting-seven-times-faster-than-in-1990s.
10) Matthew Cappucci and Andrew Freedman, "Europe to See Third Major Heat Wave This Summer, as Temperatures Soar from France to Scandinavia," *Washington Post*, August 22, 2019, https://www.washingtonpost.com/weather/2019/08/22/europe-see-third-major-heat-wave-this-year-temperatures-soar-france-scandinavia/.
11) Amal Ahmed, "Tropical Storm Imelda Will Likely Be Southeast Texas' Fifth 500-Year Flood in Five Years," *Texas Observer*, September 20, 2019, https://www.texasobserver.org/tropical-storm-imelda-will-likely-be-southeast-texas-fifth-500-year-flood-in-five -years/.
12) V. Masson-Delmotte et al., eds., "Summary for Policymakers," in *Global Warming of 1.5℃: An IPCC Special Report on the Impacts of Global Warming of 1.5℃ Above Pre-industrial Levels and Related Global Greenhouse Gas Emission Pathways, in the Context of Strengthening the Global Response to the Threat of Climate Change, Sustainable Development, and Efforts to Eradicate Poverty*, IPCC, 2018, https://www.ipcc.ch/sr15/chapter /spm/.
13) Hannah Ritchie, "Who has contributed most to global CO_2 emissions?" Our World in Data, October 1, 2019, https://ourworldindata.org/contributed-most-global-co2.
14) William Lynn, "Who's Most Responsible for Climate Change?," *New Republic*, December 8, 2015, https://newrepublic.com/article/125279/whos -responsible-climate-change.
15) Drew Shindell, Greg Faluvegi, Karl Seltzer, and Cary Shindell, "Quantified, Localized Health Benefits of Accelerated Carbon Dioxide Emissions Reductions," *Nature*, March 19, 2018, https://www.nature.com/articles/s41558-018-0108-y.
16) H.-O. Pörtner et al., eds., "Summary for Policymakers," in *IPCC Special Report on the Ocean and Cryosphere in a Changing Climate*, IPCC, 2019, https://www.ipcc.ch/srocc/.
17) Eun-Soon Im, Jeremy S. Pal, and Elfatih A. B. Eltahir, "Deadly Heat Waves Projected in the Densely Populated Agricultural Regions of South Asia," *Science Advances*, August 2, 2017, https://advances.sciencemag.org/content/3/8/e1603322.full; 17. Jeremy S. Pal and Elfatih A. B. Eltahir, "Future Temperature in Southwest Asia Projected to Exceed a Threshold for Human Adaptability," *Nature*, October 26, 2015, https://www.nature.com/

articles/nclimate2833.
18) Oli Brown, *Migration and Climate Change* 31 (January 2008), IOM Migration Research Series, International Organization for Migration, 2008, https://www.ipcc.ch/apps/njlite/srex /njlite_download.php?id=5866, 9, 11, 28-29, 32.
19) Pörther "Summary for Policymakers."
20) David Wallace-Wells, "Los Angeles Fire Season Is Beginning Again. And It Will Never End. A Bulletin from Our Climate Future," *New York Magazine*, May 12, 2019, https://nymag.com/intelligencer/2019/05/los-angeles-fire-season-will-never-end.html.
21) "As Climate Change Worsens, a Cascade of Tipping Points Looms," *Yale Environment 360*, December 5, 2019, https://e360.yale.edu/features/as-climate-changes-worsens-a-cascade-of-tipping-points-looms.
22) "Quick Facts on Ice Sheets," National Snow and Ice Data Center, 2020, https://nsidc.org/cryosphere/quickfacts/icesheets.html.
23) Marshall Burke, W. Matthew Davis, and Noah S. Diffenbaugh, "Large Potential Reduction in Economic Damages Under UN Mitigation Targets," Research Letter, *Nature*, May 2018, 549-53, https://web.stanford.edu/~mburke/papers/BurkeDavisDiffenbaugh 2018.pdf.
24) Felix Salmon, "The Cost of Climate Change," *Axios*, October 14, 2018, https://www.axios.com/climate-change-costs-wealth-carbon-tax-303d7cff-3085-49d9-accb-ec 77 68 9b9 911.html.
25) Christopher Flavelle, "Climate Change Threatens the World's Food Supply, United Nations Warns," New York Times, August 8, 2019, https://www.nytimes.com/2019/08/08/climate/climate-change-food-supply.html.
26) Gaia Vince, "How to Survive the Coming Century," *New Scientist*, February 25, 2009, https://www.newscientist.com/article/mg20126971-700-how-to-survive-the-coming-century/.
27) Solomon M. Hsiang, Marshall Burke, and Edward Miguel, "Quantifying the Influence of Climate on Human Conflict," *Science*, September 13, 2013, https://science.sciencemag.org/content/341/6151/1235367.
28) David S. Battisti and Rosamond L. Naylor, "Historical Warnings of Future Food Insecurity with Unprecedented Seasonal Heat," *Science*, January 9, 2009, https://science.sciencemag.org/content /323 /5911/240.full.
29) T. A. Boden, G. Marland, and R. J. Andres, "Global, Regional, and National Fossil-Fuel CO_2 Emissions," Carbon Dioxide Information Analysis Center, 2017, https://cdiac.ess-dive.lbl.gov /trends/emis/overview_2014.html.
30) "Coal Information 2019," International Energy Agency, August 2019, accessed March 2020, https://www.iea.org/reports/coal-information-2019.

第2章

1) Margaret Thatcher, interviewed by Douglas Keay, *Woman's Own*, September 23, 1987, https:// www.margaretthatcher.org/document/106689.
2) Ronald Reagan, news conference, August 12, 1986, https://www.reaganfoundation.org/ronald-reagan/reagan-quotes-speeches/news-conference-1/.

3) Jonathan Franzen, "What If We Stopped Pretending?," *The New Yorker*, September 8, 2019, https://www.newyorker.com/culture /cultural-comment/what-if-we-stopped-pretending.
4) Nathaniel Rich, "Losing Earth: The Decade We Almost Stopped Climate Change," *New York Times Magazine*, August 1, 2018, https://www.nytimes.com/interactive/2018/08/01/magazine/climate-change-losing-earth.html?mtrref=www.google.com&assetType=REGIWALL#main.
5) Matthew Taylor and Jonathan Watts, "Revealed: The 20 Firms Behind a Third of All Carbon Emissions," *The Guardian*, October 9, 2019, https://www.theguardian.com/environment/2019/oct/09/revealed-20-firms-third-carbon-emissions
6) Christopher Ingraham, "Wealth Concentration Returning to 'Levels Last Seen During the Roaring Twenties,' According to New Research," *Washington Post*, February 8, 2019, https://www.washingtonpost.com/us-policy/2019/02/08/wealth-concentration-returning-levels-last-seen-during-roaring-twenties-according-new-research/#targetText=Wealth%2C%20here%2C%20is%20roughly%20synonymous,the%20value%20of%20any%20debt.
7) "Extreme Carbon Inequality: Why the Paris Climate Deal Must Put the Poorest, Lowest Emitting and Most Vulnerable People First," Oxfam, December 2, 2015, https://oi-files-d8-prod.s3.eu-west-2.amazonaws.com/s3fs-public/file_attachments/mb-extreme-carbon-inequality-021215-en.pdf.
8) Richard Heede, "Tracing Anthropogenic Carbon Dioxide and Methane Emissions to Fossil Fuel and Cement Producers, 1854-2010," *Climatic Change* 122 (2013): 229-41, https://link.springer.com/article/10.1007/s10584-013-0986-y.
9) Taylor and Watts, "Revealed: The 20 Firms Behind a Third of All Carbon Emissions."
10) Dario Kenner, *Carbon Inequality: The Role of the Richest in Climate Change* (Abingdon, UK: Routledge, 2019); Kate Aronoff, "Jay Inslee just dropped the most ambitious climate plan from a presidential candidate. Here's who it targets," *The Intercept*, June 24, 2019, https://theintercept.com/2019/06/24/jay-inslee-climate-change-pollution/; Dario Kenner, "The Polluter Elite Database," June 2019, https://whygreeneconomy.org/the-polluter-elite-database/.
11) Jad Mouawad, "The New Face of an Oil Giant," *New York Times*, March 30, 2006, https://www.nytimes.com/2006/03/30/business/the-new-face-of-an-oil-giant.html.
12) Benjamin Franta, "Shell and Exxon's Secret 1980s Climate Change Warnings," *The Guardian*, September 19, 2008, https://www.theguardian.com/environment/climate-consensus-97-per-cent/2018/sep/19/shell-and-exxons-secret-1980s-climate-change-warnings.
13) "Smoke, Mirrors, and Hot Air," Union of Concerned Scientists, January 2007, https://web.archive.org/web/20150726204316/http://www.ucsusa.org/sites/default/files/legacy/assets/documents/global_warming/exxon_report.pdf; Naomi Oreskes and Erik M. Conway, *Merchants of Doubt: How a Handful of Scientists Obscured the Truth on Issues from Tobacco Smoke to Global Warming*, (New York: Bloomsbury Publishing, 2010), 169-274.
14) Oreskes and Conway, *Merchants of Doubt*, 169-274.
15) Suzanne Goldenberg, "ExxonMobil Gave Millions to Climate-Denying Lawmakers Despite Pledge," *The Guardian*, July 15, 2015, https://www.theguardian.com/environment/2015/jul/15/exxon -mobil-gave-millions-climate-denying-lawmakers.
16) Janet Sawin and Kert Davies, "Denial and Deception: A Chronicle of ExxonMobil's Efforts to Corrupt the Debate on Global Warming," Greenpeace, May 2002, https://www.

greenpeace.org/usa/wp-content/uploads/2015/11/exxon-denial-and-deception.pdf?a1481f.; Climate Investigations Center, "The Global Climate Coalition: Big Business Funds Climate Change Denial and Regulatory Delay," March 25, 2019, https://climateinvestigations.org/wp-con tent /uploads/2019/04/The-Global-Climate-Coalition-Denial-and-Delay.pdf.

17) David Coady, Ian Parry, Nghia-Piotr Le, and Baoping Shang, "Global Fossil Fuel Subsidies Remain Large: An Update Based on Country-Level Estimates," International Monetary Fund, May 2, 2019, https://www.imf.org/en/Publications/WP/Issues/2019/05/02/Global-Fossil-Fuel-Subsidies-Remain-Large-An-Update-Based-on-Country-Level-Estimates-46509.

18) V. Masson-Delmotte et al., eds., "Summary for Policymakers," in *Global Warming of 1.5℃: An IPCC Special Report on the Impacts of Global Warming of 1.5℃ Above Pre-industrial Levels and Related Global Greenhouse Gas Emission Pathways, in the Context of Strengthening the Global Response to the Threat of Climate Change, Sustainable Development, and Efforts to Eradicate Poverty*, IPCC, 2018, https://www.ipcc.ch/sr15/chapter/spm/.

19) "Emissions Gap Report 2019," United Nations Environment Programme, 2019, https://www.unenviron ment.org/resources/emissions-gap-report-2019.

20) Quirin Schiermeier, "Soviet Union's Collapse Led to Massive Drop in Carbon Emissions," *Nature*, July 1, 2019, https://www.nature.com/articles/d41586-019-02024-6; Matthew L. Wald, "Carbon Dioxide Emissions Dropped in 1990, Ecologists Say," *New York Times*, December 8, 1991, https://www.nytimes.com/1991/12/08/world/carbon-dioxide-emissions-dropped-in-1990-ecologists-say.html.〔訳注：Our World in Dataのデータによれば、世界のCO_2排出量は約3.2%減少した（1991年は231.7億トン、1992年は224.4億トン）、https://ourworldindata.org/co2-emissions〕

21) Emma Foehringer Merchant, "IPCC: Renewables to Supply 70%-85% of Electricity by 2050 to Avoid Worst Impacts of Climate Change," *Greentech Media*, October 8, 2018, https://www.greentechmedia.com/articles/read/ipcc-renewables-85-electricity-worst-impacts-climate-change#gs.3g1obl.

22) Carolyn Korman, "The False Choice Between Economic Growth and Combatting Climate Change," *The New Yorker*, February 4, 2019, https://www.newyorker.com/news/news-desk/the-false-choice-between-economic-growth-and-combatting-climate-change.

23) "Powering America: The Economic and Workforce Contributions of the US Electric Power Industry," M. J. Bradley & Associates, 2017, https://mjbradley.com/about-us/case-studies/powering-america.

24) Jean-François Bastin et al., "The Global Tree Restoration Potential," *Science*, July 5, 2019, https://doi.org/10.1126/science.aax0848.

25) "California's Renewables Portfolio Standard (RPS) Program," Union of Concerned Scientists, July 2016, https://www.ucsusa.org/resources/californias-renewables-portfolio-standard-program#ucs-report-downloads.

26) "Short-Term Energy Outlook (STEO)," US Energy Information Administration, March 2020, https://www.eia.gov/outlooks /steo/report/electricity.php.

27) Hannah Ritchie and Max Roser, "Fossil Fuels," Our World in Data, 2020, https://ourworldindata.org/fossil-fuels.

28) Bradley Olson, "US Becomes Net Exporter of Oil, Fuels for First Time in Decades," *Wall*

Street Journal, December 6, 2018, https://www.wsj.com/articles/u-s-becomes-net-exporter-of-oil -fuels-for-first-time-in-decades-1544128404.

29) Dana Nuccatelli, "America Spends over $20bn Per Year on Fossil Fuel Subsidies. Abolish Them," *The Guardian*, July 30, 2018, https://www.theguardian.com/environment/climate-consensus-97-per-cent/2018/jul/30/america-spends-over-20bn-per-year-on-fossil-fuel-subsidies-abolish-them.

30) David Roberts, "Friendly Policies Keep US Oil and Coal Afloat Far More Than We Thought," *Vox*, July 26, 2018, https://www.vox.com/energy-and-environment/2017/10/6/16428458/us-energy-coal-oil-subsidies.

31) David Reid, "New Zealand Set to Ban New Offshore Oil and Gas Drilling," CNBC, April 12, 2018, https://www.cnbc.com/2018/04/12/new-zealand-set-to-ban-oil-and-gas-drilling.html.

32) "Oil's Well That Ends Well: America Lifts Its Ban on Oil Exports," *The Economist*, December 18, 2015, https://www.economist.com/finance-and-economics/2015/12/18/america-lifts-its-ban-on-oil-exports.

33) Roberts, "Friendly Policies Keep US Oil and Coal Afloat Far More Than We Thought."

34) Carla Skandier, "Quantitative Easing for the Planet," The Next System Project, August 30, 2018, https://thenextsystem.org/learn/stories/quantitative-easing-planet.

35) Jeremy Brecher, "Making the Green New Deal Work for Workers," *In These Times*, April 22, 2019, https://inthese times.com/features/green-new-deal-worker-transition-jobs-plan.html.

36) "Report of the High-Level Commission on Carbon Prices," Carbon Pricing Leadership Coalition, May 29, 2017, https://www.carbonpricingleadership.org/report-of-the-highlevel-commission-on-carbon-prices.

37) Masson-Delmotte et al., "Summary for Policymakers."

38) "Sweden's Carbon Tax," Government Offices of Sweden, February 2020, https://www.government.se/government-policy/taxes-and-tariffs/swedens-carbon-tax/.

39) Brad Plumer, "New U.N. Climate Report Says Put a High Price on Carbon," *New York Times*, October 8, 2018, https://www.nytimes.com/2018/10/08/climate/carbon-tax-united-nations-report-nordhaus.html.

40) Adam Nossiter, "France Suspends Fuel Tax Increase That Spurred Violent Protests," *New York Times*, December 4, 2018, https://www.nytimes.com/2018/12/04/world/europe/france-fuel-tax-yellow-vests.html.

41) Rexford G. Tugwell, "Design for Government," *Political Science Quarterly* 48, no. 3 (1933): 321–32, https://doi.org/10.2307/2143150.

第3章

1) Damian Carrington, "Solar Power Drives Renewable Energy Investment Boom in 2014," *The Guardian*, January 9, 2015, https://www.theguardian.com/environment/2015/jan/09/solar-power-drives-renewable-energy-investment-boom-2014.

2) Sarah Sundin, "Victory Gardens in World War II," University of California Master Gardener Program of Sonoma County, http://sonomamg.ucanr.edu/History/Victory_

Gardens_in_World_War_II/.
3) Spencer Weart, "A Hyperlinked History of Climate Change Science," *The Discovery of Global Warming*, July 2017, https://history.aip.org/climate/summary.htm.
4) Corinne Le Quéré, Michael R. Raupach, and Ian Woodward, "Trends in the Sources and Sinks of Carbon Dioxide," *Nature Geoscience 2* (December 2009): 831-36, https://www.nature.com/articles/ngeo689#citeas.
5) Glen P. Peters et al., "Rapid Growth in CO_2 Emissions After the 2008-2009 Global Financial Crisis," *Nature Climate Change 2* (2012), https://www.nature.com/articles/nclimate1332.
6) "Exports of Goods and Services (Current US$)," World Bank, 2019, https://data.worldbank.org/indicator/NE.EXP.GNFS.CD?end=2018&start=1960&view=chart.
7) Mark Notaras, "Agriculture and Food Systems Unsustainable," United Nations University, June 30, 2010, https://ourworld.unu.edu/en/agriculture-and-food-systems-unsustainable.
8) Alice Bows and Kevin Anderson, "Beyond 'Dangerous' Climate Change: Emission Scenarios for a New World," Philosophical Transactions of the Royal Society A 369 (2011), 20-44, https://royalsocietypublishing.org/doi/full/10.1098/rsta.2010.0290.
9) Kevin Anderson, "EU 2030 Decarbonisation Targets and UK Carbon Budgets: Why So Little Science?," Kevinanderson.info, June 14, 2013, http://kevinanderson.info/blog/eu-2030-decarbonisation-targets-and-uk-carbon-budgets-why-so-little-science/.
10) Gro Harlem Brundtland et al., "Environment and Development Challenges: The Imperative to Act," Conservation International, https://www.conservation.org/docs/default-source/publication-pdfs/ci_rioplus20_blue-planet-prize_environment-and-development-challenges.pdf.
11) Kevin Anderson, "Why Carbon Prices Can't Deliver the 2℃ Target," Kevinanderson.info, August 13, 2013, http://kevinanderson.info.
12) Jason Furman and Jim Stock, "New Report: The All-of-the-Above Energy Strategy as a Path to Sustainable Economic Growth," The White House, May 29, 2014, https://obamawhitehouse.archives.gov/blog/2014/05/29/new-report-all-above-energy-strategy-path-sustainable-economic-growth.
13) Quoted in Adam Vaughan, "World Has No Capacity to Absorb New Fossil Fuel Plants, Warns IEA," The Guardian, November 12, 2019, https://www.theguardian.com/business/2018/nov/13/world-has-no-capacity-to-absorb-new-fossil-fuel-plants-warns-iea.Ibid.
14) Ibid.
15) Gary Stix, "A Climate Repair Manual," Scientific American, September 1, 2006, https://www.scientificamerican.com/article/a-climate-repair-manual/.
16) Gary Stix, "Effective World Government Will Be Needed to Stave Off Climate Catastrophe," Scientific American, March 17, 2012, https://blogs.scientificamerican.com/observations/effective-world-government-will-still-be-needed-to-stave-off-climate-catastrophe/.

第4章

1) "Green New Deal," Sunrise Movement, https://www.sunrisemovement.org/green-new-deal.
2) Heather Smith, "Climate Deniers Are More Likely to Be Racist. Why?," *Sierra*, June 18,

2018, https://www.sierraclub.org/sierra/climate-deniers -are -more-likely-be-racist-obama-trump-climate-change; Salil D. Benegal, "The Spillover of Race and Racial Attitudes into Public Opinion About Climate Change," Environmental Politics 27, no. 4 (published online March 27, 2018), https://www.tandfonline.com/doi/abs/10.1080/09644016.2018.1457287.

3) Coral Davenport, "Climate Change Denialists in Charge," *New York Times*, March 27, 2017, https://www.nytimes.com/2017/03/27/us/politics/climate-change-denialists-in-charge.html.

4) Ian Haney López, *Dog Whistle Politics: How Coded Racial Appeals Have Reinvented Racism and Wrecked the Middle Class* (New York: Oxford University Press, 2014).

5) Tali Mendelberg, *The Race Card: Campaign Strategy, Implicit Messages, and the Norm of Equality* (Princeton, NJ: Princeton University Press, 2001), 143.

6) Rick Perlstein, "Exclusive: Lee Atwater's Infamous 1981 Interview on the Southern Strategy," The Nation.com, November 13, 2012, https://www.thenation.com /article/archive/exclusive-lee-atwaters-infamous-1981-interview-southern -strategy/.

7) 参考：Ian Haney López, *Merge Left: Fusing Race and Class, Winning Elections, and Saving America* (2019).

8) Ian Haney López, *Merge Left: Fusing Race and Class, Winning Elections, and Saving America* (New York: The New Press, 2019).

9) Christopher Leonard, *Kochland: The Secret History of Koch Industries and Corporate Power in America* (New York: Simon & Schuster, 2019), https://www.amazon.com/Kochland-History-Industries-Corporate-America/dp/1476775389.

10) Jane Mayer, "'Kochland' Examines the Koch Brothers' Early, Crucial Role in Climate-Change Denial," *The New Yorker*, August 13, 2019, https://www.newyorker.com/news/daily-comment/kochland-examines-how-the-koch-brothers-made-their-fortune-and-the-influence-it-bought.

11) Jane Mayer, *Dark Money: The Hidden History of the Billionaires Behind the Rise of the Radical Right*, repr. ed. (New York: Anchor, 2016), https://www.amazon.com/Dark-Money-History-Billionaires-Radical/dp/0307947904.

12) Matthew Rothschild, "Rampant Xenophobia," *The Progressive*, October 2010. https://progressive.org/op-eds/xenophobia-runs-rampant/.

13) Quoted in Jane Mayer, "Covert Operations: The Billionaire Brothers Who are Waging a War Against Obama," *The New Yorker*, August 23, 2010, https://www.newyorker.com/magazine/2010/08/30/covert-operations.

14) Ibid.

15) Ibid.

16) Jane Mayer, "Koch Pledge Tied to Congressional Climate Inaction," *The New Yorker*, June 30, 2013, https://www.newyorker.com/news/news-desk/koch-pledge-tied-to-congressional-climate-inaction.

17) Arlie Russell Hochschild, "I Spent 5 Years with Some of Trump's Biggest Fans. Here's What They Won't Tell You," *Mother Jones*, September/October 2016, https://www.motherjones.com/politics/2016/08/trump-white-blue-collar-sup por ters/.

18) See generally Arlie Hochschild, *Strangers in Their Own Land: Anger and Mourning on the American Right* (New York: The New Press, 2016), chapter 9.

19) Mayer, "'Kochland' Examines the Koch Brothers' Early, Crucial Role in Climate-Change

Denial."
20）Philip Elliott, "The Koch Brothers Plan to Spend a Record-Setting $400 Million," *Time*, January 27, 2018, https://time.com/5121930/koch-brothers-fall-elections/.
21）Ian Haney López, "Race-Class Narrative National Dial Survey Report," May 2018, https://www.ianhaneylopez.com/race-class-project/.

第5章

1）James Shabecoff, "Global Warming Has Begun, Expert Tells Senate," *New York Times*, June 24, 1988, https://www.nytimes.com/1988/06/24/us/global-warming-has-begun-expert-tells-sen ate.html.
2）Bill McKibben, *The End of Nature* (New York: Random House, 1989)〔邦訳は、ビル・マッキベン『自然の終焉－環境破壊の現在と近未来－』河出書房新社、1990〕.
3）Cass Peterson, "EXPERTS, OMB SPAR ON GLOBAL WARMING," *Washington Post*, May 9, 1989.
4）Bernard P. Herber and Jose T. Raga, "An International Carbon Tax to Combat Global Warming: An Economic and Political Analysis of the European Union Proposal," *American Journal of Economics and Sociology* 54, no. 3 (1995): 257-67, www.jstor.org/stable/3487089.
5）Richard Heede, 2013. "Tracing Anthropogenic Carbon Dioxide and Methane Emissions to Fossil Fuel and Cement Producers, 1854-2010," *Climatic Change* 122 (2013): 229-41, https://link.springer.com/article/10.1007/s10584-013-0986-y.
6）Neela Banerjee, Lisa Song, and David Hasemyer, "Exxon: The Road Not Taken," *Inside Climate News*, September 26, 2015, https://insideclimatenews.org/content/Exxon-The-Road-Not-Taken.
7）Amy Lieberman and Suzanne Rust, "Big Oil Braced for Global Warming While It Fought Regulations," *Los Angeles Times*, December 31, 2015, https://graphics.latimes.com/oil-operations/#about.
8）Sara Jerving, Katie Jennings, Masako Melissa Hirsch, Susanne Rust, Dino Gandoni, Amy Lieberman, Asaf Shalev, Michael Phillis, and Elah Feder, "Two-Year Long Investigation: What Exxon Knew About Climate Change," Columbia Journalism School Energy and Environmental Reporting Project, 2017, https://journalism.columbia.edu/two-year-long-investigation-what-exxon-knew-about-climate-change.
9）Amy Lieberman and Suzanne Rust, "Big Oil Braced for Global Warming While It Fought Regulations," *Los Angeles Times*, December 31, 2015.
10）Janet Sawin, Kert Davies, Greenpeace United Kingdom, Ross Gelbspan, Kirsty Hamilton, and Bill Hare, "Denial and Deception: A Chronicle of ExxonMobil's Efforts to Corrupt the Debate on Global Warming," Greenpeace, May 2002, https://www.greenpeace.org /usa/wp-content/uploads/2015/11/exxon-denial-and-deception.pdf?a1481f.
11）Benjamin Hulac, "Tobacco and Oil Indus-tries Used Same Researchers to Sway Public," *Scientific American*, July 20, 2016, https://www.scientificamerican.com/article/tobacco-and-oil-industries-used-same-researchers-to-sway-public1/.
12）Lee R. Raymond, "Energy—Key to Growth and a Better Environment for Asia-Pacific Nations," Exxon Corporation, October 13, 1997, http://www.climatefiles.com/exxonmobil/

1997-exxon-lee-raymond-speech-at-world-petroleum-congress/.

13) Matthew Taylor and Jillian Ambrose, “Revealed: Big Oil's Profits Since 1990 Total Nearly $2tn,” *The Guardian*, February 12, 2020, https://www.theguardian.com/business/2020/feb/12/revealed-big-oil-profits-since-1990-total-nearly-2tn-bp-shell-chevron-exxon.

14) Steve Coll, *Private Empire: ExxonMobil and American Power* (New York: Penguin Books, 2012).

15) Al Gore, *An Inconvenient Truth: The Crisis of Global Warming*, rev. ed. (New York: Viking, 2007).

16) John Vidal, Allegra Stratton, and Suzanne Goldenberg, “Low Targets, Goals Dropped: Copenhagen Ends in Failure,” *The Guardian*, December 18, 2009, https://www.theguardian.com/environment/2009/dec/18/copenhagen-deal.

17) Brian C. Black, 2013. “Waxman-Markey Climate Bill: American Clean Energy and Security Act of 2009,” in *Climate Change: An Encyclopedia of Science and History*, ed. Brian C. Black et al., Vol. 4: 1405-1407 (Santa Barbara, CA: ABC-CLIO, 2013), https://link.gale.com/apps/doc/CX2721900236/GVRL?u=wash_main&sid=GVRL&xid=260fcec4.

18) Coral Davenport, “Citing Climate Change, Obama Rejects Construction of Keystone XL Oil Pipeline,” *New York Times*, November 6, 2015, https://www.nytimes.com/2015/11/07/us/obama-expected-to-reject-construction-of-keystone-xl-oil-pipeline.html.

19) Julia C. Wong, “Dakota Access Pipeline: 300 Protesters Injured After Police Use Water Cannons,” *The Guardian*, November 21, 2016, https://www.theguardian.com/us-news/2016/nov/21/dakota-access-pipeline-water-cannon-police-standing-rock-protest.

20) Rebecca Solnit, “Standing Rock Inspired Ocasio-Cortez to Run. That's the Power of Protest,” *The Guardian*, January 14, 2019, https://www.theguardian.com/commentisfree/2019/jan/14/standing-rock-ocasio-cortez-protest-climate-activism.

21) Bradford A. Lee, “The New Deal Reconsidered,” *Wilson Quarterly* 6, no. 2 (1982): 62-76, https://www.jstor.org/stable/40256265; Emmanuel Saez and Gabriel Zucman, “Wealth Inequality in the United States Since 1913: Evidence from Capitalized Income Tax Data,” Quarterly Journal of Economics 131, no. 2 (2016): 519-78, https://doi.org/10.1093/qje/qjw004.

22) Emmanuel Saez and Gabriel Zucman, Wealth Inequality in the United States Since 1913: Evidence from Capitalized Income Tax Data,” *Quarterly Journal of Economics* 131, no. 2 (2016): 519-78, https://doi.org/10.1093/qje/qjw004.

23) Christopher Hitchens, “Greenspan Shrugged,” *Vanity Fair*, December 6, 2000, https://www.vanityfair.com/culture /2000/IZ/hitchens-200012

24) Deborah Hardoon, “An Economy for the 99%,” Oxfam, January 16, 2017, https://www.oxfam.org/en/research/economy-99.

25) Sylvia Allegretto, “One Step Up and Two Steps Back,” *Berkeley Blog*, UC Berkeley, October 2, 2014, https://blogs.berkeley.edu/2014/10/02/one-step-up-two-steps-back/.

26) Cameron Huddleston, “Survey: 69% of Americans Have Less Than $1,000 in Savings,” GOBankingRates, December 16, 2019, https://www.gobankingrates.com/saving-money/savings-advice/americans-have-less-than-1000-in-savings/.

27) Evan Halper, “Koch Brothers, Big Utilities Attack Solar, Green Energy Policies,” *Los Angeles Times*, April 19, 2014, https://www.latimes.com/nation/la-na-solar-kochs-20140420-

story.html.
28) Hiroko Tabuchi, "How the Koch Brothers Are Killing Public Transit Projects Around the Country," *New York Times*, June 18, 2018, https://www.nytimes.com/2018/06/19/climate/koch-brothers-public-transit.html.
29) Suzanne Goldenberg and Ed Pilkington, "ALEC Calls for Penalties on 'Freerider' Homeowners in Assault on Clean Energy," *The Guardian*, December 4, 2013, https://www.theguardian.com/world/2013/dec/04/alec-freerider-homeowners-assault-clean-energy.
30) Adam Nossiter, "France Suspends Fuel Tax Increase That Spurred Violent Protests," *New York Times*, December 4, 2018, https://www.nytimes.com/2018/12/04/world/europe/france-fuel-tax-yellow-vests.html.
31) Marianne Lavelle, "Big Oil Has Spent Millions of Dollars to Stop a Carbon Fee in Washington State," *InsideClimate News*, October 29, 2018, https://insideclimatenews.org/news/29102018/election-2018-washington-carbon-fee-ballot-initiative-price-carbon-big-oil-opposition.
32) Umair Irfan, "A Major Anti-Fracking Ballot Measure in Colorado Has Failed," *Vox*, November 7, 2018, https://www.vox.com/2018/11/5/18064604/colorado-election-results-fracking-proposition-112.
33) James R. Lowell, "Once to Every Man and Nation," *Boston Courier*, December 11, 1845, https://www.greatchristianhymns.com/once-every-man.html.
34) T. P. Hughes, J. T. Kerry, and T. Simpson, "Large—Scale Bleaching of Corals on the Great Barrier Reef," *Ecology* 99, no. 2 (2017), 10.1002/ecy.2092.
35) Herton Escobar, "Amazon Fires Clearly Linked to Deforestation, Scientists Say," *Science*, August 30, 2019, https://science.sciencemag.org/content/365/6456/853.
36) "Monthly Average Mauna Loa CO_2," Global Monitoring Division, Earth System Research Laboratory, March 5, 2020, https://www.esrl.noaa.gov/gmd/ccgg/trends/.
37) "Assessing the US Climate in June 2019," National Oceanic and Atmospheric Administration, July 9, 2019, https://www.ncei.noaa.gov/news/national-climate-201906.
38) E. A. Williams, "At Least Nine Dead, Paradise 'Pretty Much Destroyed' as Wildfire Rages in Northern California," *Washington Post*, November 9, 2018, https://www.washingtonpost.com/weather/2018/11/09/town-called-paradise-pretty-much-destroyed-wildfire-rages-northern-california/?itid=lk_inline_manual_2.
39) Joshua Cohen, "'Diseases of Despair' Contribute to Declining US Life Expectancy," *Forbes*, July 19, 2018, https://www.forbes.com/sites/joshuacohen/2018/07/19/diseases-of-despair-contribute-to-declining-u-s-life-expectancy/#7bdf06dd656b.
40) Martin Luther King Jr., "Statement on Ending the Bus Boycott," December 20, 1956, Montgomery, Alabama, https://kinginstitute.stanford.edu/king-papers/documents/statement-ending-bus-boycott#fn1.

第6章

1) Thomas A. Birkland, *An Introduction to the Policy Process: Theories, Concepts, and Models of Public Policy Making*, 4th ed. (New York: Routledge, 2005), 8, 9.
2) Recognizing the Duty of the Government to Create a Green New Deal, H.R. 109, February

7, 2019, Section 1, https://www.congress.gov/116/bills/hres109/BILLS-116hres109ih.pdf.

3) "Global Warming of 1.5℃," Intergovernmental Panel on Climate Change, 2018, https://report.ipcc.ch/sr15/pdf/sr15_spm_final.pdf; David Wallace-Wells, "What If the Courts Could Save the Climate?," *New York Magazine*, November 29, 2018, https://nymag.com/intelligencer/2018/11/julianna-v-united-states-how-courts-could-save-the-climate.html.

4) Bruce Mitchell and Juan Franco, "HOLC 'Redlining' Maps: The Persistent Structure of Segregation and Economic Inequality," National Community Reinvestment Coalition, March 20, 2018, https://ncrc.org/wp-content/uploads/dlm_uploads/2018/02/NCRC-Research-HOLC-10.pdf.

5) "Renewing Inequality," Digital Scholarship Lab, American Panorama, https://dsl.richmond.edu/panorama/renewal/#view=0/0/1&viz=cartogram&city=chicagoIL&loc=11/41.8640/-87.6340.

6) David Harvey, *A Brief History of Neoliberalism* (New York: Oxford University Press, 2017); Kim Phillips-Fein, Invisible Hands: The Businessmen's Crusade Against the New Deal (New York: W. W. Norton & Company, 2010).

7) Mariana Mazzucato, *The Entrepreneurial State: Debunking Public vs. Private Sector Myths* (London: Anthem Press, 2013), 5, 6. 〔訳注：この文章は、2015年にPublic Affairs社から刊行された米国版のIntroductionに見られるが、日本語版の序説はこれとは異なる文章であるため、該当する箇所は存在しない。参考：マリアナ・マッツカート『企業家としての国家』薬事日報社、2015〕

8) J. John Wu, "Why US Business R&D Is Not as Strong as It Appears," Information Technology & Innovation Foundation, June 2018, http://www2.itif.org/2018-us-business-rd.pdf.

9) Naomi Klein, *This Changes Everything* (New York: Simon & Schuster, 2014), 18.

10) Thomas Piketty, Emmanuel Saez, and Gabriel Zucman, "Distributional National Accounts: Methods and Estimates for the United States," *Quarterly Journal of Economics* 133, no. 2 (May 2018): 553-609, https://doi.org/10.1093/qje/qjx043.

11) Jake Rosenfeld, Patrick Denice, and Jennifer Laird, "Union Decline Lowers Wages of Nonunion Workers," Economic Policy Institute, August 30, 2016, https://www.epi.org/publication/union-decline-lowers-wages-of-nonunion-workers-the-overlooked-reason-why-wages-are-stuck-and-inequality-is-growing/.

12) Susan Milligan, "Stretched Thin," *US News & World Report*, January 11, 2019, https://www.usnews.com/news/the-report/articles/2019-01-11/stretched-thin-majority-of-americans-live-paycheck-to-paycheck.

13) Rob O'Dell and Nick Penzenstadler, "You Elected Them to Write New Laws. They're Letting Corporations Do It Instead," Center for Public Integrity, April 4, 2019, https://publicintegrity.org/politics/state-politics/copy-paste-legislate/you-elected-them-to-write-new-laws-theyre-letting-corporations-do-it-instead/.

14) Ibid.

15) Ralph J. Watkins, "Economic Mobilization," *American Political Science Review* 43, no. 3 (June 1949): 555-63, https://www.jstor.org/stable/1950076?read-now=1&seq=1#page_scan_tab_contents.

16) "Buildings and Built Infrastructure," Environmental and Energy Study Institute,

https://www.eesi.org/topics/built-infrastructure/description.

17) Mark Z. Jacobson, Mark A. Delucchi, Mary A. Cameron, and Bethany A. Frew, "Low-Cost Solution to the Grid Reliability Problem with 100% Penetration of Intermittent Wind, Water, and Solar for All Purposes," *Proceedings of the National Academy of Sciences* 112, no. 49 (2015): 15060-15065, https://doi.org/10.1073/pnas.1510028112.

18) "Wind Manufacturing and Supply Chain," Office of Energy Efficiency and Renewable Energy, https://www.energy.gov/eere/wind/wind-manufacturing-and-supply-chain.

19) Franklin D. Roosevelt, "The Annual Message to Congress," The White House, January 6, 1942, https://web.viu.ca/davies/H324War/FDR.message.Congress.Jan6.1942.htm.

20) Mark R. Wilson, *Destructive Creation: American Business and the Winning of World War II* (Philadelphia: University of Pennsylvania Press, 2016), p. 79.

21) Harry C. Thompson and Lida Mayo, *The Ordnance Department: Procurement and Supply* (Washington, DC: Center of Military History, U. Army, 1991); Irving Brinton Holley, Jr., *Buying Aircraft: Matériel Procurement for the Army Air Forces*, Office of the Chief of Military History, Department of the Army, 1964; L. S. Ness, *Jane's World War II Tanks and Fighting Vehicles: The Complete Guide* (New York: HarperCollins, 2002), 184; *Army Air Force Statistics Digest World War II*, US Archives, December 1945, 127, https://archive.org/details/ArmyAirForcesStatisticalDigestWorldWarII.

22) Mark R. Wilson, *Destructive Creation: American Business and the Winning of World War II* (Philadelphia: University of Pennsylvania Press, 2016), p. 79.

23) Ibid.

24) David M. Kennedy, *Freedom from Fear: the American People in Depression and War*, 1929-1945 (New York: Oxford University Press, 1999), 655.

25) Wilson, *Destructive Creation*, 79.

26) "Historical Statistics of the United States," Census Library, http://www2.census.gov/prod2/statcomp/documents/HistoricalStatisticsoftheUnitedStates1789-1945.pdf.

27) Wilson, *Destructive Creation*.

28) Wilson, *Destructive Creation*, 61.

29) Ibid., 62.

30) Bill McKibben, "We're Under Attack from Climate Change—and Our Only Hope Is to Mobilize Like We Did in WWII," *New Republic*, August 15, 2016, https://newrepublic.com/article/135684/declare-war-climate-change-mobilize-wwii.

31) Wilson, *Destructive Creation*.

32) Ibid.

33) Doris Goodwin, "The Way We Won: America's Economic Breakthrough During World War II," *American Prospect*, December 19, 2001, https://prospect.org/health/way-won-america-s-economic-breakthrough-world-war-ii/.

34) Thomas Piketty and Emmanuel Saez, "Income Inequality in the United States, 1913-2002," November 2004, https://eml.berkeley.edu/~saez/piketty-saezOUP04US.pdf.

35) Mazzucato, *The Entrepreneurial State*.

36) Mark Jacobson et al., "100% clean and renewable wind, water, and sunlight (WWS) all-sector energy roadmaps for the 50 United States," *Energy Environ. Sci.* 8 (2015): 2093.

37) Sara Matasci, "How Much Do Solar Panels Cost in the US in 2020?" *EnergySage*, March 2,

2020, https://news.energysage.com/how-much-does-the-average-solar-panel-installation-cost-in-the-u-s/.

38) Galen Barboose and Naïm Darghouth, "Tracking the Sun: Pricing and Design Trends for Distributed Photovoltaic Systems in the United States," Lawrence Berkeley National Laboratory, October 2019, https://emp.lbl.gov/sites/default/files/tracking_the_sun_2019_report.pdf.

39) Jesse Burkhardt et al., "How Much Do Local Regulations Matter?: Exploring the Impact of Permitting and Local Regulatory Processes on PV Prices in the United States," Lawrence Berkeley National Laboratory, September 2014, https://emp.lbl.gov/publications/how-much-do-local-regulations-matter.

40) Eric O'Shaughnessy, Gregory F. Nemet, Jacquelyn Pless, and Robert Margolis, "Addressing the soft cost challenge in U.S. small-scale solar PV system pricing," *Energy Policy* 134 (2019).

41) J. W. Mason, "Lessons from World War II for the Green New Deal," Roosevelt Institute, 2020. Forthcoming paper.

42) "The Cost of Child Care in Washington, DC," Economic Policy Institute, July 2019, https://www.epi.org/child-care-costs-in-the-united-states/#/DC.

43) S. 6599, New York State Senate, June 18, 2019, https://legislation.nysenate.gov/pdf/bills/2019/S6599.

44) An Act to Establish a Green New Deal for Maine, Maine Legislature, http://www.mainelegislature.org/legis/bills/bills_129th/billtexts/HP092401.asp; Eric Garcetti, "L.A.'s Green New Deal," LAmayor.org, 2019, https://plan.lamayor.org/sites/default/files/pLAn_2019_final.pdf.

45) "Council to Vote on Climate Mobilization Act Ahead of Earth Day," New York City Council, April 18, 2019, https://council.nyc.gov/press/2019/04/18/1730/.

46) "Leading in Green Manufacturing," Elizabethwarren.com, June 4, 2019, https://elizabethwarren.com/plans/green-manufacturing.

47) "A New Farm Economy," Elizabethwarren.com, August 7, 2019, https://elizabethwarren.com/plans/new-farm-economy.

48) "Fighting for Justice as We Combat the Climate Crisis," Elizabethwarren.com, https://elizabethwarren.com/plans/environmental-justice.

49) "The Green New Deal," Berniesanders.com, https://berniesanders.com/en/issues/green-new-deal/.

50) Ibid.

51) Alexandria Ocasio-Cortez, H.R. 109, February 7, 2019, https://www.congress.gov/bill/116th-congress/house-resolution/109/text.

52) S. 6599. New York State Senate, June 18, 2019, https://legislation.nysenate.gov/pdf/bills/2019/S6599.

53) Kamala Harris and Alexandria Ocasio-Cortez, "To Ensure Climate and Environmental Justice Accountability, and for Other Purposes," 2019, https://www.harris.senate.gov/imo/media/doc/DISCUSSION%20DRAFT%20-%20Climate%20Equity%20Act.pdf.

第7章

1）Renee Cho, "Can Removing Carbon from the Atmosphere Save Us from Climate Catastrophe?," *Columbia University Earth Institute State of the Planet* (blog), November 27, 2018, https://blogs.ei.columbia.edu/2018/11/27/carbon-dioxide-removal-climate-change/; "The True Cost of Carbon Pollution," Environmental Defense Fund, https://www.edf.org/true-cost-carbon-pollution; Kenneth Gillingham and James. H. Stock, "The Cost of Reducing Greenhouse Gas Emissions," *Journal of Economic Perspectives* 32, no. 4 (Fall 2018): 53-72, https://www.aeaweb.org/articles?id=10.1257/jep.32.4.53

IPCCは、地中炭素隔離は低コスト（1トンあたり0～100ドル）でCO_2を削減できると考えている。2050年までに年間2～5 GtのCO_2を除去できると推定されているが、それに比べれば、世界の発電所は2017年に32.5 Gtを排出している。森林再生の方が低コストかもしれない（トンあたり0～20ドル）。しかし、増加する世界人口を養うためには食料生産量を2050年までに70％増加させる必要があるため、これは農地利用と競合することになる。これら以外の対策は、よりコストがかかる。例えば、炭素の回収と貯蔵を伴うバイオエネルギーのコストは、1トンあたり30ドル〔3300円〕から400ドル〔4万4000円〕で、IPCCは、2050年までに年間0.5～5 Gtしか除去できないと推定している。大気の直接的な採取はコストが低くなってきているが（当初は1トンあたり600ドル〔6万6000円〕だった）、それでも1トンあたり100～200ドル〔1万1000～2万2000円〕のコストがかかる（上記のRenee Choを参照）。（CO_2だけでなく）すべての温室効果ガスの排出を削減するためのコストの見積もりについては、上記のGillinghamとStockを参照されたい。

2）化石燃料を燃焼することによる健康被害と、気候変動よる悪化した異常気象の悪化は、過去10年間で米国経済に少なくとも2,400億ドル〔26兆4000億円〕のコストを課してきた。

参照：Robert Watson, James J. McCarthy, and Liliana Hisas, "The Economic Case for Climate Action in the United States," Universal Ecological Fund FEU-US, September 2017, https://feu-us.org/case-for-climate-action-us/

3）IPCC, "Summary for Policymakers," in *Global Warming of 1.5℃: An IPCC Special Report on the Impacts of Global Warming of 1.5℃ Above Pre-industrial Levels and Related Global Greenhouse Gas Emission Pathways, in the Context of Strengthening the Global Response to the Threat of Climate Change, Sustainable Development, and Efforts to Eradicate Poverty*, IPCC, 2018, https://www.ipcc.ch/sr15/chapter/spm/; Jeremy Martinich and Allison Crimmins, "Climate Damages and Adaptation Potential Across Diverse Sectors of the United States," *Nature*, April 8, 2019, https://www.nature.com/articles/s41558-019-0444-6; Matthew E. Kahn, Kamiar Mohaddes, Ryan N. C Ng, M. Hashem Pesaran, Mehdi Raissi, and Jui-Chung Yang, "Long-Term Macroeconomic Effects of Climate Change: A Cross-Country Analysis," Federal Reserve Bank of Dallas, July 1, 2019, https://www.dallasfed.org/~/media/documents/institute/wpapers/2019/0365.pdf

MartinichとAllison Crimminsは、2100年までに産業革命以前のレベルと比べてプラス2.8℃の温暖化であれば、つまり私たちが向かっている範囲内であれば、アメリカでは毎年約3000億ドル〔33兆円〕のコストがかかると予測した。2018年のIPCC報告書は、1.5℃以上の温暖化は危険とみなすべきだという強い主張を提示した。Kahnらは、国をまたいだ分析に基づいて、緩和政策が実施されない場合、世界の平均気温が毎年0.04度ずつ上昇し続け、2100年までに世界の一人当たりの実質GDPが7.22%減少することを示唆している。

4) "Late January 2019 Extreme Cold Survey," National Weather Service, https://www.weather.gov/fgf/2019_01_29-31_ExtremeCold

5) Y. T. Eunice Lo et al., "Increasing Mitigation Ambition to Meet the Paris Agreement's Temperature Goal Avoids Substantial Heat-Related Mortality in US Cities," *Science Advances* 5, no. 6 (2019), https://doi.org/10.1126/sciadv.aau4373; "The Economic Consequences of Climate Change," Organisation for Economic Co-operation and Development, November3, 2015, https://doi.org/10.1787/9789264235410-en; "Climate Change and Health," World Health Organization, February 1, 2018, https://www.who.int/news-room/fact-sheets/detail/climate-change-and-health; Tamma Carleton et al., "Valuing the Global Mortality Consequences of Climate Change Accounting for Adaptation Costs and Benefits," *University of Chicago Becker Friedman Institute for Economics Working Paper* No. 2018-51, July 31, 2019, rev. August 12, 2019, http://dx.doi.org/10.2139/ssrn.3224365; Philip J. Landrigan et al., "Pollution and Global Health－An Agenda for Prevention," *Environmental Health Perspectives*, August 6,2018, https://doi.org/10.1289/EHP3141; Andrew L. Goodkind, Christopher W. Tessum, Jay S. Coggins, Jason D. Hill, and Julian D. Marshall, "Fine-Scale Damage Estimates of Particulate Matter Air Pollution Reveal Opportunities for Location-Specific Mitigation of Emissions," *Proceedings of the National Academy of Sciences of the United States of America* 116, no. 18 (April 30, 2019), first published April 8, 2019, https://doi.org/10.1073/pnas.1816102116

健康コストの一つの側面、すなわち熱関連死について考えてみれば、Eunice Lo et al.は、気候と健康に関する信頼できるデータが入手可能な米国の15の都市に焦点を当て、プラス2℃の上限を守ることで、異常気象時に1都市あたり年間1980人もの熱関連死を防ぐことができるとしている。プラス1.5℃であれば、最大で2,270人の熱関連死を回避することができる。OECDは、標準的なライフ・アプローチ統計を用いて、世界的な熱関連死の経済的コストを評価しているが、このコストは、現在の1000億ドル〔11兆円〕から2030年には3200億ドル〔35兆2000億円〕、2050年には6700億ドル〔73兆7000億円〕に増加すると見積もられている。また2030年から2050年の間に、気候変動が原因の栄養不良やマラリア、下痢、熱ストレスによって年間約25万人の追加死亡者が発生すると予想されており、関連する健康上の直接被害のコストは2030年までに年間20億～40億ドル〔2200億～4400億円〕と推定されている（上記のWHO資料を参照）。これらの数字は、シカゴ大学の研究による「世界人口の56%の死亡データを分析した結果、気候変動による世界的な死亡リスクの変化のコストだけでも、気候変動による経済的な負担は、これまでの推定値と同程度に大きい。(…)（推定されうる）気候変動による死亡増加による負担は、過去の排出量の増加傾向が継続する場合は、今世紀末までに世界のGDPの3.7%に達すると推定されている(…)、対応策を考慮した場合でも、過去の排出増加傾向が継続した場合、2100年までに年間150万人が気候変動によって死亡することになる」という結論（前出のCarleton et al.を参照）に比べれば、おそらく保守的であろう。さらに、温室効果ガスの増加とその気候影響からだけでなく、化石燃料の燃焼に伴う致死的な大気汚染から生じる健康被害がある。これは、世界中で年間数百万人の死者を出している（上記のLandriganを参照）。同様に、Goodkind et al.は、毎年10万人以上のアメリカ人が大気汚染による病気で死亡しており、そのほとんどが化石燃料、特に石炭の使用に関連していると推計している。

6) Kanta K. Rigaud et al., "Groundswell: Preparing for Internal Climate Migration, Vol. 2:

Main Report," World Bank, March 18, 2018, http://documents.worldbank.org/curated/en/846391522306665751/Main-report

Rigaud et al. は、標準的な見積もりでは、2050 年までに気候難民の数が 1 億 5000 万人近くになるとしている。

7) William Nordhaus, "Projections and Uncertainties About Climate Change in an Era of Minimal Climate Policies," *American Economic Journal: Economic Policy* 10, no. 3 (August 2018), 333-60, https://doi.org/10.1257/pol.20170046

8) Paris Agreement, United Nations, December 12, 2015, https://unfccc.int/files/essential_background/convention/application/pdf/english_paris_agreement.pdf; Copenhagen Accord, United Nations, December 18, 2009, https://unfccc.int/resource/docs/2009/cop15/eng/l07.pdf

9) Jessica Blunden and Derek S. Arndt, "Atmospheric Composition," in *State of the Climate in 2018, Bulletin of the American Meteorological Society*, September 27, 2019, https://doi.org/10.1175/2019BAMSStateoftheClimate.1; Dieter Lüthi et al., "High-Resolution Carbon Dioxide Concentration Record 650,000–800,000 Years Before Present," *Nature*, May 15, 2008, https://doi.org/10.1038/nature06949

10) Naomi Oreskes and Nicholas Stern, "Climate Change Will Cost Us Even More Than We Think," *New York Times*, October 23, 2019, https://www.nytimes.com/2019/10/23/opinion/climate-change-costs.html
その結果（異常気象の発生率とそのコストの両方）は、温室効果ガスと気温の上昇につれて、比例的な増加よりも、はるかに大きくなってゆく。「カスケード効果」は、そのような非線形性の一例だ。

11) 故 Martin Weitzman は、確率分布には「太いしっぽ（Fat Tail)」があること、すなわち極端に悪い結果が生じる可能性は正規分布で見られるものよりもはるかに高いことを、説得力をもって主張した。参照は L. Weitzman, "Fat-Tailed Uncertainty in the Economics of Catastrophic Climate Change," *Review of Environmental Economics and Policy* 5, no. 2 (Summer 2011): 275-92, https://scholar.harvard.edu/files/weitzman/files/fattaileduncertaintyeconomics.pdf

12) David Wallace-Wells, *The Uninhabitable Earth* (New York: Tim Duggan Books, 2019), https://www.penguinrandomhouse.com/books/586541/the-uninhabitable-earth-by-david-wallace-wells/

一般に、「様子見（ようすみ）(wait and see)」を主張する人たちは、将来の不確実なリスクのためにいま大きな行動を取るのはカネの無駄だと主張するが、彼らはたいてい将来のリスクを高い「割引率」で「割り引いて」いるのだ。ある行動をとった結果、将来にコストや便益が発生するような場合には、その現在価値を評価せねばならない。今から 50 年後の 1 ドルが現在の 1 ドルと同じ価値であれば、人は損失を防ぐために強力な行動をとろうとするかもしれないが、50 年後の 1 ドルが 3 セントの価値であれば、そうはしないだろう。

そのため、(将来のコストや便益と、現在のコストや便益の関係をどう評価するかを決めるための）割引率が重要になってくる〔例えば現在の 1 万円が来年の 1 万 1000 円に等しいと評価する場合、割引率は 10% になる。計算上は、割引率は金利と似たものであり、現在割引価値の計算は複利計算のちょうど逆である〕。実際にトランプ政権は、人間は 50 年後の 1 ドルの損失を防ぐために、現時点でせいぜい 3 セントまでしかカネを出さないと言った。将来の世代は重要ではないということだ。これは、気温がプラス 3℃ないしプラス 3.5℃上昇しても構わないとする一部の経済学者たちの意見と一致している。彼らの推論の致命的な誤りは、資本に対するリターンがあると考えていることである。資本収益率の推定値には7%に達するものもある。もしそうだとすれば、今日３セントを保険基金に入れたとしたら、50年後にはそれが１ドルになり、予想される１ドルの損失を埋め合わせるのに十分だということになる〔正確には、資本収益率ないしは利子率が7.3%ならば、7.3%の複利で50年間にわたる計算をすると、ほぼ１ドルになる（3×1.073^50≒101.65)〕。それだけでなく、「何もしないこと」の擁護者は、観察された資本収益率が異時点間のトレードオフを示すものであり、それが社会の時間選好率を反映していると主張する。将来得られる１ドルのために、社会が今、いくらの金額をあきらめる意思があるか、ということだ。これによって、7%の割引率に規範的な意味が与えられることになってしまう。

彼らの論理の連鎖は誤りだらけなので、どこから手をつけていいのかわからないぐらいだ。そもそも、私たちは将来起こりうる災難に備えてお金を貯めていない（そして貯めてこなかった）のは明らかだ。実際には、公共投資も民間投資も（GDP比でみて）減少を続けてきたからだ。また、7%の割引率が規範的な意味を持つのは、将来に対する社会の懸念を反映した世代間再分配が、完璧に行われる完全市場の場合に限られる。これももちろん、そんなふうにはなっていない。最後に、近年ではリスクなしの収益率は一貫して1%未満程度であり、近年ではマイナスにさえなっていた〔リスクなしの収益率とは、例えば国債の金利のこと〕。7%の割引率は、それ自体が広範なリスクの存在を反映している〔将来のリスクや不確実性が大きくなると、人間の主観的な割引率は大きくなる〕。そうしたリスクに対する適切な対応とは、割引率を引き上げないことなのだ。将来をどう評価するかということと、リスクをどう評価するかを混同してしまってはいけない。実際のところ、リスクが存在しているならば（すでに指摘したように）、私たちは将来の不測の事態に備えてより多くの蓄えを残しておきたいと思うはずである。

13）Ruth DeFries et al., "The Missing Economic Risks in Assessments of Climate Change Impacts," Policy Publication by Grantham Research Institute on Climate Change and the Environment, London School of Economics and Political Science, September 20, 2019, http://www.lse.ac.uk/GranthamInstitute/publication/the-missing-economic-risks-in-assessments-of-climate-change-impacts/

Oreskes and Stern は、彼らの意見書（上記参照）の中で、DeFries et al. の文言を引用している。「ヒマラヤの氷河や雪が溶ければ、何億もの人々が暮らす地域社会の水供給が大きな影響を受ける。しかしこのことは、ほとんどの経済的評価で無視されている」。

14）過剰貯蓄仮説を提起したのは、元連邦準備制度理事会（FRB）議長のベン・バーナンキだ（金融危機を説明するための防衛的な議論としてだ。実際にはFRBの規制の欠陥が金融危機の一因だった）。だが、気候変動の課題に対応するための、経済の改良のための投資ニーズを無視したとしても、過剰貯蓄だというバーナンキの主張は奇妙に思える。なぜなら米国は、気候変動だけでなく、基幹インフラや教育、研究開発のためにも巨額の投資を必要としていたからだ。開発途上国や新興市場では、投資のニーズはさらに大きい。

15）すでにニューヨーク州などいくつかの州にはグリーン銀行が存在する。"NY Green Bank: Agent for Greater Private Sector Investment in Sustainable Infrastructure," New York State Energy Research and Development Authority, https://greenbank.ny.gov/About/About

16）Claudia Goldin, "The Quiet Revolution That Transformed Women's Employment, Education, and Family," *American Economic Review* 96, no. 2（May 2006): 1-21, https://www.

aeaweb.org/articles?id=10.1257/000282806777212350; National Research Council, *Aging and the Macroeconomy: Long-Term Implications of an Older Population* (Washington, DC: National Academies Press, 2012).

17) 2018年には、フォーチュン500企業のうちの60社が（最も利益が大きい巨大企業）、連邦所得税を全く支払っていなかった。参考：Matthew Gardner, Steve Wamhoff, Mary Martellotta, and Lorena Roque, "Corporate Tax Avoidance Remains Rampant Under New Tax Law," Institute on Taxation and Economic Policy, April 11, 2019, https://itep.org/notadime/; "Key Elements of the US Tax System," in *The Tax Policy Center Briefing Book: A Citizen's Guide to the Tax System and Tax Policy* (Urban Institute and Brookings Institution), https://www.taxpolicycenter.org/briefing-book/how-do-us-corporate-income-tax-rates-and-revenues-comp

18) Tucker Higgins, "Elizabeth Warren Would Double Her Proposed Billionaire Wealth Tax to Help Fund 'Medicare for All,'" CNBC, November 1, 2019, https://www.cnbc.com/2019/11/01/elizabeth-warren-would-double-billionaire-wealth-tax-for-medicare-for-all-plan.html; Avinash Persaud, "The Economic Consequences of the EU Proposal for a Financial Transaction Tax," *Intelligence Capital*, March 2012, https://www.robinhoodtax.org.uk/sites/default/files/The%20Economic%20Consequences%20of%20the%20EU%20Proposal%20for%20a%20Financial%20Transaction%20Tax.pdf; Joseph Stiglitz, "Reforming Taxation to Promote Growth and Equity," *Roosevelt Institute White Paper*, May 28, 2014, https://rooseveltinstitute.org/reforming-taxation-promote-growth-and-equity/; Lily L. Batchelder and David Kamin, "Taxing the Rich: Issues and Options," The Aspen Institute Economic Strategy Group, September 18, 2019, https://papers.ssrn.com/sol3/papers.cfm?abstract id=3452274

エリザベス・ウォーレンは、5000万ドル〔55億円〕以上の資産に対する2%の富裕税と、10億ドル〔1100億円〕以上の資産に対する14%の富裕税課税を提案したが、これによって10年間で1兆ドル〔110兆円〕の財源が調達できると見積もられている（上記のHiggins参照）。EU全体で税率0.01%の金融取引税を導入すると、年間480億ポンド以上の財源になると見積もられている（前出のPersaudを参照）。米国の場合には、さらに大きな財源になるだろう。2014年に私は、米国では資本課税の抜け穴をなくし、資本に公平に（労働者と同じ税率で）課税するだけで、10年間で約4兆ドル〔440兆円〕の資金調達になると試算した（上記のStiglitzを参照）。この数字は、今ではもっと大きい。同様に、BatchelderとKaminは、「Tax Cuts and Jobs Act」の廃止に加えて、大企業の加速的減価償却の撤廃、死亡時の未収所得への課税、自営業者の所得税の課税ベースの拡大、遺産税の改革などの追加措置を加えれば、10年間で4.4兆ドルから4.9兆ドル〔484兆～539兆円〕、つまり米国のGDPの1.6～1.8%を調達できると計算している。

19) Olivier Blanchard, "Public Debt and Low Interest Rates," AEA Presidential Lecture, January 2019, https://www.aeaweb.org/aea/2019conference/program/pdf/14020_paper_etZgfbDr.pdf; Carmen M. Reinhart and Kenneth S. Rogoff, "Growth in a Time of Debt," *American Economic Review* 100, no. 2 (May 2010): 573-78, http://www.aeaweb.org/articles.php?doi=10.1257/aer.100.2.573; Thomas Herndon, Michael Ash, and Robert Pollin, "Does High Public Debt Consistently Stifle Economic Growth? A Critique of Reinhart and Rogoff," *Cambridge Journal of Economics* 38, no. 2 (March 2014): 257-79, https://doi.org/10.1093/cje/bet075

ラインハートとロゴフが提唱した議論、つまり債務対GDP比には重要な閾値があり、それを超えると成長が鈍化するという議論は、ハーンドンらによって徹底的に否定されている。債務フェティシズムがなぜ愚かなのかを説明する文献は、専門書・一般書ともに膨大に存在する。

20) "Historical Data on Federal Debt Held by the Public," Congressional Budget Office Economic and Budget Issue Brief, August 5, 2010, https://www.cbo.gov/publication/21728; Valerie Ramy, "It's Time to Start Worrying About the National Debt," Wall Street Journal, August 23, 2019; for treatment of debt-to-ratio generally in Europe and the US see Joseph E. Stiglitz, The Euro: How a Common Currency Threatens the Future of Europe. W. W. Norton & Company.

21) 例えば、BLS CPSデータの分析によると、アフリカ系米国人の若者の失業率は、1995年から2000年の間に7.6%という低い水準にまで低下した。これは2010年3月に16.8%に急上昇したような、景気後退期とは対照的である。参照：Valerie Wilson, "The Impact of Full Employment on African American Employment and Wages," Economic Policy Institute, March 20, 2015, https://www.epi.org/publication/the-impact-of-full-employment-on-african-american-employment-and-wages/; US Bureau of Labor Statistics, "Current Population Survey," https://www.census.gov/programs-surveys/cps.html

22) "What Have We Learned from Attempts to Introduce Green-Growth Policies?," Organisation for Economic Cooperation and Development, March 2015, https://www.oecd-ilibrary.org/docserver/5k486rchlnxx-en.pdf?expires=1585184618&id=id&accname=guest&checksum=8B6ADAD7EEAE5D24747F1808B90648F7

第8章

1) 政策要綱の全文をご覧になり、以下のサイトから私たちの運動組織に参加してください。https://www.gcclp.org/gulf-south-for-a-green-new-deal

〔労働者の権利を論じた箇所に含まれるAt-willとRight-to-Workという用語に関して、〕「At-will（随意）」という用語は、雇用主がいかなる理由でも警告なしに従業員を解雇できることを意味します。ただし、雇用主は（性別や人種、宗教などの理由で）違法に従業員を解雇することはできません。At-willが採用されている州で、従業員と雇用主の間で契約が結ばれていれば、従業員は解雇されても、雇用主に対する請求ができません。言い換えれば、従業員は、上述のように解雇が合法とされた場合には、解雇による賃金損失について訴えを起こすことはできません。ミシシッピ州とテキサス州はAt-will法を採用していますがこれらの州でもいくつかの例外が認められています。労働権法（Right-to-Work law）がある州では、雇用主と労働組合は、組合に加入していない従業員に対して、組合費の支払いを強要することを禁じられています。また、州によっては、雇用主や労働組合に対して、組合加入を雇用の条件とすることを禁止する文言があります。

2) "NAACP History: W. E. B. Du Bois," National Association for the Advancement of Colored People, 2019, https://www.naacp.org/naacp-history-w-e-b-dubois/

3) Unity and Struggle, "As the South Goes, So Goes the Nation," *Unity and Struggle* (blog), November 30, 2009, http://www.unityandstruggle.org/2009/11/as-the-south-goes-so-goes-the-nation/

4) "Texas State Energy Profile," US Energy Information Administration, February 21, 2019,

https://www.eia.gov/state/print.php?sid=TX
5) "GULF OF MEXICO FACT SHEET," U.S. Energy Information Administration, July 12, 2019. https://www.eia.gov/energyexplained/oil-and-petroleum-products/where-our-oil-comes-from.php
6) Michael Isaac Stein, "What Will Happen to the Gulf Coast If the Oil Industry Retreats?," CityLab, September 20, 2017, https://www.citylab.com/environment/2017/09/what-will-happen-to-the-gulf-coast-if-the-oil-industry-retreats/540372/
7) "Right to Work," American Federation of Labor and Congress of Industrial Organizations, 2019, https://aflcio.org/issues/right-work
8) "New Study Finds 82,000 Texas Homes Worth $17 Billion Will Be at Risk from Tidal Flooding," press release, Union of Concerned Scientists, June 18, 2018, https://www.ucsusa.org/press/2018/new-study-finds-82000-texas-homes-worth-17-billion-will-be-risk-tidal-flooding
9) "Plaquemines Parish, Louisiana: Sinking Land and Rising Seas Mean Tough Choices (2015)," *Union of Concerned Scientists* (blog), November 8, 2016, https://www.ucsusa.org/global-warming/science-and-impacts/impacts/plaquemines-parish-louisiana%20-sinking-land-and-rising
10) "Southeast Region Areas to Endure About Four Months a Year When 'Feels Like' Temperature Exceeds 105 Degrees," Union of Concerned Scientists, press release, July 16, 2019, https://www.ucsusa.org/press/2019/southeast-region-areas-endure-about-four-months-year-when-feels-temperature-exceeds-105
11) "A Vision for Black Lives: Policy Demands for Black Power, Freedom, and Justice," The Movement for Black Lives, 2016, https://neweconomy.net/sites/default/files/resources/20160726-m4bl-Vision-Booklet-V3.pdf

第9章

1) "EIA: US Overtakes Russia, Saudi Arabia as World's Largest Crude Producer," World Oil, September 12, 2018, https://www.worldoil.com/news/2018/9/12/eia-us-overtakes-russia-saudi-arabia-as-worlds-largest-crude-producer
2) "Daily CO2," CO2-Earth, February 23, 2020, https://www.co2.earth/daily-co2
3) David Coady, Ian Parry, Nghia-Piotr Le, and Baoping Shang, "Global Fossil Fuel Subsidies Remain Large: An Update Based on Country-Level Estimates," International Monetary Fund, May 2, 2019, https://www.imf.org/en/Publications/WP/Issues/2019/05/02/Global-Fossil-Fuel-Subsidies-Remain-Large-An-Update-Based-on-Country-Level-Estimates-46509
4) "United States GDP," Trading Economics, 2020, https://tradingeconomics.com/united-states/gdp.
5) David Wallace-Wells, *The Uninhabitable Earth: Life after Warming* (New York: Tim Duggan Books, 2019), 4; Peter Frumhoff, "Global Warming Fact: More Than Half of All Industrial CO2 Pollution Has Been Emitted Since 1988," *Union of Concerned Scientists* (blog), December 15, 2014, https://blog.ucsusa.org/peter-frumhoff/global-warming-fact-co2-emissions-since-1988-764
6) Kris Maher, "US Carbon Emissions Rose 3.4% in 2018 as Economy Surged," *Wall Street*

Journal, January 8, 2019, https://www.wsj.com/articles/u-s-carbon-emissions-rose-3-4-in-2018-as-economy-surged-11546978889
7) Louis Jacobson, "Yes, Donald Trump Did Call Climate Change a Chinese Hoax," PolitiFact, June 3, 2016, https://www.politifact.com/factchecks/2016/jun/03/hillary-clinton/yes-donald-trump-did-call-climate-change-chinese-h/; Donald J. Trump, The White House, May 14, 2019, https://www.whitehouse.gov/briefings-statements/president-donald-j-trump-unleashing-american-energy-dominance/
8) "Climate Impacts of the Keystone XL Tar Sands Pipeline," Natural Resources Defense Council, October 2013, https://assets.nrdc.org/sites/default/files/tar-sands-climate-impacts-IB.pdf
9) Merrit Kennedy, "More Than 1 Million 'Check In' on Facebook to Support the Standing Rock Sioux," NPR, November 1, 2016, https://www.npr.org/sections/thetwo-way/2016/11/01/500268879/more-than-a-million-check-in-on-facebook-to-support-the-standing-rock-sioux
10) Recognizing the Duty of the Federal Government to Create a Green New Deal, H.R. 109, https://www.congress.gov/bill/116th-congress/house-resolution/109/cosponsors?searchResultViewType=expanded&KWICView=false; A Resolution Recognizing the Duty of the Federal Government to Create a Green New Deal, S.R. 59, https://www.congress.gov/bill/116th-congress/senate-resolution/59/cosponsors?searchResultViewType=expanded&KWICView=false
11) "Green New Deal: Candidate Scorecards," Data for Progress, 2019, https://www.dataforprogress.org/gnd-candidates
12) "Harris, Ocasio-Cortez Announce Landmark Legislation to Ensure Green New Deal Lifts Up Every Community," press release, Harris.senate.gov, July 29, 2019, https://www.harris.senate.gov/news/press-releases/harris-ocasio-cortez-announce-landmark-legislation-to-ensure-green-new-deal-lifts-up-every-community
13) Climate Leadership and Community Protection Act S. 6599: New York State Senate, https://www.nysenate.gov/legislation/bills/2019/s6599
14) Steven Collinson, "What Happened During CNN's Climate Town Hall and What It Means for 2020," CNN, September 5, 2019, https://www.cnn.com/2019/09/05/politics/climate-town-hall-highlights/index.html
15) Julian Brave NoiseCat, "We Need Indigenous Wisdom to Survive the Apocalypse," *The Walrus*, March 27, 2020, https://thewalrus.ca/we-need-indigenous-wisdom-to-survive-the-apocalypse/
16) Julian Brave NoiseCat, "Perhaps the World Ends Here," *Harper's*, December 5, 2019, https://harpers.org/blog/2019/12/wounded-knee-pine-ridge-reservation-perhaps-the-world-ends-here/

第10章

1) Sharon Block, "How Labor Law Could Help—Not Hinder—Tackling Big Problems," *OnLabor* (blog), December 6, 2019, https://onlabor.org/how-labor-law-could-help-not-hinder-tackling-big-problems/.

2) Congressional Research Service, Table A1: "Union Membership in the United States, 1930-2003," Union Membership Trends in the United State, Cornell University, 2004, CPS-22, https://digitalcommons.ilr.cornell.edu/cgi/viewcontent.cgi?article=1176&context=key_work place.

3) Lisa Graves, "Inside the Koch Family's 60-Year Anti-Union Campaign That Gave Us Janus," *In These Times*, June 19, 2018, https://inthesetimes.com/working/entry/21294/koch_anti_union_janus _supreme_court.

4) "Koch Industries: Still Fueling Climate Denial," Greenpeace, April 14, 2011, https://www.greenpeace.org/usa/research /koch-industries-still-fueling-climate-denial-2011-update/.

5) Raksha Kopparam, "To Fight Falling US Intergenerational Mobility, Tackle Economic Inequality," *Washington Center for Equitable Growth* (blog), December 5, 2019, https://equitablegrowth.org/to-fight -falling -u-s-intergenerational-mobility-tackle-economic -inequality/?mkt_tok=eyJpIjoiWWpkbE5UbGtNV0k1WW1KaSIsInQiOiJmNXdGSW43 WG54WFVkd2RSZnhVSDFVcmJHWWRKdVNpU0VVUTcrbmE1dXVVdUVRNm90bHhBeFdFRFBCT2ZDWDM4aHR2SjcyclRGelJSaWt 0bkRLQjQ4OUhxOXVkXC9iWWcxUUUyV1kwWHlRTGZKRTRCTmw2Unc4cVlcL0hnckMrU2R4In0%3D.

6) Gary Rivlin, "White New Orleans Has Recovered from Hurricane Katrina. Black New Orleans Has Not," *The Nation*, August 26, 2016, https://www.thenation.com/article/archive/white-new-orleans-has-recovered-from-hurricane-katrina-black-new-orleans-has-not/.

7) "Neighborhood Change Rates: Growth Continues Through 2018," The Data Center, August 23, 2018, https://www.datacenterresearch.org/reports_analysis/neighborhood-recovery-rates-growth-con tinues -through-2018-in-new-orleans-neighborhoods/.

8) Gerald Mayer, "Union Membership Trends in the United States," Congressional Research Service, 2004.

9) US Bureau of Labor Statistics, "Union Members Summary," January 22, 2020, https://www.bls.gov/news.release/union2.nr0.htm.

10) "Estimates of Workers Excluded from Collective Bargaining," Service Employees International Union, Strategic Initiatives internal memo.

11) Alana Semuels, "Fast-Food Workers Walk Out in N.Y. Amid Rising U.S. Labor Unrest," *Los Angeles Times*, November 29, 2012, https://www.latimes.com/business/la-xpm-2012-nov-29-la-fi -mo-fast-food-strike-20121129-story.html; "Our Role," New York Communities for Change, Brooklyn, NY, n.d., https://www.nycommunities.org /issues/labor/.

第11章

1) Suzanne Goldenberg, "Revealed: The Day Obama Chose a Strategy of Silence on Climate Change," *Mother Jones*, November 3, 2012, https://www.motherjones.com/environment/2012/11/obama-climate-change-silence/2/.

2) Mark Hertsgaard, "How a Grassroots Rebellion Won the Nation's Biggest Climate Victory," *Mother Jones*, April 2, 2012, https://www.motherjones.com/environment/2012/04/beyond-coal-plant-activism/2/.

3) Liz Edmondson, "Regulating Hydraulic Fracturing in the States: Trending Issues in 2016 and Beyond," Council of State Governments, July 1, 2016, https://knowledgecenter.csg.

org/kc/content/regulating-hydraulic-fracturing-states-trending-issues-2016-and-beyond.

4) Form 10-K, Annual Report Pursuant to Section 13 or 15(d) of the Securities Exchange Act of 1934, for the Fiscal Year Ended December 31, 2015, https://www.sec.gov/Archives/edgar/data/1064728/000106472816000157/btu-20151231x10k.htm.

5) Nadja Popovich, Livia Albeck-Ripka, and Kendra Pierre-Louis, "95 Environmental Rules Being Rolled Back Under Trump," *New York Times*, December 21, 2019, https://www.nytimes.com/interactive/2019/climate/trump-environ ment-rollbacks.html.

6) Richard Kim, "Why Gay Marriage Is Winning," *The Nation*, July 13, 2013, https://www.thenation.com/article/why-gay-marriage-won/.

7) Mark Engler and Paul Engler, "This Is an Uprising: How Nonviolent Revolt Is Shaping the Twenty-First Century," (New York: PublicAffairs, 2016), 222.

8) Center for American Progress Immigration Team, "The Facts on Immigration Today," July 6, 2012, https://www.americanprogress.org/issues/immigration/reports/2012/07/06/11888/the-facts-on-immigration-today/.

9) Ben White, "Soak the Rich? Americans Say Go for It," *Politico*, February 4, 2019, https://www.politico.com/story/2019/02/04/democrats-taxes-economy-policy-2020-1144874.

10) Matt Deitsch and Andrew Mangan, "Memo: Gun Violence Prevention," Data for Progress, October 24, 2019, https://www.dataforprogress.org/memos/gun-violence-prevention.

11) "Fossil Fuel Interests Have Outspent Environmental Advocates 10:1 on Climate Lobbying," Yale Environment 360, July 19, 2018, https://e360.yale.edu/digest/fossil-fuel-interests-have-outspent-environmental-advocates-101-on-climate-lobbying.

12) Theda Skocpol, "Naming the Problem," The Politics of America's Fight Against Global Warming (symposium), Harvard University, January 2013, https://scholars.org/sites/scholars/files/skocpol_captrade_report_january_2013_0.pdf.

13) David Roberts, "What Theda Skocpol Gets Right About the Cap-and-Trade Fight," *Grist*, January 15, 2013, https://grist.org/climate-energy/what-theda-skocpol-gets-right-about-the-cap-and-trade-fight/.

14) Erica Chenoweth, "My Talk at TEDxBoulder: Civil Resistance and the '3.5% Rule,'" September 21, 2013, and undated blog post at *RationalInsurgent*, https://rationalinsurgent.com/2013/11/04/my-talk-at-tedxboulder-civil-resistance-and-the-3-5-rule/. Also see Maria J. Stephanand Erica Chenoweth, "Why Civil Resistance Works: The Strategic Logicof Nonviolent Conflict," *International Security* 33, no. 1 (Summer 2008): 7-44, https://www.jstor.org/stable/40207100, and Erica Chenoweth andMaria J. Stephan, *Why Civil Resistance Works: The Strategic Logic of NonviolentConflict, Columbia Studies in Terrorism and Irregular Warfare* (NewYork: Columbia University Press, 2011).

15) Martin Luther King Jr., *The Trumpet of Conscience* (Boston: Beacon Press, 2018).

16) Taylor Branch, *Parting the Waters: America in the King Years 1954-63* (New York: Simon & Schuster, 2007), 825.

17) Adam Fairclough, *To Redeem the Soul of America: The Southern Christian Leadership Conference and Martin Luther King, Jr.*, rev. ed. (Athens: University of Georgia Press, 2001), 134.

18) Earl Black and Merle Black, *Politics and Society in the South* (Cambridge, MA: Harvard University Press, 1989), 110.

19) "Excerpt from a Report to the American People on Civil Rights, 11 June 1963," John F. Kennedy Presidential Library and Museum, https://www.jfklibrary.org/learn/about-jfk/historic-speeches/televised-address-to-the-nation-on-civil-rights.
20) David J. Garrow, *Protest at Selma: Martin Luther King, Jr., and the Voting Rights Act of 1965* (New York: Open Road Media, 2015), 000.
21) King, *The Trumpet of Conscience*, 55
22) See Barbara Ransby, *Ella Baker and the Black Freedom Movement: A Radical Democratic Vision* (Chapel Hill: University of North Carolina Press, 2005); Frances Fox Piven and Richard A. Cloward, *Poor People's Movements: Why They Succeed, How They Fail* (New York: Vintage, 1978); Branch, Parting the Waters.
23) Piven and Cloward, *Poor People's Movements*, 224.
24) See Ransby, *Ella Baker and the Black Freedom Movement*; Charles M. Payne, *I've Got the Light of Freedom* (Berkeley: University of California Press, 2007).
25) Gene Sharp, *Waging Nonviolent Struggle* (Manchester, NH: Extending Horizon Books, 2005); Erica Chenoweth and Maria J. Stephan, *Why Civil Resistance Works* (New York: Columbia University Press, 2011), Kindle Edition.
26) Jeremy Brecher, *Strike!* (Oakland, CA: PM Press, 2014); Kristin Downey, *The Woman Behind the New Deal: The Life of Frances Perkins, FDR'S Secretary of Labor and His Moral Conscience*. (New York: Anchor, 2009).
27) William E. Leuchtenburg, *Franklin D. Roosevelt and the New Deal: 1932-1940* (New York: Harper Perennial, 2009), 111-14.
28) "Analysis of Strikes and Lockouts in 1934 and Analysis for September 1935," Bureau of Labor Statistics, 1936, https://www.bls.gov/wsp/publications/annual-summaries /work-stoppages-1934-and-1935.pdf.
29) Steve Fraser, "The New Deal in the American Political Imagination," *Jacobin*, June 30, 2019, https://www.jacobinmag.com/2019/06/new-deal-great-depression.
30) David Plotke, *Building a Democratic Political Order: Reshaping American Liberalism in the 1930s and 1940s* (Cambridge: Cambridge University Press, 1996), 107.
31) Leuchtenburg, *Franklin D. Roosevelt and the New Deal:* 1932-1940, 151
32) Anthony Leiserowitz, Edward Maibach, Connie Roser-Renouf, and Geoff Feinberg, "How Americans Communicate About Global Warming in 2013," Yale Project on Climate Change Communication and the George Mason University Center for Climate Change Communication, April 2013, https://climatecommunication.yale.edu/wp-content/uploads/2016/02/2013_08_How-Americans-Communicate-About-Global-Warming-April-2013.pdf.
33) Brad Plumer, "Hillary Clinton Is Calling for a 700% Increase in Solar Power. Is That Realistic?," *Vox*, July, 26, 2015, https://www.vox.com/2015/7/26/9044343/hillary-clinton-renewable-solar.
34) Coral Davenport, "Hillary Clinton's Ambitious Climate Change Plan Avoids Carbon Tax," *New York Times*, July 2, 2016, https://www.nytimes.com/2016/07/03/us/politics/hillary-clintons-ambitious-climate-change-plan-avoids-carbon-tax.htm.
35) Alex Seitz-Wald, "Bernie Sanders Unveils Climate Plan," NBC News, December 7, 2015, https://www.nbcnews.com/politics/2016-election/bernie-sanders-unveils-climate-plan-n475366.

36) Robinson Meyer, "Democrats Are Shockingly Unprepared to Fight Climate Change," *The Atlantic*, November, 15 2017, https://www.theatlantic.com/science/archive/2017/11/there-is-no-democratic-plan-to-fight-climate-change/543981/.
37) "Issues: The Green New Deal," Berniesanders.com, https://berniesanders.com/en/issues/green-new-deal/.
38) Elizabeth Warren, "100% Clean Energy for America," *Medium*, September 3, 2019, https://medium.com/@teamwarren/100-clean-energy-for-america-de75ee39887d.
39) "Joe's Plan for a Clean Energy Revolution and Environmental Justice," accessed February 20, 2020, https://joebiden.com/climate/.
40) Kyla Mandel, "Maine's Green New Deal Bill First in Country to Be Backed by Labor Unions," *Think Progress*, April 16, 2019, https://thinkprogress.org/labor-union-support-maine-green-new-deal-bc048eea1c91/.
41) NY State Board of Elections, Certified Results for the September 13, 2018, Primary Election, https://www.elections.ny.gov/2018ElectionResults.html.
42) Tabulations for Elections Held in 2018, November 6, 2018, https://www.maine.gov/sos/cec/elec/results/results18.html#nonrcv.
43) "Pledge Signers," accessed February 22, 2020, http://nofossilfuelmoney.org/pledge-signers/.
44) Ibid
45) "Michigan Governor Primary Election Results," *New York Times*, September 24, 2018, https://www.nytimes.com/elections/results/michigan-governor-primary-election.
46) Amanda Seitz and David Eggert, "Michigan Democratic Candidates Spar over Corporate Donations," August 2, 2018, https://apnews.com/b12087a7d3cd4b7fa370db65417701f0/Michigan-Democratic-candidates-spar-over-corporate-donations.

第12章

1) Mark Engler and Paul Engler, *This Is an Uprising: How Nonviolent Revolt Is Shaping the Twenty-First Century* (New York: Nation Books, 2016), 72-76.
2) Dan Levin, "A Politician Called Her 'Young and Naïve.' Now She's Striking Back." *New York Times*, July 25, 2018, https://www.nytimes.com/2018/07/25/us/young-and-naive-rose-strauss.html.
3) Ruud Wouters, "The Persuasive Power of Protest. How Protest Wins Public Support," *Social Forces* 98, no. 1 (2018): 403-26, https://academic.oup.com/sf/article-abstract /98/1/403/5158514; Ruud Wouters and Stefaan Walgrave, "Demonstrating Power: How Protest Persuades Political Representatives," *American Sociological Review* 82, no. 2 (2017), 361-83, https://www.researchgate.net/publication/315702318_Demonstrating_Power_How_Protest_Persuades Political_Representatives.
4) Charles Cobb, SNCC field secretary, interviewed by Terry Gross, "50 Years Ago, Students Fought for Black Rights During 'Freedom Summer,' NPR, June 23, 2014, https://www.npr.org/transcripts/324879867.
5) Lexi McMenamin, "The Youth Climate Movement Comes to New Hampshire," *New Republic*, February 5, 2020, https://newrepublic .com/article/156476/youth-climate-

movement-comes-new-hampshire.

アメリカの青空

1) Massachusetts Office of Campaign and Political Finance, accessed July 2018; Fossil fuel industry contributors defined by the list provided by the No Fossil Fuel Money pledge, accessed July 2018, http://nofossilfuelmoney.org/company-list/.
2) Matt Stout and Jon Chesto, "Renewable energy could get a big boost from new bill," Boston Globe, July 30, 2018; Tim Cronin, "[MASSACHUSETTS] END OF SESSION CLIMATE POLICY SUMMARY," Climate Action Business Association. July 31, 2018, https://cabaus.org/2018/07/31/massachusetts-end-session-climate-policy-summary/; Christian Roselund, "Massachusetts committee produces weaker energy bill," *PV Magazine*, July 31, 2018, https://pv-magazine-usa.com/2018/07/31/massachusetts-committee-produces-weaker-energy-bill/.

第13章

1) Malcolm Harris, "Indigenous Knowledge Has Been Warning Us About Climate Change for Centuries," *Pacific Standard*, March 4, 2019,https://psmag.com/ideas/indigenous-knowledge-has-been-warning-us-about-cli mate -change-for-centuries
2) John Rolfe to Sir Edwin Sandys, January 1620, Hampton (Virginia) History Museum, text prepared by Beth Austin, Registrar and Historian, December 2018, rev. December 2019, https://hampton.gov/DocumentCenter/View/24075/1619 -Virginias-First-Africans?bidId=.
3) Ta-Nehisi Coates, *Between the World and Me* (New York: Spiegel & Grau, 2015), 7.
4) Ibid
5) James Baldwin, "Notes for a Hypothetical Novel: An Address," in *James Baldwin: Collected Essays* (New York: Library of America, 1998), 230
6) North Carolina Constitution, Article XI, Sect. 4, https://law.justia.com/constitution/north-carolina/article_vii-xiv.html.
7) Danny Hakim and Michael Wines, "'They Don't Really Want Us to Vote': How Republicans Made It Harder," *New York Times*, November 3, 2018, https://www .nytimes.com/2018/11/03/us/politics/voting-suppression-elections.html.
8) Adam Liptak, "Supreme Court Invalidates Kay Part of Voting Rights Act," *New York Times*, June 25, 2013, https://www.nytimes.com/2013/06/26/us/supreme-court-ruling.html.
9) Olga Khazan, "The Trouble with America's Water," *The Atlantic*, September 11, 2019, https://www.theatlantic.com/health/archive/2019/09/millions-american-homes-have-lead -water/597826/.
10) Martina Jackson Haynes et al., "Coal Blooded Action Toolkit," NAACP Environmental and Climate Justice Program, https://www.naacp.org/wp-content/uploads/2016/04/Coal_Blooded_Action_Toolkit_FINAL_FINAL.pdf, 6; Clean Air Task Force, "Air of Injustice: African Americans and Power Plant Pollution," http://www.catf.us/resources/publications/files/Air_of_Injustice.pdf.
11) Dr. Robert Bullard, "African Americans on the Frontline Fighting for Environmental

Justice," *Dr. Robert Bullard* (blog), February 22, 2019, https://drrobertbullard.com/african-americans-on-the-frontline-fighting-for-environmental-justice/.
12) Ibid.
13) William H. Frey, "The US Will Become 'Minority White' in 2045, Census Projects," Brookings Institution, March 14, 2018, https://www.brookings.edu/blog/the-avenue/2018/03/14/the-us-will-become-minority-white-in-2045-census-projects/.

第14章

1) Heather Caygle, Sarah Ferris, and John Bresnahan, " 'Too Hot to Handle': Pelosi Predicts GOP Won't Trigger Another Shutdown," *Politico*, February 7, 2019, https://www.politico.com/story/2019/02/07/pelosi-trump-government-shut down-1154355?nname=playbook&nid=0000014f-1646-d88f-a1cf-5 f46b7bd0000&nrid=0000014c-2414-d9dd-a5ec-34bc4cff0000&nlid=630318.
2) Naomi Klein, *This Changes Everything* (New York: Simon & Schuster, 2014). See also pp. 27-37 of the present book. 〔本書第3章を参照〕
3) Mark Schneider, "Income Inegnality Grew Again: The Highest Level in More Than 50 Years, Census Bureau Says," *USA Today*, September 26, 2019, https://www.usatoday.com/story/money/2019/09/26/income-inequality-highest-over-50-years-census-bureau-shows/3772919002/.
4) Heather Stewart, "We Are in the Worst Financial Crisis Since Depression, Says IMF," *The Guardian*, April 9, 2008, https://www.theguardian.com/business/2008/apr/10/us economy.subprimecrisis.
5) "CDC Says Life Expectancy Down as More Americans Die Younger Due to Suicide and Drug Overdose," Associated Press/CBS News, December 7, 2018, https://www.cbsnews.com/news/cdc-us-life-expectancy-declining-due-largely-to -drug-overdose-and-suicides/.
6) Sintia Radu, "Countries with the Highest Incarceration Rates," *US News & World Report*, May 13, 2019, https://www.usnews.com/news/best-countries/articles/2019-05-13/10-countries-with-the-highest-incarceration-rates.
7) Hristina Byrnes, "US Leads Among Countries That Spend the Most on Public Health Care," *USA Today*, April 11, 2019, https://www.usatoday.com/story/money/2019/04/11/countries-that-spend-the-most-on-public-health/39307147/.
8) Anthony Cilluffo, "5 Facts About Student Loans," Pew Research Center, August 13, 2019, https://www.pewresearch.org/fact-tank/2019/08/13/facts-about-student-loans/.
9) Aimee Picchi, "The Federal Minimum Wage Sets a Record—for Not Rising," CBS News, June 15, 2019, https://www.cbsnews.com/news/federal-minimum-wage-sets-record-for-length-with-no-increase/.
10) Steven Greenhouse, "Union Membership in US Fell to a 70-year Low Last Year," *New York Times*, January 21, 2011, https://www.nytimes.com/2011/01/22 /busi ness /22union.html.
11) Stephen Skowronek, *Presidential Leadership in Political Time: Reprise and Reappraisal*, 2nd ed., rev. (Lawrence: University Press of Kansas, 2011), Audible Edition; James L. Sundquist, *Dynamics of the Party System: Alignment and Realignment of Political Parties in the United States*,

rev. ed. (Washington, DC: Brookings Institution, 1983); Walter Dean Burnham, *Critical Elections and the Mainsprings of American Politics* (New York: W. W. Norton & Company, 1970); C. O. Key Jr., "A Theory of Critical Elections," *Journal of Politics* 17, no. 1 (February 1955): 3-18; David R. Mayhew, *Electoral Realignments: A Critique of an American Genre* (New Haven, CT: Yale University Press, 2004), Kindle Edition; Daniel Schlozman, *When Movements Anchor Parties* (Princeton, NJ: Princeton University Press, 2015), Kindle Edition; Interview with Corey Robin conducted by Guido Girgente, October, 2019.

12) Jonathan M. Smucker, *F*ckers at the Top: A Practical Guide to Overthrowing America's Ruling Class* (Washington, DC: Strong Arm Press, 2020 [forthcoming])

13) William E. Leuchtenburg, *Franklin D. Roosevelt and the New Deal: 1932-1940* (New York: Harper Perennial, 2009), 1-3.

14) Sundquist, *Dynamics of the Party System*, 204.

15) Herbert Hoover, *The Memoirs of Herbert Hoover, Vol. 3: The Great Depression, 1929-194* (New York: Macmillan, 1952), 429-30.

16) Ira Katznelson, *Fear Itself: The New Deal and the Origins of Our Time* (New York: Liveright, 2014), Kindle Edition, 22-24; Jean Edward Smith, FDR (New York: Random House, 2007), 374.

17) Quoted in H. W. Brands, *Traitor to His Class* (New York: Anchor, 2009), 283.

18) Quoted in Stephen Skowronek, *Franklin Roosevelt and the Modern Presidency* (Cambridge: Cambridge University Press, 1992), 328.

19) Sundquist, *Dynamics of the Party System*, 210; Leuchtenburg, *Franklin D. Roosevelt and the New Deal: 1932-1940*, 41-62, 331; Arthur M. Schlesinger, *The Politics of Upheaval: 1935-1936, The Age of Roosevelt, Volume 3* (Boston and New York: Houghton Mifflin/Mariner, 2003), Kindle Edition, 179.

20) Quoted in Skowronek, *Franklin Roosevelt and the Modern Presidency*, 332; Alan Brinkley, *The End of Reform* (New York: Knopf Doubleday Publishing Group, 2011), Kindle Edition, 38.

21) Leuchtenburg, *Franklin D. Roosevelt and the New Deal: 1932-1940*, 57.

22) Katznelson, *Fear Itself*, 241-42; Leuchtenburg, *Franklin D. Roosevelt and the New Deal: 1932-1940*, 56-57.

23) Skowronek, *Franklin Roosevelt and the Modern Presidency*, 322-58; Katznelson, Fear Itself, 231.

24) Leuchtenburg, Franklin *D. Roosevelt and the New Deal: 1932-1940*, 112-17.

25) Leuchtenburg, *Franklin D. Roosevelt and the New Deal: 1932-1940*, 112-17; "Analysis of Strikes in 1938," Bureau of Labor Statistics, May 1939, https://www.bls.gov/wsp/publications/annual-summaries/pdf/analysis-of-strikes-in-1938.pdf

26) Leuchtenburg, *Franklin D. Roosevelt and the New Deal:* 1932-1940, 114-17.

27) Ibid., 117.

28) Quoted in Schlesinger, *The Politics of Upheaval: 1935-1936, The Age of Roosevelt, Volume 3*, 265

29) Leuchtenburg, *Franklin D. Roosevelt and the New Deal*: 1932-1940, 115, 150.

30) Schlesinger, *The Politics of Upheaval: 1935-1936, The Age of Roosevelt, Volume 3*, 211.

31) Robert H. Zieger, *The CIO, 1935-1955* (Chapel Hill: University of North Carolina Press, 1997), Kindle Edition, 211.

32) Brinkley, *The End of Reform*, 39.
33) Theda Skocpol, Kenneth Finegold, and Michael Goldfield, "Explaining New Deal Labor Policy," *American Political Science Review* 84, no. 4 (1990): 1297-1315.
34) Schlesinger, *The Politics of Upheaval: 1935-1936, The Age of Roosevelt, Volume 3*, 274; Leuchtenburg, *Franklin D. Roosevelt and the New Deal: 1932-1940*, 36.
35) Katznelson, *Fear Itself*, 257.
36) Ibid., 163.
37) Nelson Lichtenstein, *State of the Union* (Princeton, NJ: Princeton University Press, 2002), 43.
38) Lichtenstein, *State of the Union*, 45; Schlozman, *When Movements Anchor Parties*, 51.
39) Zieger, *The CIO*, 1935-1955.
40) Eric Schickler, *Racial Realignment: The Transformation of American Liberalism 1932-1965*, Princeton Studies in American Politics: Historical, International, and Comparative Perspectives (Princeton, NJ: Princeton University Press, 2016), Kindle Edition, 8.
41) Brinkley, *The End of Reform*, 219.
42) Zieger, *The CIO, 1935-1955.*
43) Nelson Lichtenstein, *Labor's War at Home* (Philadelphia, PA: Temple University Press, 2003).
44) Lichtenstein, *Labor's War at Home;* Zieger, *The CIO, 1935-1955.*
45) Brinkley, *The End of Reform*, 225.
46) Katznelson, *Fear Itself*, 398.
47) Brinkley, *The End of Reform*, 143
48) Alan Brinkley, "The New Deal and the Idea of the State," in *The Rise and Fall of the New Deal Order, 1930-1980*, ed. Steve Fraser and Gary Gerstle (Princeton, NJ: Princeton University Press, 1989); Nelson Lichtenstein, "From Corporatism to Collective Bargain," in Fraser and Gerstle, *The Rise and Fall of the New Deal Order, 1930-1980*
49) Kim Phillips-Fein, *Invisible Hands: The Businessmen's Crusade Against the New Deal* (New York: W. W. Norton & Company, 2010), Kindle Edition.
50) Thomas Ferguson, "Industrial Conflict and the Coming of the New Deal," in Fraser and Gerstle, *The Rise and Fall of the New Deal Order, 1930-1980*; David F. Weiman, "Imagining a World Without the New Deal," *Washington Post*, August 3, 2011, https://www.washingtonpost.com/opinions/imagining-a-world-without-the-new-deal/2011/08/03/gIQAtJoBBJ_story.html.
51) Sundquist, *Dynamics of the Party System*, 335, 336; Skowronek, *Presidential Leadership in Political Time*; Katznelson, *Fear Itself*, 473, 474.
52) Quoted in Jean Edward Smith, *Eisenhower: In War and Peace* (New York: Random House, 2012), xiv. Also see Dwight Eisenhower to Edgar Newton Eisenhower, November 8, 1954, at David Mikkelson, "President Eisenhower on Social Security," Snopes.com, July 21, 2015, https://www.snopes.com/fact-check/social-insecurity/.
53) Barry Goldwater, *The Conscience of a Conservative* (Shepherdsville, KY: Victor Publishing Co., 1960), 15
54) Sam Rosenfeld and Daniel Schlozman, "The Long New Right and the World It Made," working paper, January 2019, https://static1.squarespace.com/static/540f1546e4b0ca

60699c8f73/t/5c3 e694321c67c3d28e992ba/1547594053027/Long+New+Right+Jan+2019.pdf.

55) Ira Katznelson, "Was the Great Society a Lost Opportunity?," in Fraser and Gerstle, *The Rise and Fall of the New Deal Order, 1930-1980*.

56) Schickler, *Racial Realignment*, 285.

57) Gordon Fisher, "Estimates of the Poverty Population Under Current Official Definition for Years Before 1959," US Department of Health and Human Services, 1986 (see John Iceland, *Poverty in America: A Handbook* [Berkeley: University of California Press, 2012], 74, fig. 5.1; "Historical Poverty Tables: People and Families—1959 to 2018," United States Census Bureau, August 27, 2019, https://www.census.gov/data/tables/time-series/demo/income-poverty/his torical-poverty-people.html

58) Corey Robin, "The Triumph of the Shill," *n+1* 29 (Fall 2017).

59) Paul Heideman, "It's Their Party," *Jacobin*, February 4, 2016; Schickler, Racial Realignment; Bayard Rustin, "From Protest to Politics: The Future of the Civil Rights Movement," Commentary, February 1965.

60) Ibid, Heidewan.

61) Sundquist, *Dynamics of the Party System*, 289, 345.

62) Quoted in Schlozman, *When Movements Anchor Parties*, 82.

63) Quoted in Rosenfeld and Schlozman, "The Long New Right and the World It Made," 7.

64) Ibid.

65) Quoted in Schlozman, *When Movements Anchor Parties*, 92.

66) Quoted in David Grann, "Robespierre of the Right," *New Republic*, October 27, 1997, https://newrepublic.com/article/61338/robespierre-the-right.

67) Quoted in Rosenfeld and Schlozman, "The Long New Right and the World It Made,"

68) Donald T. Critchlow, *Phyllis Schlafly and Grassroots Conservatism: A Woman's Crusade* (Princeton, NJ: Princeton University Press, 2008), Kindle Edition, 221.

69) Ibid., 262; Mark Depue, "Interview with Phyllis Schlafly," Abraham Lincoln Presidential Library Oral History Program, January 5, 2011, //www2.illinois.gov/alplm/library/collections/OralHistory/illinoisstate craft /era /Documents/SchlaflyPhyllis/Schlafly_Phy_4FNL.pdf

70) Critchlow, *Phyllis Schlafly and Grassroots Conservatism*, 274.

71) Phillips-Fein, *Invisible Hands*.

72) Corporate profits were in decline: David Harvey, *A Brief History of Neoliberalism* (New York: Oxford University Press, 2007)

73) Paul Heideman, "It's Their Party," *Jacobin*, February 4, 2016; Jacob S. Hacker and Paul Pierson, Winner-Take-All Politics: How Washington Made the Rich Richer—and Turned Its Back on the Middle Class (New York: Simon & Schuster, 2010).

74) Quoted in Sundquist, *Dynamics of the Party System*, 1.

75) Fraser and Gerstle, *The Rise and Fall of the New Deal Order*, 1930-1980.

76) Daniel Stedman Jones, *Masters of the Universe: Hayek, Friedman, and the Birth of Neoliberal Politics* (Princeton, NJ: Princeton University Press, 2012), Kindle Edition,164

77) Ibid.

78) Jacob S. Hacker and Paul Pierson, *Winner-Take-All Politics: How Washington Made the Rich Richer—and Turned Its Back on the Middle Class* (New York: Simon & Schuster, 2010), 58-59.

79) Ibid.
80) AP, "Census Bureau Reports 1980 Poverty Statistics," *New York Times*, August 22, 1982,https://www.nytimes.com/1982/08/22/us/census-bureau-reports-1980-poverty-statistics.html; US Bureau of the Census, Current Population Reports, Series P-60, No. 171, Poverty in the United States: 1988 and 1998.
81) Eduardo Porter, "Incomes Grew After Past Tax Cuts, but Guess Whose," *New York Times*, December 26, 2017, https://www.nytimes.com/2017/12/26/business/economy/tax-cuts-incomes.html; Josh Bivens, "The Top 1 Percent's Share of Income from Wealth Has Been Rising for Decades," Economic Policy Institute, April 23, 2014, https:// www.epi.org/publication/top-1-percents-share-income-wealth-rising/.
82) Paul Krugman, "Reagan Did It," *New York Times*, May 31, 2009, https://www.nytimes.com/2009/06/01/opinion/01krugman.html.
83) Michelle Alexander, *The New Jim Crow* (New York: The New Press, 2010), 49.
84) "Criminal Justice Facts," The Sentencing Project, n.d., accessed March 2020, https://www.sentencingproject.org/criminal-justice-facts/.
85) Critchlow, Phyllis *Schlafly and Grassroots Conservatism*, 280
86) Ibid.
87) Ibid., 273.
88) Leslie Bennetts, "Antiabortion Forces in Disarray Less Than a Year After Victories in Elections," *New York Times*, September 22, 1981, https://www.nytimes.com/1981/09/22/us/antiabortion-forces-in-dis array -less-than-a-year-after-victories-in.html.
89) Ibid.
90) Quoted in Rosenfeld and Schlozman, "The Long New Right and the World It Made," 49.
91) Hedrick Smith, "Reagan's Effort to Change Course of Government," *New York Times*, October 23, 1984, https://www.nytimes.com/1984/10/23/us/reagan-s-effort-to-change-course -of -government.html
92) Ronald Reagan, "Transcript of Reagan's Farewell Address to American People," *New York Times*, June 12, 1989, https://www.nytimes.com/1989/01/12/news/transcript-of-reagan-s-farewell-address-to-american-people.html.
93) Skowronek, *Presidential Leadership in Political Time: Reprise and Reappraisal, 4.*
94) Charles Peters, "A Neo-Liberal's Manifesto," *Washington Post*, September 5, 1982, https://www.washingtonpost.com/archive/opinions/1982/09/05/a-neo-liberals -manifesto/21cf41ca-e60e-404e-9a66-124592c9f70d/.
95) Michelle Alexander, "Why Hillary Clinton Doesn't Deserve the Black Vote," *The Nation*, February 10, 2016, https://www.thenation.com/article/archive/hillary-clinton-does-not-deserve-black-peoples-votes/.
96) Ibid.
97) Ed Pilkington, "Bill Clinton: Mass Incarceration on My Watch 'Put Too Many People in Prison,'" *The Guardian*, April 13, 2015, https://www.theguardian.com/us-news/2015/apr/28/bill-clinton-calls-for-end-mass-incarceration.
98) Vann R. Newkirk II, "The Real Lessons from Bill Clinton's Welfare Reform," *The Atlantic*, February 5, 2018, https://www.theatlantic.com/politics/archive /2018 /02 /welfare-reform-tanf-medicaid-food-stamps/552299/; Ife Floyd, Maritzelena Chirinos, and Nick McFaden,

"Cash Assistance Should Reach Millions More Families," Center on Budget and Policy Priorities, March 4, 2020, https://www.cbpp.org/research/family-income-support/tanf-reaching-few-poor-families.

99) Barry Ritholtz, "Repeal of Glass-Steagall: Not a Cause but a Multiplier," *Washington Post*, August 4, 2012, https://www.washingtonpost.com/repeal-of-glass-steagall-not-a-cause-but-a-multiplier/2012/08/02/gJQAuvvRXX_story.html

100) Quoted in William E. Leuchtenburg, *In the Shadow of FDR* (Ithaca, NY: Cornell University Press, 2011), Kindle Edition,

101) Barack Obama, *The Audacity of Hope* (New York: Crown, 2007), Kindle Edition, 34.

102) Leuchtenburg, *In the Shadow of FDR*,

103) Reed Hundt, *A Crisis Wasted: Barack Obama's Defining Decisions* (New York: Simon & Schuster/RosettaBooks, 2019), Kindle Edition, 142-45.

104) Reed Hundt, *A Crisis Wasted: Barack Obama's Defining Decisions* (New York: Simon & Schuster/RosettaBooks, 2019), Kindle Edition, 108; Noam Scheiber, "EXCLUSIVE: The Memo that Larry Summers Didn't Want Obama to See," *New Republic*, February 22, 2012. https://newrepublic.com/article/100961/memo-larry-

105) Hundt, A Crisis Wasted, 123.

106) Ibid., 105.

107) Alex Seitz-Wald, "Sen. Shelby Falsely Claims Stimulus Package's $288 Billion in Tax Cuts Were 'More Taxes,'" ThinkProgress, September 20, 2011, https://thinkprogress.org/sen-shelby-falsely-claims-stimulus-packages-288-billion-in-tax-cuts-were-more-taxes-19df1d8866e0/; "Estimated Impact of the American Recovery and Reinvestment Act on Employment and Economic Impact from October 2011 Through December 2011," Congressional Budget Office, February 2012, https://www.cbo.gov/sites/default/files/cbofiles/attachments/02-22-ARRA. pdf; Brad Plumer, "A Closer Look at Obama's '$90 Billion for Green Jobs,'" https://www.washingtonpost.com/news/wonk/wp/2012/10/04/a-closer-look-at-obamas-90-billion-for-clean-energy/.

108) Arne L. Kalleberg and Till M. von Wachter, "The US Labor Market During and After the Great Recession: Continuities and Transformations," National Center for Biotechnology Information, April 2017, https://www .ncbi.nlm.nih.gov/pmc/articles/PMC5959048/.

109) Laura Kusisto, "Many Who Lost Homes to Foreclosure in Last Decade Won't Return—NAR," *Wall Street Journal*, April 20, 2015, https://www.wsj.com/articles/many-who-lost-homes-to-foreclosure-in-last-decade-wont-return-nar-1429548640.

110) Jackie Calmes, "Obama's Deficit Dilemma," *New York Times*, February, 27, 2012, https://www.nytimes.com/2012/02/27/us/politics/obamas-unacknowledged-debt-to-bowles-simpson-plan.html

111) Dave Boyer, "Obama Calls for 'Shared Sacrifice,'" *Washington Times*, August 17, 2011, https://www.washingtontimes.com/news/2011/aug/17/prepping-debt-plan-obama-calls-shared-sacrifice/.

112) Peter Beinart, "The Rise of the New New Left," *Daily Beast*, July 11, 2017, https://www.thedailybeast .com/the-rise-of-the-new-new-left.

113) LeeDrutman, "Donald Trump's Candidacy Is Going to Realign the Political Parties," *Vox*, March 1, 2016, https:// www.vox.com/polyarchy/2016/3/1/11139054/trump-party-

realignment

114) Julia Azari, "Trump's Presidency Signals the End of the Reagan Era," *Vox*, December 1, 2016, https://www.vox.com/mis chiefs-of-faction/2016/12/1/13794680/trump-presidency-reagan-era-end.

115) Interview with Corey Robin conducted by Guido Girgenti, October 2019; Corey Robin with Chris Hayes interview, May 15, 2018, *Why Is This Happening?* (podcast), https://www.nbcnews.com/think/opinion/corey-robin-conservative-movement-podcast-tran script-ncna 874126.

116) David Brooks, "Why Sanders Will Probably Win the Nomination," *New York Times*, February 20, 2020, https:// www.nytimes.com/2020/02/20/opinion/bernie-sanders-win-2020.html; Jonathan Chait, "Joe Biden's Platform Is More Progressive Than You Think," *New York Magazine*, March 12, 2020, https://nymag.com/intelli gencer/2020/03/joe-biden-platform-progressive-health-care-climate-taxes .html.

117) Matthew Yglesias, "Public Support for Left Wing Policymaking Has Reached a 60-Year High," Vox, June 7, 2019, https://www.vox.com/2019/6/7/18656441/policy-mood-liberal-stimson

118) Steven V. Roberts, "Younger Voters Tending to Give Reagan Support," *New York Times*, October 16, 1984, https://www.nytimes.com/1984/10/16/us/younger-voters-tending-to-give-reagan-support.html.

119) Quoted in Ross Douthat, "The Democrats Have a Culture Problem," March 5, 2019, *New York Times*, https://www.nytimes.com/2019/03/05/opinion/democrats -liberal s-socialists -cultural-left.html; also see Brad DeLong (@delong), Twitter, February 25, 2019, 5:49 p.m., https://twitter.com/delong/status/1100166024572239873.

120) Ed Kilgore, "A New Role for Democratic Centrists: Helping the Left Win," *New York Magazine*, March 5, 2019, https://nymag.com/intelligencer/2019/03/a-new-role-for-democratic-centrists-helping-the-left-win.html.

121) George Packer, "Is America Undergoing a Political Realignment?," *The Atlantic*, April 8, 2019, https://www.theatlantic.com/ideas/archive/2019/04/will-2020-bring-realignment-left/586624/.

122) V. Masson-Delmotte et al., eds., "Summary for Policymakers," in *Global Warming of 1.5℃: An IPCC Special Report on the Impacts of Global Warming of 1.5℃ Above Pre-industrial Levels and Related Global Greenhouse Gas Emission Pathways, in the Context of Strengthening the Global Response to the Threat of Climate Change, Sustainable Development, and Efforts to Eradicate Poverty*," IPCC, 2018, https://www .ipcc.ch /sr15/chapter/spm/.

123) Brady Dennis, "In Bleak Report, U.N. Says Drastic Action Is Only Way to Avoid Worst Effects of Climate Change," *Washington Post*, November 26, 2019, https://www.washingtonpost.com/climate-environment/2019/11/26/bleak-report-un-says-drastic-action-is-only-way-avoid-worst-impacts-climate -change/.

124) Aude Mazoue, "Le Pen's National Rally Goes Green in Bid for European Election Votes," France 24, April 20, 2019, https://www.france24.com/en/20190420-le-pen-national-rally-front-environment-european-elections-france.

125) Sanford Levinson and Jack M. Balkin, *Democracy and Dysfunction* (Chicago: University of Chicago Press, 2019), Kindle Edition, 192.

第15章

1) Jay Newton-Small, "5 Reasons Immigration Reform Is Going Nowhere Fast," *Time*, February 6, 2014, https://time.com/4999/immigration-reform-house-senate-boehner/.

2) Matthew Yglesias, "Cantor outspent Brat 25: 1," *Vox*, June 10, 2014, https://www.vox.com/2014/6/10/5798674/cantor-outspent-brat-25-1.

3) Sydney Ember, "Ocasio-Cortez and Sanders Star in Their Own Iowa Buddy Movie," *New York Times*, November 10, 2019, https://www.nytimes.com/2019/11/10/us/politics/bernie-sanders-aoc-iowa.html.

4) Nolan McCarty, "What We Know and Don't Know About Our Polarized Politics," *Washington Post*, January 8, 2014, https://www.washingtonpost.com/news/monkey-cage/wp/2014/01/08/what-we-know-and-dont-know-about-our-polarized-politics/?arc404=true.

5) Derek Thompson, "Reality Check: Obama Cuts Social Security and Medicare by Much More Than the GOP," *The Atlantic*, April 11, 2013, https://www.theatlantic.com/business/archive/2013/04/reality-check-obama-cuts-social-security-and-medicare-by-much-more-than-the-gop/274919/.

6) E. E. Schattschneider, *Party Government: American Government in Action* (Abingdon, UK: Routledge), 64.

7) Cedric de Leon, Manali Desai, and Cihan Tuğal, *Building Blocs: How Parties Organize Society* (Stanford, CA: Stanford University Press, 2015), 91.

8) Alexandria Ocasio-Cortez (@AOC), Twitter, July 3, 2018, 11: 41 a.m., https://twitter.com/aoc/status/1014172302777507847?lang=en.

9) Daniel DiSalvo, *Engines of Change: Party Factions in American Politics, 1868-2010* (New York: Oxford University Press, 2012), xii.

10) Daniel Schlozman, *When Movements Anchor Parties: Electoral Alignments in American History* (Princeton, NJ: Princeton University Press, 2015), 21.

11) Thaddeus Stevens, Cong. Globe, 37th Cong., 2d Sess. (1862), 1154, https://memory.loc.gov/cgi-bin/ampage.

12) "are nearer to me than the other side": Eric Foner, *Fiery Trial* (New York: W. W. Norton & Company, 2010), 544.

13) "It turned me blind... seeing the people there": Ibid., 189. 13) "the demographic and political majority that their generation will become": Barbara Ransby, " 'The Squad' Is the Future of Politics," *New York Times*, August 8, 2019, https://www.nytimes.com/2019/08/08/opinion/the-squad-democrats.html.

14) Barbara Ransby, " 'The Squad' Is theFutureofPolitics," *New York Times*, August 8, 2019, https://www.nytimes.com/2019/08/08/opinion/the-squad-democrats.html.

第16章

1) Eric Foner, *The Story of American Freedom* (New York: W. W. Norton & Company, 1998), 195-201.

2) Michael Denning, *The Cultural Front* (London and New York: Verso, 1997), 3-7.

3) Jefferson Cowie, "'A One-Sided Class War': Rethinking Doug Fraser's 1978 Resignation from the Labor-Management Group," *Labor History* 44, no. 3 (2003): 307-14.
4) Lewis F. Powell, "Confidential Memorandum: Attack on American Free Enterprise System," August 23, 1971, accessed at https://www.greenpeace.org/usa/democracy/the-lewis-powell-memo-a-corporate-blueprint-to-dominate-democracy/.
5) Nancy MacLean, 1P_Prakash_WinningGreen_36043.indd 339 5/22/20 1:15 PM 340 NOTES *Democracy in Chains: The Deep History of the Radical Right's Stealth Plan for America* (New York: Penguin Books, 2017); Ian Haney López, *Dog Whistle Politics: How Coded Racial Appeals Have Reinvented Racism and Wrecked the Middle Class* (New York: Oxford University Press, 2014).
6) Perry Anderson, "Renewals," *New Left Review* 1, no. 1 (January–February 2000): 13.
7) Nelson Lichtenstein, *State of the Union* (Princeton, NJ: Princeton University Press, 2002), 18-19, 43.
8) William Leuchtenburg, *Franklin D. Roosevelt and the New Deal, 1932-1940* (New York: Harper & Row, 1963), 116-17.
9) Karl Klare, "Judicial Deradicalization of the Wagner Act and the Origins of Modern Legal Consciousness, 1937-1941," *Minnesota Law Review* 62 (1977-1978): 265, 285.
10) "Steve Fraser, "The 'Labor Question,'" in *The Rise and Fall of the New Deal Order, 1930-1980*, ed. Steve Fraser and Gary Gerstle (Princeton, NJ: Princeton University Press, 1989), 67.
11) Nelson Lichtenstein, *Walter Reuther: The Most Dangerous Man in Detroit* (New York: Basic Books, 1995), 61-63.
12) Lichtenstein, *State of the Union*, 48.
13) Ibid., 46.
14) David Montgomery, "American Workers and the New Deal Formula," in David Montgomery, *Workers' Control in America* (Cambridge: Cambridge University Press, 1980), 165.
15) Noam Scheiber, "Candidates Grow Bolder on Labor, and Not Just Bernie Sanders," *New York Times*, October 12, 2019, https://www.nytimes.com/2019/10/11/business/economy/democratic-candidates-labor-unions.html.
16) Ira Katznelson, *Fear Itself: The New Deal and the Origins of our Times* (New York: Liveright, 2013)
17) Leuchtenburg, *Franklin D. Roosevelt and the New Deal: 1932-1940*, 11.
18) Adam Cohen, *Nothing to Fear: FDR's Inner Circle and the Hundred Days That Created Modern America* (New York: Penguin Books, 2009), 88-106; Leuchtenburg, *Franklin D. Roosevelt and the New Deal: 1932-1940*, 41-47.
19) Fraser, "The 'Labor Question,'" 55.
20) Tim Flannery, "Australia: The Fires and Our Future," *New York Review of Books*, January 16, 2020, https://www.nybooks.com/daily/2020/01/16/australia-the-fires-and-our-future/.
21) Judith Stepan-Norris and Maurice Zeitlin, *Left Out: Reds and America's Industrial Unions*, (Cambridge: Cambridge University Press, 2003), fn, 232.
22) Lichtenstein, *State of the Union*, 39-41, 64-44.

訳者解説　グリーン・ニューディールを勝ち取れ

朴勝俊

本稿を執筆中の2021年8月上旬、オリンピック競技が続けられ、あらゆる放送局が競技の模様と結果を報じている。時折のニュースで、新型コロナ検査陽性者数の新記録が報じられる。病院のキャパシティが逼迫し、東京都は入院基準を厳格化させた。8月に入って、自宅療養中の感染者とみられる人たちが少なくとも8人死亡した。このようなことは辛うじて報じられている。観測史上最大の豪雨によって生じた、静岡・熱海市の土石流が、いまだに人々の暮らしに大きな傷跡を残していることは、8月に入っても報じられた。しかし日本のテレビ局には、トルコやギリシャ、米国西部などで、現在進行形で起こっている大規模な森林火災を報じる「余裕」はない。ドイツやベルギーで歴史的な洪水が起こったことも、記憶している人はほとんどいないであろう。

コロナ禍の泥沼化と気候危機、私たちはこの2つの危機の原因を探り、解決策を実施に移さなければならない。政府にカネがないから人々を救う支出はできないという財政破綻論の呪縛から自らを解放せねばならない。そして「経済か環境か」という二項対立から脱却せねばならない。

本書を編著者であるヴァルシニ・プラカシュとギド・ジルジェンティが率いたサンライズ・ムーブメントは、学生たちによる気候危機対策運動である。彼らは単に気候危機対策を求めたのではない。彼らが求めたのはGreen Jobs for Allである。

彼らが注目を集めたのは、2018年秋に彼らが起こした事件によってである。総勢200人で、米国民主党の有力議員ナンシー・ペロシのオフィスを訪問し、「12年しかないのですよ」「あなたのプランは？」という共通の問いを突きつけ、長時間の座り込みを敢行した（そして議会警察官に一人また一人と逮捕・連行されていった）。この動きに呼応したのが、29歳で下院議員に選出されたばかりのアレクサンドリア・オカシオ＝コルテス（AOC）であった。彼女たちが打ち出したグリーン・ニューディール提案は、その後の米国の経済政策の議論の焦点となった。

グリーン・ニューディール提案の内容については、策定者の一人であるリアナ・グン＝ライト（第６章）が詳述している。その一部を以下に引用しよう：

> グリーン・ニューディールは、アメリカを急速にゼロ炭素経済に移行させるための、経済的総動員の10カ年計画だ。その過程で、格差を大幅に是正し、迫害や抑圧の負の遺産を処理することによって米国経済を再生・再編するものなのだ。アメリカ連邦議会のグリーン・ニューディール（GND）決議には、以下の５つの目標がある。
>
> 1　全てのコミュニティと労働者のための公平で公正な移行（a fair and just transition）を通じて、温室効果ガスの差し引きゼロ排出（ネットゼロ）を達成する。
> 2　何百万もの良質で高賃金の雇用を創出し、米国のすべての人々のための繁栄と経済的安全保障を確保する。
> 3　米国のインフラと産業に投資し、21世紀の課題に持続可能な形で対応する。
> 4　きれいな空気や水と、気候とコミュニティの回復力、健康的な食糧、自然へのアクセス、そして持続可能な環境を、全ての人々に保障する。
> 5　最前線の脆弱なコミュニティに対する現在の抑圧を止め、未来の抑圧を防ぎ、歴史的な抑圧を補償して、正義と公平性を促進する。そこには、先住民や有色人種、移民、脱工業化地域、過疎地域、貧困層、低所得労働者、女性、高齢者、家を失った人々、障害者、若者たちのコミュニティが含まれる。

これを読めばその構想は明確であり、説明を要さないであろう。急速な気候危機対策を実現するためには、正義（ジャスティス）にかなった豊かな経済をめざす政策が不可欠なのである。

- 地球気温上昇を産業革命前と比べて1.5℃未満に抑えるためには、世界全体の温室効果ガス排出量を2050年にはゼロにしなければならない、とされる。到底不可能なように聞こえるが、毎年太陽から地球に注ぐエネルギー（1.52×10^{18} kWh）は、人類76億人が消費するエネルギー（2018年実績で1.66×10^{14} kWh EDMC2021参照）の9150倍以上である（前者は太陽定数約1.37 kW/m^2と地球の半径、および1年の時間数から簡単に求まる）。人類はこのごく一部でも活用できれば、100%を再生可能エネルギーでまかなうことができる。すでに太陽光や風力などの再生可能エネルギーの発電コストは世界的に、石炭火力や原発よりも大幅に安くなっている。

かの国際エネルギー機関（IEA）も、『2050年ネットゼロ』と題した報告書を今年5月に発表し、（再生可能エネルギー100%ではないが）あらゆる技術と政策を俯瞰したロードマップを示した。彼らの試算でも、ネットゼロのシナリオでは、全発電量の約9割が再生可能エネルギーでまかなわれる（IEA 2021, p. 27, p. 55）。

日本でも今年の5月26日に、基本理念として「2050年までの『脱炭素社会』の実現」を明記した改正地球温暖化対策推進法が、参議院本会議において全会一致で可決・成立した。ネットゼロがこの国の正式な目標となったわけである。

こうした動向は歓迎すべきことであるが、それでは不十分だという認識は必要である。2050年にネットゼロというのは、世界全体の話である。気候正義にてらせば米国や日本などの先進国については、2030年には排出ゼロにしなければならない（明日香 2021, pp. 34–39）。グリーン・ニューディールが要求するのは、こうした急速な変革である。上記の引用文に「経済的総動員の10カ年計画」とあるのはそのためであるし、サンライズの「12年しかない（We have 12 years）」というスローガンも、これと同じ意味である。

本書に寄稿したノーベル経済学賞受賞者のジョゼフ・スティグリッツ（第7章）も、同じ危機意識を共有している。そして、フランクリン・ローズベルト大統領（民主党、在位1933–1945）による、ニューディール政策と、ファシズムに対する戦争の経験を引いて、存亡に関わる気候危機に対し、政府主導の大胆なグリーン・ニューディールの実施を求めているのである。

実は米国では、政府主導の経済政策などというものは、言うは易しどころか、言うことさえ難しい正論であった。本書でナオミ・クライン（第3章）や、ギド・ジルジェンティとワリード・シャヒド（第14章）が指摘するように、1980年代のレーガン大統領（共和党、在位1980-1988）らによる「反革命」によって、ニューディール以降の常識が破壊された。市場信仰と財政破綻恐怖症を両輪とする新自由主義が支配的な思想となったのである。これは「「自らを制御する市場」や私有化（民営化）、規制緩和、減税、労働組合バッシング、そして自分自身の向上を目指す個人主義などでがんじがらめにする思想」である（p. 225）。彼らの指摘で重要なのは、この政治思想の大転換が長期にわたって相手陣営の政治家にも影響を与えたことである。クリントンやオバマなどの民主党の有能な大統領たちも、新自由主義思想から大きく逸脱することはなかった。

その意味で、昨年末のバイデン政権の誕生は、レーガン時代の常識を打ち崩す革命的なものと、後世の歴史家は評価するかもしれない。そこに至る米国社会全体の動きについても、本書は様々なことを教えてくれる。

デビッド・ウォラス＝ウェルズ（第1章）が論じたような眼前の気候危機の脅威について、米国社会は目を背けてきた。それはアメリカ国民の意識がもともとそうだったからというわけではなく、化石燃料で富をむさぼる少数者たちによって、そのように仕向けられたのである。ケイト・アロノフ（第2章）やビル・マッキベン（第5章）が指摘しているように、ごく少数の、巨大石油会社などの業界団体や経営者が（自社の研究所で温暖化の事実を把握しながら）気候懐疑論者の研究機関に資金を提供して科学を歪曲し、メディアを通じて世論を操作してきた。さらに共和党のみならず民主党の有力政治家たちをも買収して、京都議定書などの国際条約への批准や、排出枠取引などの国内的規制の実施を阻止してきた。それは米国内でも、ジュリアン・ブレイブ・ノイズキャット（第9章）たち先住民の暮らしを脅かすパイプライン建設計画や、コレット・ピション・バトル（第8章）やジェナイ・ルイス（p 124）が告発する南部沿岸地域の水没や原油汚染事故や、本章の各所で証言するハリケーンや森林火災の被害者など、不遇な地域に負の影響をもたらしている。もちろん、本書に寄稿した人々は、プエルトリコや日本などのハリケーン・台風被害や、途上国や島嶼国の沿岸地域の水没など、国外の気候災害からも目を背けてはいない。

メアリー・ケイ・ヘンリー（第10章）とロバート・マスター（第16章）は、労働組合活動家の立場から本書に寄稿した。彼らは多様な主体が参与するグリーン・ニューディールを、1930年代のニューディールにおけるワグナー法によって確立され、のちのレーガン反革命によって破壊された労働組合の権利を取り戻すための戦いとして位置づけている。労働者の権利剥奪や中産階級の解体と並行して、イアン・ヘイニー・ロペス（第4章）が論じているように、不遇な人々の間の分断をはかる「犬笛」を用いた人種差別が駆使された。

しかし、自身も黒人であるウィリアム・J・バーバー二世牧師（第13章）が論じているように、「アメリカの歴史は最初から、多人種運動の歴史であった」し、この国の民主主義は「人種差別廃止や公正な労働慣行確立、女性参政権、公民権、LGBTQ+の権利獲得のために闘ってきた、様々な人々の取り組み」の賜である。白人至上主義者で気候危機否定論者のトランプ前大統領を打倒するための戦いは、世代や人種、ジェンダーを超えた、経済的・社会的不正義を打破する気候・経済政策を求める戦いであった。その戦いの一翼を担ったのが、サンライズ・ムーブメントに結集した若者たちである。

運動のビジョンと政治を動かす方法論については、ヴァルシニ・プラカシュ（第11章）や、サンライズのオーガナイザーたち（第12章）、そしてアレクサンドラ・ロハスとワリード・シャヒド（第15章）が詳しく説明してくれている。SNSを通じて若者たちの自発的な参加を促し、シンプルかつ洗練されたシンボルと、自立的な活動を可能とするノウハウを、トレーニングを通じて提供した（その際、運動内で起こりうるあらゆる差別にも毅然と対処した）。さらには民主党予備選挙（共和党候補と戦う候補者を選ぶ選挙）で、有力政治家に石油会社からの献金拒否と「気候誓約」を迫り、断られると対抗馬を立てて、戸別訪問や電話かけを行って徹底的に挑戦した（これは正反対の思想をもつ、共和党を震撼させたティーパーティー運動に学んだという）。そして彼らを軸とする幅広い運動が、マイノリティの女性議員の四人組（squad）を当選させ、グリーン・ニューディール政策を明確に掲げたバーニー・サンダース議員を躍進させ、のちに大統領となるバイデンに、彼らの政策の多くを受け容れさせたのである。

ところで、米国の読者を対象とする本書で、グリーン・ニューディールをめぐって十分に触れられていない点について、日本の読者のために2点だけ説明を加えておきたい。

ひとつは近年の欧米における反緊縮（anti-austerity）の潮流と、グリーン・ニューディールの関係である。2007年以降の米国発金融危機によって、金融界が公金によって救済され、公共サービスがさらに削りこまれた。危機後も長らくは新自由主義と財政破綻論がしぶとく生き残っていたのである。欧州の事情はさらにひどかった。米英と異なり、通貨発行権をもたないユーロ加盟国の場合は、ギリシャやアイルランドをはじめとする政府がトロイカ（欧州連合EU、欧州中央銀行ECB、国際通貨基金IMF、）からカネを借りて銀行への返済をし、国民からの増税と公共サービスの削減（緊縮策）によってトロイカに返済することを強いられた（バルファキス 2019）。これがユーロ圏解体の危機や、英国のEU離脱の伏線となり、近年のコロナ禍においても医療制度の脆弱さの形で影を落としている。こうした問題を打破する反緊縮（積極財政）の政策を打ち出してきたのは、英国労働党前党首のコービンや、ギリシャ元財相・現国会議員のバルファキスたちであるが、彼らは米国のサンダース議員とも協調しており、近年では経済政策の中心にグリーン・ニューディールを据えている（朴ほか 2020）。本書ですでに名前が挙がった人たちと並んで、反緊縮のグリーン・ニューディールを掲げる有力者には、経済学者のロバート・ライシュ元労働長官やロバート・ポーリン、言語学者のノーム・チョムスキーたちがいる（チョムスキーとポーリンの著書Chomsky and Pollin（2020）*Climate Crisis and the Global Green New Deal*は、早川健治氏の翻訳で、那須里山舎より近日出版予定である）。他方、反緊縮ではないが、ドイツ緑の党はスベン・ギーゴルト議員を中心に、グリーン・ニューディール政策を明確に打ち出している。緑の党の最新の政策綱領を読むと、グリーン・ニューディールと共通する思想で貫かれていることが分かる（Bündnis 90/Die Grünen 2020）

もうひとつは、生活保障は雇用保障だという思想についてである。本書で何度か登場する「雇用保障（job guarantee）」は、2019年頃から日本に紹介され話題になっている、現代貨幣理論（MMT）が提唱するキーワードである。本書にはMMT派は参加しておらず、索引を見てもMMTに関して一切言及されていないことが分かるが、ランダル・レイやジェイミー・ガルブレイス、バブリナ・チェルネバなどのMMT派の学者たちは、グリーン・ニューディール政策のブレインとして重要な役割を果たしている。中でもステファニー・ケルトンはサンダース議員の経済顧問であった（ケルトン 2020）。そのため米国のグリーン・ニューディールには、MMT派の影響を強く受けているように思われる。バイデン大統領が採用を表明した市民気候部隊（Civilian Climate Corps, CCC）は、サンライズ・ムーブメントが昨年来、設置を呼びかけてきたものである。これは政府が多数の若者たちに気候対策や環境回復の仕事を与えるプログラムのことであり、旧ニューディールの市民保護部隊（Civilian Conservation Corps, CCC）を受け継ぐ考え方である。その意義はきわめて大きいが、他方で私が思うに、全ての人々の生活を底上げするためには、政府が仕事を作ればよいという政策だけでは限界がある。賃労働（とりわけ肉体労働）に従事することが難しい境遇の人々も多いためである。全ての人々の生活を底上げする政策には、ベーシック・インカム（全ての個人に定期的に定額の現金給付を行う政策）という選択肢も存在するが、AOCが当選直後にこれに言及してからはグリーン・ニューディールの文脈でも耳にすることがなく、本書ではこれについても言及がない（MMT派はベーシック・インカムを強く批判する立場であり、彼らの思想的影響があるのかもしれない）。カネを配る政策よりも雇用を保障する政策が、勤労と自律を尊ぶ米国人の文化的気質から来ているなどという考え方は、説得力に乏しい。2019年1月には、27人のノーベル経済学賞受賞者や4人のFRB議長を含む三千人以上の米国の経済学者が炭素配当（炭素税を導入しその税収をベーシック・インカムとして国民全員に還付する政策）の導入を求める公式声明を出したためである。英国の場合は、労働党の経済政策をまとめたジョン・マクドネル議員は、ガイ・スタンディング教授のベーシック・インカム案を重視している（マクドネル編 2021）。またグリーン・ニューディール・フォー・ヨーロッパの顔であるバルファキスも、雇用保障とベーシック・インカムの両方が実施できないとする理由はない、と述べている。

いずれにせよ、米国においては過去数年間で、新自由主義的な財政破綻恐怖症は、かなりの程度払拭されたとみられる。スティグリッツが本書で「財政赤字フェティシズム〔財政破綻恐怖症と同義〕がついに打ち破られたらしいことは、もちろん良いニュースである。オリヴィエ・ブランシャールのような主流派経済学者でさえ、政府がより多くの国債を発行する余地があると主張しているのだ」と述べた（p 111）。今ではバイデン政権が、米国経済の立て直しのために数百兆円規模の政府支出を打ち出している。3月には200兆円規模の米国救済プランの予算を成立させ、つづいて220兆円規模の米国雇用プランと、200兆円規模の米国家族プランとを発表した。インフラ投資計画は共和党との妥協で金額が半分程度まで圧縮されたが110兆円規模である（もちろん、サンダースら民主党左派は、この妥協に強く批判的である）。これによる財政破綻の懸念はほぼ聞かれない。聞かれるとしても過度の物価上昇の懸念ぐらいである。

日本では、与党も野党も（洞察力あるごく一部の政治家を除いては）財政破綻恐怖症に縛られたままである。いわゆるリフレ派などの積極財政論・金融緩和論に加えて、2019年頃からMMTの知識が普及したおかげで、通貨発行権を有する政府は国債残高に関わらず財政破綻しないという知見は徐々に広がりを見せているが、エネルギー変革の実現や脱原発を主導する人々の間でも、こうした知識の共有はまだまだ不十分である（MMTに依拠した財政破綻論批判は、朴・シェイブテイル 2020を参照）。他方で、経済的な困窮者の救済を第一義に考える積極財政派の人々には、気候危機対策や再生可能エネルギー普及、あるいは脱原発に批判的な人も多い。一刻も早く、この分断を解消することが求められる。グリーン・ニューディーラーたちの教えによれば、政府主導の積極的投資政策が気候危機対策の突破口であり、ネットゼロに向けたエネルギー変革とソーシャル・インフラの構築が、豊かで公正な経済を実現する道なのである。

本書の翻訳チームは、私（朴勝俊（ぱくすんじゅん））を筆頭翻訳者として過去に2冊の著書を翻訳出版してきたチームと、ほぼ同じである。私はもとより環境経済学者であり、9年ほど前に山崎一郎と知り合って脱原発の研究会を結成したが、仲間を募ってバルファキス『黒い匣（はこ） 元財相バルファキスが語る「ギリシャの春」鎮圧の深層』（明石書店）およびマクドネル編『99%のための経済学 コービンが率いた英国労働党の戦略』（堀之内出版）の翻訳出版を実現した。『黒い匣』の翻訳チームには経済学者の松尾匡（まつおただす）さんにも参加してもらった。松尾さんと私は「ひとびとの経済政策研究会」という反緊縮左派の研究グループを結成し、長谷川羽衣子（当時・緑の党グリーンズジャパン共同代表）をはじめとする京都在住の仲間とともに、山本太郎さん（現・れいわ新選組代表）の経済学学習をお手伝いした。大石あきこと cargo とは、松尾さんと彼らが結成した、反緊縮の政治家候補を応援する薔薇（バラ）マーク・キャンペーンの準備作業を通じて知り合った（今では大石あきこは、れいわ新選組の候補者として政策策定に取り組んでいる）。ここまでに名前を挙げた仲間たちと私は、「グリーン・ニューディール政策研究会」を結成し、精力的に研究やウェビナー、翻訳等の活動を行っている。反緊縮（積極財政）の経済政策と環境政策が合流する最先端のテーマについて、こうして仲間とともに取り組めることは喜ばしいことである（メンバーについては研究会ホームページを参照）。青木嵩は朴の所属する大学で学び、この春から都市政策の専門家として活躍しているが、『黒い匣』に続いて本書の翻訳にも参加してもらった。ヒル・ダリア・エイミーは朴の大学のゼミ生であったが、卒業間近のところで本書翻訳作業に巻き込んだものである。翻訳作業への関わりが、学びの妨げになることなく、彼らの成長の糧となったことを願う。

なお、私たちの取り組みに加えて、東北大学の明日香壽川（あすかじゅせん）教授や東京経済大学の佐藤一光（さとうかずあき）准教授らを中心とする「未来のためのエネルギー転換研究グループ」の仕事にも注目していただきたい。彼らは今年の初めに『レポート 2030 グリーン・リカバリーと 2050 年カーボン・ニュートラルを実現するためのロードマップ』を発表された（私もお手伝いした）。これは日本版グリーン・リカバリー（グリーン・ニューディールとほぼ同義）の具体的な投資金額を含んだ定量分析としては初めてのものであり、政策策定者たちに参照されるべきものである（グループのホームページから入手可）。

日本においても気候危機を防ぎ未来を守りたい、経済停滞を終わらせ人々を困窮から救いたい、そのために政治を変えたいと願い、立ち上がり、日々それに尽力している方々がたくさんおられる。そうした方々に本書を手に取っていただきたい。本書が教えてくれたのは、富裕で有力な 1％の「敵」に対抗できるよう、私たち99%の多様な問題意識と利害をいかに結びつけ、いかに有効な共闘を実現するかということである。民主的な手段で政治的な権力を獲得し、旧ニューディールと同じように、長期にわたって幅広い支持を保ちながら具体的な政策をひとつひとつ実現させようということである。サンライズ・ムーブメントが手探りで進めできた一歩一歩のあゆみが、今やこうして活字で読むことができる。ぜひ多くの方々に、これを力にしていただきたい。また、先述の明日香教授はこの6月に『グリーン・ニューディール』と題した新書を岩波書店から刊行された。気候危機の科学から経済学、政治学まで幅広く、しかも深く知ることができるコンパクトな一冊である。こちらも、本書と合わせてご活用いただければと思う。

翻訳チームを代表して

朴勝俊

2021年8月6日

参考文献

Bündnis 90/Die Grünen (2020) *"... zu achten und zu schützen ..." Veränderung schafft halt. Grundsatzprogramm, Bündnis 90/ Die Grünen.*

Chomsky, Noam and Robert Pollin (2020) Climate Crisis and the Global Green New Deal, (with C. J. Polychroniou), Verso.

EDMC (2021)『エネルギー・経済統計要覧2021』理工図書

IEA (2021) Net Zero by 2050, A Roadmap for the Global Energy Sector, iea.li/nzeroadmap

明日香壽川 (2021)『グリーン・ニューディール――世界を動かすガバニング・アジェンダ』岩波新書

ジョン・マクドネル編 (2021)『99%のための経済学 コービンが率いた英国労働党の戦略』(朴勝俊、山崎一郎、加志村拓、長谷川羽衣子、大石あきこ訳)、堀之内出版

ステファニー・ケルトン (2020)『財政赤字の神話 MMTと国民のための経済の誕生』(土方奈美訳)、早川書房

朴勝俊・長谷川羽衣子・松尾匡 (2020)「反緊縮グリーン・ニューディールとは何か」『環境経済・政策研究』Vol. 13, No. 1 (2020. 3), pp. 27-41

朴勝俊・シェイブテイル (2020)『バランスシートでゼロから分かる 財政破綻論の誤り』青灯社

ヤニス・バルファキス（2019）『黒い匣 密室の権力者たちが狂わせる世界の運命 元財相バルファキスが語る「ギリシャの春」鎮圧の深層』（朴勝俊、山崎一郎、加志村拓、青木嵩、長谷川羽衣子、松尾匡訳）、明石書店
未来のためのエネルギー転換研究グループ（2021）『レポート 2030 グリーン・リカバリーと 2050 年カーボン・ニュートラルを実現するためのロードマップ』

参考

太陽から地球に届くエネルギー量の計算

太陽定数（地球大気表面に届く太陽エネルギーの密度）は約 1.37 kW/m^2、これに地球の断面積約 1.27×10^{14} m^2 を乗じれば全体で約 1.74×10^{14} kW となる。年間 8760 時間（24×365）を乗じると 1.52×10^{18} kWh である（A）。

2018 年に人類約 76 億人が消費した一次エネルギー総量は、IEA によれば約 14282［石油換算百万トン（toe）］である。石油換算 1 トン（1 toe）のエネルギーは 1.163×10^4 kWh であるから、これを用いてキロワット時に換算すると、14282×10^6［toe］$\times 1.163 \times 10^4$［kWh/toe］$= 1.4282 \times 10^4 \times 1.163 \times 10^{10}$ kWh $\fallingdotseq 1.66 \times 10^{14}$ kWh したがって、一次エネルギー消費総量は約 1.66×10^{14} kWh となる（B）。

A ÷ B はおよそ 9157 倍である。これらは国立天文台編（2010）『理科年表』および EDMC（2021）『エネルギー・経済統計要覧 2021』に記された数値を用いて計算した。

参考ホームページ

グリーン・ニューディール政策研究会（https://green-new-deal.jimdofree.com/）
未来のためのエネルギー転換研究グループ（https://green-recovery-japan.org/）

索　引

【ア行】

アート（サンライズ）　194
アイゼンハワー、ドワイド（大統領）　233
「赤い線引き」 90, 97
アクセルロッド、デビッド　71
アザリ、ジュリア（政治学者）　243
アトウォーター、リー　66
アファーマティブ・アクション　71
アメリカ労働総同盟（AFL）　231, 282
アメリコー（AmeriCorps）　255
アラインメント（編成）　226
「ありとあらゆるエネルギー（all of the above energy）　57
暗号化された人種差別物語　74
暗号化されたフレーズ　63
アンダーソン、ケビン　33, 57
イーグル・フォーラム　236, 249
イグレシアス、マット　244
移行諮問委員会　111
「偉大な社会」 234
犬笛　63, 66, 67, 202, 219, 237, 238, 244
犬笛政治　63, 64, 72
移民税関捜査局廃止（Abolish ICE）　263
移民制度改革法案　255
移民法改正　159
インサイド・アウトサイド戦略　255, 256
インディビジブル　165
インフラ（投資）　94
ウィットマー、グレッチェン　176
ウェイリッチ、ポール　235, 239, 248, 249
ウォール街を選挙せよ→オキュパイ
ウォーレン、エリザベス（上院議員）　110, 139, 173
ウォルトン家　83
ウォルマート　83
歌（サンライズ）　180, 204
右派　47, 62
エクソン社　79, 157
エクソンモービル　42
エコーチェンバー現象　67
エコカー買い換え補助金制度　46
エスカレーション（サンライズ）　190
エネルギーアクション連合　153
エングルウッド（シカゴ南部）　89
円弧　87
エンタープライズ研究所　235
オヴァートンの窓　270
オーガナイザー　155, 188
オカシオ＝コルテス、アレクサンドリア　19, 82, 86, 111, 139, 140, 172, 180, 252, 258, 259, 262, 263
オキュパイ　183, 263
オセティ・サコウィン族　136, 138
オバマ、バラク（大統領）　57, 70, 153, 159, 242, 243, 257, 260, 263
オバマケア　165, 241
オバマ政権　81, 82
オマル、イルハン　253
オレスケス、ナオミ　116
オンライン会議（サンライズ）　205
オンラインで役割を果たせる仕組み　208

【カ行】

ガーストル、ゲイリー　237
カーター、ジミー　239
カーボン・バジェット　30
カーボン・プライシング　48
カーボン・フットプリント　40, 41
階級意識　75
ガイトナー、ティモシー　242
開発銀行　120
革新主義時代（Progressive Era）　272
革新的な経済政策　73
革新派（プログレッシブズ）　61, 62
学生の借金　224
学生非暴力調整委員会（SNCC）　198, 218
学生ローン　85
学費（公立大学）　53
カジノ　136
課税（温室効果ガスへの）　78
化石燃料業界　157
「語りと響き」 203
価値観　92
カリフォルニア州　45
環境正義作業部会　111
環境保護庁（EPA）　219, 234
環境レイシズム　212
カンター、エリック　256, 262
ガン横町　212
キーストーンXLパイプライン　81, 136, 138, 140, 155, 157, 244
黄色いベスト運動（フランス）　20, 84
議会警察　181
企業の関与　105
気候公平法案　111, 139

気候ジェントリフィケーション　132
気候対話会議　193
気候難民　115
気候変動に関する政府間パネル（IPCC）　29
気候リーダーシップ・コミュニティ保護法（NY州）　109, 111, 139, 173
犠牲（サンライズ）　198
規制緩和型資本主義　53, 61, 73
キム、リチャード　159
キャップ・アンド・トレード　153
キャンピオン、ポール　206
急進的共和党　269
「強制バス通学」　66, 67
協同組合的所有　130
京都会議　80, 81
京都議定書　43
共和党　42, 63, 154, 228, 244, 245, 248, 259, 274
漁業　130
キルゴア、エド　247
キング（牧師）、マーティン・ルーサー、ジュニア　87, 167, 217, 235, 281
緊縮政策　53
金ぴか時代　229, 248
金融化　100
金融市場（弱点）　119
クエーカー教徒　221
「国の借金」　242
組合雇用（union job）　149
クライン、ナオミ　101, 224
クラウリー、ジョー　254
グラス・スティーガル法（金融規制）　241, 282
クラスナー、ラリー　264
グリーン銀行　108, 120, 242
グリーンスパン、アラン（FRB）　82
クリーン電力計画（Clean Power Plan）　82
グリーン・ニューディール（GND）　19, 32, 61, 64, 75, 84, 93, 94, 95, 96, 113, 124, 145, 272, 273, 278
グリーン・ニューディール（GND）決議（案）　93, 94, 125, 139, 173, 273, 281
グリーン・ニューディールのための南部湾岸地域　128
クリントン、ビル　240, 258, 267
クリントン、ヒラリー　153, 156, 170, 257
クレア、カール　277
グレタ→トゥンベリ、グレタ
軍隊　132
グン＝ライト、リアナ　86
訓練（サンライズ）　185, 187, 203
刑務所収容者数　238
契約の自由　272
ケインズ理論　99
欠乏からの自由　272
ケナー、ダリオ　42
ケネディ、ジョン・F（大統領）　166
ケネディ、ロバート（司法長官）　165
ゲリマンダリング　220
「減税」　66, 67
原則　92, 93, 98
原則（サンライズ）　182, 183, 186, 196, 197, 198, 201, 202, 204, 205, 207
権力　59, 90, 93, 95, 101, 168
権力の分配　59
ゴア、アル　34
ゴア、アル　81
抗議活動禁止法　138
公共事業促進局（WPA）　160
公共部門の強化　99
公正な移行（just transition）　21, 25, 94, 129
公正な移行に関する委員会　111
構造と組織づくり（サンライズ）　186
交通　45
公民権運動　65, 155, 164, 165, 219
公有　130
コーク・インダストリーズ　69, 70, 73
コーク兄弟　70, 83, 153, 156, 220
コーク、チャールズ　69, 72
コーツ、タナハシ　215
コーポレート・ガバナンス　119
ゴールドウォーター、バリー　233
国際エネルギー機関（IEA）　58
国際通貨基金（IMF）　137
黒人　212, 244
国民皆保険（Medicare for All）　21
国民連合（フランス極右政党）　248
五十州計画　239
国家復興局（NRA）　229
国家労使関係委員会（NLRB）　274
コペンハーゲン会議　81
雇用（良質で高賃金の）　94
雇用促進局（WPA）　22, 169
雇用保障（job guarantee）　21, 84, 230

【サ行】

サード・コースト　125
サーモンド、ストーム　220
サイード、アブドル・エル　175
財政赤字フェティシズム　121
再生可能ポートフォリオ基準（RPS）　110
「最前線」（frontline）　90, 97, 127, 131
最低賃金（15ドル）　280
最低賃金15ドル　244
再分配（権力の）　101

再編成（リアラインメント） 226, 228, 245
再編成者（リアライナー） 226
サイレント・マジョリティ（白人） 275
サイン（signs） 194
サウスダコタ州 136, 138
サウス・ブロンクス 140
サッチャー、マーガレット 39
左派 57, 62
サマーズ、ラリー 242
産業別労働協約 148
産業別労働組合会議（CIO） 231, 266, 270, 271, 275
産業民主主義 272
サンダース、バーニー（上院議員） 110, 139, 156, 171, 173, 245, 250, 257, 258, 260, 268, 279
サントロ、ライス・ラミレス 200
3人ルール（サンライズ） 206
サンライズ・ムーブメント 15, 61, 150, 182
サンライズ・セメスター 198
サンライズの11原則→原則 184
シエラクラブ 154
シェールガス採掘禁止
シェブロン社 85
シェル 42
シェル石油 154
視覚表現（visuals） 195
時給15ドルの最低賃金 150
シクラー、エリック 234
資源保存市民部隊（CCC） 281
資源略奪主義 59
市場原理主義 54, 95
自動車燃費基準（CAFE） 45
自動車労働組合（UAW） 274, 278
ジム・クロウ 131, 219, 230
事務所を訪問（サンライズ） 206
シャープ、ジーン 167
シャイパー、ノーム 279
社会政策 108
社会ダーウィン主義 272
社会保障（Social Security、法律） 108, 113, 161, 169, 230, 231
弱政党システム（weak party system） 261
ジャクソン、ジェシー 240
若年移民に対する国外強制退去の延期措置（DACA） 160
シャッツ、ロナルド 277
シャッツシュナイダー、E・E 261
自由市場イデオロギー 61
住宅 133
住宅所有者貸付公社（HOLC） 97
自由の会（Freedom Caucus） 267
「州の権限」 66
自由放任主義 272
シュラフライ、フィリス 235, 236, 238, 249
シュロズマン、ダニエル（政治学者） 235, 266
浄化事業 129
象徴表現（image） 194
唱道者（チャンピオン） 171, 173
ジョーンズ、ヴァン 153
女性 113, 120
女性差別的な法律 238
女性の行進（Women's March） 150
ジョンソン、リンドン（大統領） 233, 281
人種 215
新自由主義 69, 82, 95, 97, 224, 237, 245, 274, 275
新自由主義的コンセンサス 255
人種差別 62, 63, 64, 201, 203, 216, 219, 224, 248
人種差別物語 74
人種的危機 65
人種的な反感 63
人種統合バス通学 66
人種をこえた同盟（fusion coalition） 218
シンプソン、リーン・ベタサモタケ 213
新民主主義者→ニューデモクラッツ
人民主義者 218
新民主党指導部 267
人民党 218, 248
随意州（At-will States） 126
スー族 172, 280
スーパーファンド土壌汚染対策法 221
スクワッド（四人組、squad） 254
スコウロネック、スティーブン 239
スコチポル、シーダ 161
スターン、ニコラス 116
スタンディングロック 85, 137, 139, 144, 171, 280
スティーブンス、サディアス 268
スティグリッツ、ジョゼフ 98
スティックス、ゲイリー 58
ステファン、マリア 162
ストーリー 92
ストックホルム環境研究所 46
ストライキ 169
ストロース、ローズ 188
スナイダー、リック（ミシガン州知事） 175
スマッカー、ジョナサン・マシュー 226
正義（justice） 139
正義民主党 249, 251, 263
政策 90, 91, 93
政策形成 91, 92
政策とは 90, 91
政治原則（第一、第二、第三） 175
政治的な力 157, 182
政治的編成（political alignment） 226
税制優遇（化石燃料産業） 46

政府系ファンド　156
政府所有・請負者運営（GOCO）　105
税法　119
政治　91
世界貿易機関（WTO）　51
石炭採掘禁止令（公有地）　82
石油掘削装置（の災害）　127, 134
「石油国家（ペトロステイト）」　137
セルマ運動　219
全国産業復興法（NIRA）　281
全国戦時労働委員会（NWLB）　232
全国労働関係法（ワグナー法）　148, 230, 271, 277
戦時農園　52
先住民　154
先住民コミュニティ　131
先住民族　136
全米国際サービス従業員労働組合　142
全米市民的自由連合　138
全米ライフル協会（NRA）　161
戦略（サンライズ）　186
総動員　49, 97, 101, 102, 104, 105, 108, 273, 283
ソフトコスト　107
ソブリン・ウェルス・ファンド　155
ソルハイム、エリック　30

【タ行】

タールサンド　136
第一次百日攻勢　282
大学無償化　245
大気中から炭素を除去する技術　114
第三の道　240, 265
第二次世界大戦　121
第二次世界大戦期　49
第二の権利章典　259
ダイベスト　17, 81
ダイベストメント　155, 156, 158
太陽光発電　107
太陽電池　107
ダウンバロット（down ballot）　258
タウンホール（気候対話会議）　193
ダグウェル、レックスフォード　50
ダグラス、ウォルター　281
ダグラス、ルイス　281
ダコタ・アクセス・パイプライン　81, 139, 156, 170, 172
多人種・他民族で構成する多数派　221
タフト・ハートリー法　277
タリーブ、ラシダ　172, 254
男女平等憲法修正条項（ERA）　236
炭素税　48
炭素予算　30, 57, 58
「小さな政府」　237, 238, 241
チェイニー、ディック　81
チェックイン　139
チェノウェス、エリカ　162
地球気候連合（Global Climate Coalition）　43, 80
チャン、ハジュン　98
チャンピオン→唱道者　10
ティーパーティー（運動）　70, 71, 161, 162, 241, 256, 258, 260
ディープサウス　126
ディサルボ、ダニエル　265
デイビーズ、カート　70
ティラーソン、レックス　42, 156
データ・フォー・プログレス　139
テキサス州　126
デニング、マイケル　272
テネシー川流域開発公社（TVA）　282
テヘラン　209
デュボイス、W・E・B（公民権運動指導者）　126
デレオ、ロバート（州下院議長、民主党）　210
デロング、ブラッド（経済学者）　246
電力　45
ドイツ　149
闘技場　260
投獄された経験を持つ人々　131
同性婚　159
道徳的危機　164, 166, 220
道徳的抗議活動　186, 194
同盟（白人と黒人の）　215
トゥンベリ、グレタ　23, 168
トールカン、ジェシー　153
独立民主会議（IDC）　173
ドッド・フランク法案（金融規制）　263
トランス・オーシャン社　127, 134
トランスカナダ社　81
トランプ、ドナルド（大統領）　63, 72, 82, 87, 137, 156, 219, 225, 255
ドリーマーズ（Dreamers）　184, 244, 255
トリガーイベント　182, 186
トリプル・ボトムライン　109
奴隷　212, 214
奴隷制度　215, 219
奴隷制廃止論者　264, 277
トレーナー　186
トレーニング→訓練　185

【ナ行】

内国歳入庁（IRS）　235
何もしないことのコスト　115

ナフション　178
南部戦略　65, 219, 234
南部農村の黒人女性イニシアティブ　129
南部の民主党員　229
南部民主党　231, 232
南部連合　218
南部湾岸地域　124, 125, 126
南部湾岸地域版グリーン・ニューディール　125, 130, 131
難民（気候変動による）　31
ニクソン、リチャード（大統領）　65, 234, 274
ニューオーリンズ　212
ニュー・コンセンサス　98
ニュージーランド　46
ニューディール（旧、元祖）　21, 90, 147, 161, 225, 231, 271, 272, 276, 281
ニューディール期　49, 226
ニューディール合意　230, 233, 234
ニューディール（長い）　64
ニューディール連合　65, 67, 226, 234
ニューデモクラッツ（新民主主義者）　240
「ニューヨーク市気候動員法案」　110
ニューヨーク・リニューズ連合　173
妊娠中絶反対派　239
ネクスト・システム・プロジェクト　47
農業調整法（AAA）　281
NO 化石燃料マネー誓約書（NFEM Pledge）　174, 175, 198, 210
ノースカロライナ州の憲法　218
ノーストライキ誓約　232
ノバック、ロバート　65

【ハ行】

パーカー、セオドア（奴隷制度廃止論者）　87
バージニア植民地　215
バージニア州奴隷法　215
バード・ドッギング　189
ハートランド研究所　42
バーナンキ、ベン　310
バーバー、ウィリアム（牧師）　202
バーミングハム（運動、ストライキ）　165, 188
排出枠取引　153, 161, 173
賠償　131
バイデン・ジョー（大統領候補、当時）　172, 243
パイプライン　139
パウエル、ルイス　271
白人至上主義　215, 237, 275
「白人の党」　65
白人リーダー（サンライズ）　204
「バグズ・ライフ」（ディズニー映画）　167
ハサン、メフディ　259
バス通学（人種統合、「強制」）　66
働けない人たち　131
バッカー、ジョージ　247
バッケン・シェール　136
派閥（ファクション）　245, 261, 264
ハブ（サンライズの地域拠点）　196, 197
パラダイス（カリフォルニア州）　37, 87, 142, 180
ハリー・ナカスサ・ピーター　141
ハリケーン・カトリーナ　124, 241
ハリケーン・ハービー　127, 142
ハリス、カマラ（上院議員）　111, 139
バルキン、ジャック　247
ハンセン、ジェームズ　56, 78, 137
「万人のための組合」　150
反フェミニズム運動　237
ピアッジ、アレッサンドラ　174
ピータース、チャールズ　240
ビーナート、ピーター　244
ピーボディー・エナジー　155
非暴力闘争　166
ビジョン・フォー・ブラック・ライブズ　131
非対称的両極化　259
人々の力　157, 158, 163, 182
ヒメネス、アラセリー　200
ヒルマン、シドニー　231, 232, 250
ビロル、ファティ　58
ビンゴホール　136
「貧者のキャンペーン：道徳復活のための全国的呼びかけ」　223
貧者の行進（キング牧師）　235
ファースト・ネーションズ　141
ファインスタイン、ダイアン（上院議員）　190
ファクション（派閥）　245
ファストフード労働者　150
ファット・テール　117
ファルエル、ジェリー、シニア　235
フィリバスター（議事妨害）　220
ブーディン、チェサ　264
フーバー、ハーバート（大統領）　113
フーバー、ハーバート　228
フェアクロウ、アダム　165
フォックス、キム　264
フォックス・ニュース　87, 243
復員軍人援護法（GI Bill）　90
「福祉の女王」　238
ブッシュ、ジョージ・H・W（大統領、父）　78, 272
ブッシュ、ジョージ・W（大統領、子）　81, 241
不平等　82, 87, 146, 201
フューチャー・コアリション　150
ブライアン、ウィリアム・ジェニングス　248

プラカシュ、ヴァルシニ　182
フラッキング　84, 153
ブラックモン、キャロル　129
ブラック・ライブズ・マター　150, 183, 244, 264, 280
ブラット、デイブ　256, 262
フランシスコ教皇　213
ブランシャール、オリヴィエ　121
フランゼン、ジョナサン　40
プランテーション　214, 215
フリーダムサマー（1964）　198
フリードランダー、ピーター　277
ブリティッシュ・ペトロリアム社（BP 社）　127
ブリンクリー、アラン　232
フリント市　147, 175
ブルー・ニューディール　130
ブループラネット賞　56
ブルッキングス研究所　235
ブルントラント、グロ・ハルレム　56
フレイザー、スティーブ　168, 237, 277, 282
フレーザー、ダグ（UAW 会長）　274
プレスリー、アヤンナ　254
ブローダー、デビッド　237
プログレッシブ→革新的、革新派
文化（サンライズ）　186
分散型組織化　206, 208
米国気候行動パートナーシップ（USCAP）　161
米国労働総同盟産別会議（AFL-CIO）　127
ベイコンの反乱　214
ベーナー、ジョン（下院議長・共和党）　256
ペティファー、アン　98
「ペトロステイト」→「石油国家」　137
ベライゾン（通信会社）　279
ベリエッロ、トム　264
ヘリテージ財団　235, 243, 248
ペロシ、ナンシー　15, 18, 171, 179, 224
変革のための理論　157, 182, 186
暴力犯罪取締り及び法執行法　240
ボールドウィン、ジェームズ　217
北米自由貿易協定（NAFTA）　54
保守派による反革命　234
補助金（化石燃料産業）　46
北極星　157, 158, 160, 163, 170
ホックシールド、アーリー　71
ボッグス、グレース・リー　225
ポピュリスト（人民主義者）　217
ホプキンス、ハリー　230, 277
ポリティカル・アラインメント（政治的編成）　226
ホロコースト　177
ホワイトライオン（軍艦）　214

【マ行】

マーキー、エド　173, 224
マーチ・フォー・アワー・ライブズ（銃規制運動）　150
マーティン、トレイボン　244
マイヤー、ロビンソン　171
マイヤー、ゼルナー　174
マウナロア観測所　87
マクシミン、クロエ　173, 174
マクロン、エマニュエル（仏大統領）　84
マコネル、ミッチ（共和党議員）　220
マッキベン、ビル　155
マッツカート、マリアナ　98, 99
ミシガン州知事選挙（2018）　175
未登録移民　159
ミレニアル世代　86, 244, 246, 263
民主党　64, 90, 153, 155, 171, 229, 239, 245, 255, 256, 257, 259, 263, 265, 274
民主党全国委員会（DNC）　191
ムーブメント・ハウス　198
メイヤー、ジェーン　70, 72
メイン州　173
「メイン州のグリーン・ニューディール」　110, 173
メディケア・フォー・オール（国民皆保険）　171, 245
モデル（経済）　116
物語　62, 67, 72, 74, 92
物語（サンライズ）　186
モビミエント・コセチャ　199
モメンタム（Momentum）　183
モラル・クライシス（道徳的危機）　164, 187, 222
「モラル・マジョリティー」　235
モラレス、オーローラ・レヴィンス　287
問題　92
モンゴメリ、デイヴィッド　278

【ヤ行】

ヤング・アンド・ナイーブ　188
有権者弾圧法　220
有権者登録　198
有色人種のコミュニティ　146
ユナイテッド・ウィ・ドリーム　159
要扶養児童家庭扶助（AFDC）　241
四人組（squad）　254, 264, 268
予備選挙（primary）　259, 261
予備選挙（民主党）　191, 279

【ラ行】

ライト、ビバリー（博士） 129
ラスティン、ベイヤード 234
ラブジョイ、オーウェン 268
ララミー砦条約 138
ラワース、ケイト 98
ランズビー、バーバラ（歴史家） 269
ランド、アイン 82
リアライナー（再編成者） 226, 227
リアラインメント（再編成） 226
リーダーズ・オブ・カラー研修 204
リコンストラクション 213, 217, 219, 272
リコンストラクション（第三次） 220
リコンストラクション（第二次） 219
リッチモンドの抗議行動 86
リヒテンシュタイン、ネルソン 277
リベラル派 57
リロエット族 141
リンカーン、エイブラハム（大統領） 267, 268, 281
ルイジアナ州 124, 125, 126, 128
ルイス、ジョン・L 231, 232
ルクテンバーグ、ウィリアム 168
レイモンド、リー 80, 81
レーガノミクス 237
レーガン、ロナルド（大統領） 39, 236, 237, 274
レーガン革命 82, 225, 235, 239
レーガン合意 246
レーガン時代 224, 228, 265
歴史の円弧 17, 87
レクター、リッキー・レイ 240
レッド・フォー・エド（公教育運動）
連合（coalition） 226
ロイター、ウォルター 278
労働運動 271
労働騎士団 218
労働組合 147, 168, 240
労働権法（right-to-work laws） 127
労働時間規制 230
労働者 145
労働者の権利 271, 283
労働者無党派連盟 231
労働諸法 113
ローウェル、ジェームズ・ラッセル 87
ローズヴェルト、フランクリン・デラノ（大統領） 21, 90, 113, 160, 229, 235, 248, 259, 277
ローゼンフェルド、サム 235
「ロサンゼルスのグリーン・ニューディール」 110
ロックフェラー、ネルソン 233
ロバーツ、デヴィッド 162
ロビー活動 156
ロペス、イアン・ヘイニー 201, 275
ロマー、クリスティ 242
ロムニー、ミット 263
ロリンズ、レイチェル 264

【ワ行】

ワグナー、ロバート（上院議員） 230, 267, 277
ワグナー法 113, 160, 168, 271, 277, 278
ワックスマン・マーキー法案 81, 172
割引率 309

【アルファベット】

#BlackLivesMatter 183
#Gulfsouth4GND 128
#YoungAndNaive 188
350.org 154
AAA →農業調整法
ACLU →全米市民的自由連合
AFDC →要扶養児童家庭扶助 241
AFL-CIO →米国労働総同盟産別会議
all of the above energy 57
At-will States →随意州
bird-dogging 189
BP 社 41, 134, 153
CAFE 45
Cash for Clunkers program 46
CCC →資源保存市民部隊
CIO →産業別労働組合会議
Clean Power Plan 82
Climate Equity Act 111
CNN 193
COP3 80
DACA 160
DNA 183, 185
DNC →民主党全国委員会
dog whistling 63
fat tail 117
FDR →ローズヴェルト
fracking 84
Freedom Caucus →自由の会
GI Bill 90
Global Climate Coalition 43, 80
GND →グリーン・ニューディール 93
GND 決議→グリーン・ニューディール決議
GOCO 105, 106
H.R.109 →グリーン・ニューディール決議
HOLC 97
IDC →独立民主会議

IEA 58
IMF →国際通貨基金
IPCC 29, 43, 44
IPCC 48
job guarantee 21
just transition 21
justice →正義
Medicare for All 21
NAFTA 54
NFEM Pledge 174
NIRA →全国産業復興法
NLRB →国家労使関係委員会 274
No Fossil Fuel Money Pledge → NFEM Pledge
NRA →国家復興局
Occupy Wall Street →オキュパイ
Reconstruction →リコンストラクション 213
right-to-work →労働権法
RPS 45
RPS →再生可能ポートフォリオ基準
SEIU 142
SNCC →学生非暴力調整委員会 198
TVA →テネシー川流域開発公社
UAW →自動車労働組合
USCAP →米国気候行動パートナーシップ
Works Progress Admministration 22
WTO 51

執筆者一覧

アルー・シニー＝アジェイ（Aru Shiney-Ajay、第 12 章）、サンライズ・ムーブメントのメンバー

アレクサンドラ・ロハス（Alexandra Rojas、第 15 章）、Justice Democrats のエグゼクティブディレクター

イアン・ヘイニー・ロペス（Ian Haney Lopez、第 4 章）、1964 年生、法学者。主な著作に Merge Left: Fusing Race and Class, Winning Elections, and Saving America,（The New Press, 2019）

ヴァルシニ・プラカシュ（Varshini Prakash、序章、第 11 章、終章）、サンライズ・ムーブメント設立メンバー

ウィリアム・J・バーバー二世牧師（Rev. William Barber II、第 13 章）、1963 年生、牧師。Repairers of the Breach の代表および、Poor People's Campaign: A National Call for Moral Revival の共同代表

ギド・ジルジェンティ（Guido Girgenti、第 14 章）、Justice Democrats のメディアディレクター、サンライズ・ムーブメントの設立メンバー

ケイト・アロノフ（Kate Aronoff、第 2 章）、フリーランス・ジャーナリスト、活動家。共著書に A Planet To Win: Why We Need A Green New Deal（Verso, 2019）がある

コレット・ピション・バトル（Colette Pichon Battle、第 8 章）、気候変動活動家・法律家。Gulf Coast Center for Law & Policy の設立者

サヤ・アメリ・ハジェビ（Saya Ameli Hajebi、手記）、Academic Party Movement のディレクター

サラ・ブラゼビッチ（Sara Blazevic、第 12 章）、サンライズ・ムーブメントの設立メンバー

ジェナイ・ルイス（Genai Lewis、手記）、サンライズ・ムーブメントを経て、Project Truth, Reconciliation, and Reparation のメンバー

ジェレミー・オーンスタイン（Jeremy Ornstein、手記）、サンライズ・ムーブメントのメンバー

ジュリアン・ブレイブ・ノイズキャット（Julian Brave NoiseCat、第 9 章）、1993 年生、スー族。シンクタンク Data for Progress の政治戦略代表

ジョセフ・スティグリッツ（Joseph Stiglitz、第 6 章）、1943 年生、ノーベル経済学賞受賞者。主な著作は『スティグリッツのラーニング・ソサイエティ 生産性を上昇させる社会』（東洋経済新報社、2017）ほか多数。

ダイアナ・ジェイ（Dyanna Jaye、第 12 章）、サンライズ・ムーブメントの設立メンバー

デビッド・ウォラス＝ウェルズ（David Wallace-Wells、第 1 章）、ジャーナリスト。主な著作に『地球に住めなくなる日：「気候崩壊」の避けられない真実』（NHK 出版、2020）がある。

ナオミ・クライン（Naomi Klein、第 3 章）、1970 年生、ジャーナリスト。主な著作に『地球が燃えている：気候崩壊から人類を救うグリーン・ニューディールの提言』（大月書店、2020）がある

ビクトリア・フェルナンデス（Victoria Fernandez、第 12 章）、サンライズ・ムーブメントの設立メンバー

ビル・マッキベン（Bill McKibben、第 5 章）、1960 年生、環境保護論者。主な著作に『ディープエコノミー 生命を育む経済へ』（英治出版、2008）

ミケーラ・バトソン（Mikala Butson、手記）、サンライズ・ムーブメントのメンバー

メアリー・ケイ・ヘンリー（Mary Kay Henry、第 10 章）、1958 年生、国際サービス従業員労働組合（SEIU）所属の労組活動家

リアナ・グン＝ライト（Rhiana Gunn-Wright、第 6 章）、1988 年生、ローズベルト研究所の気候変動政策ディレクター。主な共著論文に、"The Green New Deal" Legal Studies Research Paper No. 19-09（R. Hockett との共著、2019）がある

ロバート・マスター（Robert Master、第 16 章）、全米通信労組のポリティカルディレクター

ワリード・シャヒド（Waleed Shahid、第14章、第15章）、Justice Democratsのコミュニケーションズ・ディレクター

編著者略歴

ヴァルシニ・プラカシュ(Varshini Prakash)

サンライズ・ムーブメントの共同設立者であり、エグゼクティブ・ディレクター。*The New Yorker*、*The New York Times*、*The Washington Post*、*BBC* などでその活動が紹介された。2019 年に *Time's 100 Most Influential People* および *Forbes's 30 Under 30* に選ばれた。2020 年には大統領選挙におけるバイデン＝サンダース陣営の気候変動政策タスクフォースに参加。マサチューセッツ州ボストンに在住。

ギド・ジルジェンティ(Guido Girgenti)

Justice Democrats のメディア・ディレクター、およびサンライズ・ムーブメントの創設ボードメンバー。人種的・経済的・気候的正義のための生涯にわたるオーガナイザーである。ニューヨーク州ブルックリンに在住。

訳者略歴

朴勝俊（ぱく・すんじゅん）

1974 年生まれ。関西学院大学総合政策学部教授。神戸大学大学院経済学研究科卒（博士・経済学）。主な翻訳に、ヤニス・バルファキス『黒い匣』（明石書店、共訳）などがある。

山崎一郎（やまさき・いちろう）

1949 年生まれ。NPO 法人すもと共生ネットワーク理事長。京都大学法学部卒業。
主な翻訳に、ジョン・マクドネル編『99％のための経済学』（堀之内出版、共訳）などがある。

長谷川羽衣子（はせがわ・ういこ）

グリーン・ニューディール政策研究会事務局長。上智大学地球環境学研究科修了（修士・地球環境学）。

大石あきこ（おおいし・あきこ）

れいわ新選組衆議院大阪府第 5 区総支部長。元大阪府職員。大阪大学大学院工学研究科修了（修士・環境工学）。

cargo

作曲家・プロデューサー。シドニーの音楽大学 The Australian Institute of Music 卒業。1996 年より 10 枚のアルバムを発表。音楽誌 Ele-king でライターも務める。

青木嵩（あおき・たかし）

1991 年生まれ。大阪大学大学院工学研究科地球総合工学専攻助教。関西学院大学大学院総合政策学研究科卒（博士・学術）。

ヒル・ダリア・エイミー

名古屋大学大学院環境学研究科、博士前期課程在籍。

ヴァルシニ・プラカシュ、ギド・ジルジェンティ＝編著
グリーン・ニューディールを勝ち取れ
気候危機、貧困、差別に立ち向かうサンライズ・ムーブメント
朴勝俊、山崎一郎、長谷川羽衣子、大石あきこ
cargo、青木嵩、ヒル・ダリア・エイミー＝訳

2021年12月5日　初版第1刷発行

発行所　株式会社那須里山舎
発行者　白崎一裕

〒324-0235　栃木県大田原市堀之内625-24
電話 0287-47-7620　fax 0287-54-4824
http://www.nasu-satoyamasya.com/
印刷・製本　株式会社シナノパブリッシングプレス

ISBN 978-4-909515-05-6
定価はカバーに表示してあります。